É PRECISO RECOMEÇAR

É preciso recomeçar
Copyright by © Petit Editora e Distribuidora Ltda., 2012
6-01-22-200-37.200

Coordenação editorial: **Ronaldo A. Sperdutti**
Assistente editorial: **Renata Curi**
Imagem da capa: **Polina Nefidova / Fotolia**
Capa, projeto gráfico e editoração: **Ricardo Brito / Estúdio Design do Livro**
Preparação: **Maiara Gouveia**
Revisão: **Katycia Nunes**
Impressão: **Renovagraf**

Dados Internacionais de Catalogação na Publicação (CIP)
(Câmara Brasileira do Livro, SP, Brasil)

Eduardo (Espírito).
É preciso recomeçar / pelo Espírito Eduardo ; psicografia de Célia Xavier de Camargo. – São Paulo : Petit, 2012.

ISBN 978-85-7253-203-7

1. Espiritismo 2. Mensagens 3. Psicografia I. Camargo, Célia Xavier de. II. Título.

12-02977   CDD: 133.93

Índices para catálogo sistemático:
1. Mensagens psicografadas : Espiritismo   133.93

Direitos autorais reservados.
É proibida a reprodução total ou parcial, de qualquer forma ou por qualquer meio, salvo com autorização da Editora.
(Lei nº 9.610, de 19 de fevereiro de 1998)
Traduções somente com autorização por escrito da Editora.
Impresso no Brasil.

Prezado(a) leitor(a),
Caso encontre neste livro alguma parte que acredita que vai interessar ou mesmo ajudar outras pessoas e decida distribuí-la por meio da internet ou outro meio, nunca deixe de mencionar a fonte, pois assim estará preservando os direitos do autor e, consequentemente, contribuindo para uma ótima divulgação do livro.

É PRECISO RECOMEÇAR

PSICOGRAFIA DE
CÉLIA XAVIER DE CAMARGO

PELO ESPÍRITO
EDUARDO

Av. Porto Ferreira, 1031 - Parque Iracema
Cep 15809-020 – Catanduva-SP
Fone: 17 3531.4444
www.boanova.net | boanova@boanova.net
www.petit.com.br | petit@petit.com.br

Outros livros de sucesso da médium Célia Xavier de Camargo:

– *Leon Tolstói por ele mesmo*
– *Só o amor liberta*
– *Asas da liberdade*
– *Correntes do destino*
– *Paixão de primavera*

Agradecimentos

É com muita alegria que registramos aqui os nossos agradecimentos ao querido cunhado e amigo, PAULO CÉSAR DE CAMARGO LARA que, ao longo dos anos, desde que aflorou em mim a mediunidade de psicografia, tem muito nos auxiliado, realizando, graciosamente, com muita competência, a primeira revisão de todas as obras publicadas, inclusive esta que agora vem a público.

Ao Paulo César, pois, a nossa gratidão eterna, rogando a Deus que continue abençoando sua vida e seu trabalho.

Célia Xavier de Camargo

Sumário

    Palavras do autor, 9
1. Vida em família, 13
2. Dificuldades domésticas, 27
3. Expectativas, 41
4. Conquistando espaço, 55
5. No hospital, 69
6. Situação de Afonso, 81
7. Socorro do alto, 97
8. Novas informações, 109
9. Visitando a mansão, 123
10. Encontro com os filhos, 137
11. Na casa espírita, 149
12. A mensagem, 161
13. Acontecimento inesperado, 173
14. Enfrentando a realidade, 187

15. Homenagens fúnebres, 201
16. A vida recomeça, 215
17. Encontro inesperado, 227
18. Evangelho no Lar, 237
19. O vaso de hortênsias, 249
20. A vida continua, 261
21. Recebendo esclarecimentos, 273
22. A realidade de cada um, 285
23. Um dia diferente, 297
24. Visitando o lar terreno, 311
25. Novas experiências, 323
26. Recaída, 337
27. Decisão importante, 351
28. Explicações necessárias, 361
29. Influência espiritual, 375
30. Em busca de ajuda, 389
31. Ajuda do Além, 405
32. Tomando providências, 417
33. Reconciliação, 431
34. Tudo se encaminha, 445

Epílogo, 459

Palavras do Autor

Queridos irmãos em Cristo Jesus,
Que o Senhor nos conceda sua bênção!

Com grata satisfação, entregamos outra obra, resultado do labor de uma equipe que trabalhou unida, em comum acordo. O livro leva a minha assinatura por haver necessidade de alguém que se responsabilize pelos textos e, também, porque participei ativamente de todo o processo.

Mencionamos alguns nomes de Espíritos conhecidos pelos encarnados, como César Augusto Melero[1], Marcelo[2], Irineu Schoereder[3] e Paulo Hertz[4]. Outros preferem permanecer no anonimato.

---

[1]. César Augusto Melero desencarnou em Rolândia (PR), em 18/7/1985; autor das obras *Céu Azul* (1997) e *De volta ao passado* (2000), ambas da Editora Boa Nova, Catanduva (SP).

[2]. Marcelo, autor das obras *Mamãe, estou aqui!* (1997) e *Erros e acertos* (2002), ambas da Casa Editora O Clarim, Matão (SP).

[3]. Irineu Schroeder desencarnou em Rolândia (PR), em 11/4/1990.

[4]. Paulo Hertz, autor da obra *Só o amor liberta* (2007), Petit Editora, São Paulo (SP).

Abordamos, basicamente, o acompanhamento a uma família, realizado por nossa equipe de Céu Azul, quando os mais jovens foram chamados a auxiliar mais de perto.

Entre espíritos encarnados, sobressai, pela complexidade do problema, a questão do alcoolismo.

Considerado um inocente hábito social por grande parte da sociedade terrena, o vício se alastra com mais poder de destruição do que as piores hecatombes e epidemias, envolvendo famílias e grupos sociais em consequências dramáticas.

No início, a bebida é só um aperitivo, em comemorações de variada expressão, então se torna cada vez mais exigida, gerando necessidades orgânicas, emocionais e espirituais.

Dessa forma, ingenuamente, entre sorrisos e justificativas que não convencem, algumas famílias abrem as portas do lar a esse inimigo implacável, que acaba por envolver seus membros: pessoas de quaisquer faixas etárias, inclusive crianças.

Em nossos dias, esses fatos criam um panorama realmente estarrecedor: meninos e meninas, logo no início da adolescência, mergulham no vício, em festinhas e "baladas", com a conivência dos pais, que justificam: "Eles são jovens! Têm de aproveitar a vida!". Irresponsáveis, esses pais não percebem que, de maneira perversa, a bebida torna-se trampolim às outras drogas, lícitas ou não.

Assim, as exigências da bebida aumentam dia a dia, transformando as pessoas em dependentes, que precisam dos recursos de uma clínica para desintoxicação orgânica, ou para tratamento psicoterápico em caráter emergencial. E a maioria rejeita essas alternativas, preferindo continuar a trajetória de festas e libações.

Além disso, consideramos a imensa gama de influência espiritual que assola, de maneira cruel, os encarnados. Representada por todos aqueles que, mesmo desvinculados do corpo material, sentem falta do vício e procuram satisfação por meio da afinidade e sintonia com usuários frequentes de álcool, os quais podem suprir sua necessidade. Tal ligação estabelece, não raro, obsessões graves, quando os desencarnados, além de manter o vício, são inimigos do passado em busca de reparação pelos males que o encarnado realizou em existências anteriores.

Apesar de tudo, sempre há uma solução. A receita é a prece, que eleva o pensamento, ilumina, melhora o ânimo e infunde esperança e desejo de vencer as tendências para o vício. Os necessitados sentirão expressiva melhora no estado orgânico, emocional, mental e espiritual, uma vez que, elevando o padrão vibratório, estarão livres da influência negativa e terão melhores condições para iniciar a transformação moral. E os próprios desencarnados, envolvidos pelas vibrações benéficas da oração, terão a oportunidade de receber auxílio, dando novo rumo a suas vidas.

Depois de longo trabalho, que se estendeu de 12 de maio de 2009 a 5 de maio de 2011, entregamos os textos, agora transformados em livro, para a apreciação de todos.

Aos futuros leitores, esperamos que estas páginas sirvam de alerta, estudo e reflexão, em razão dos temas abordados nesse drama familiar, especialmente o alcoolismo e a obsessão.

Desejamos externar nossa profunda gratidão:

Aos amigos e benfeitores do Plano Maior, que tanto nos ajudaram com suas orientações.

Ao professor Hippolyte Leon Denizard Rivail, mais conhecido como Allan Kardec, Codificador da Doutrina Espírita, pelas luzes que acendeu em benefício da humanidade e pelas instruções notáveis que proporcionou, materializando os ensinamentos da plêiade do Espírito de Verdade.

A Jesus, Celeste Amigo, cujos exemplos admiráveis procuramos seguir por meio do Evangelho, legado maior de sua trajetória no mundo terreno, concluída magistralmente na cruz.

E, para encerrar, a Deus, Criador e Pai, e à sua permissão, sem a qual nada aconteceria. Sua bondade, amor e justiça nós reconhecemos em suas ações providenciais.

Muita paz!

Eduardo[5]

ROLÂNDIA (PR), 12 DE JULHO DE 2011

---

5. Eduardo, autor das obras *Preciso de ajuda* (1998), Editora Boa Nova, Catanduva (SP) e *Comunicação entre dois mundos* (2004), Casa Editora O Clarim, Matão (SP).

CAPÍTULO 1

VIDA EM FAMÍLIA

A porta da frente bateu com força. A mulher, com a barriga encostada na pia da cozinha, estremeceu de susto. Deu um pulo, com o coração batendo rápido, descontrolado. Sabia que o ambiente da casa, tranquilo até aquele momento, mudaria drasticamente.

Ouviu as passadas firmes e pesadas em direção à cozinha, e prendeu a respiração, tensa, tentando controlar as pernas trêmulas.

Um homem alto, forte e musculoso entrou. Os cabelos castanhos, curtos e cacheados, com os primeiros fios grisalhos nas têmporas, estavam despenteados; o rosto claro, de compleição sanguínea, avermelhado em virtude do calor, e a roupa, que ele vestira limpinha pela manhã, toda suja de graxa.

O recém-chegado lançou os olhos castanho-esverdeados sobre o fogão, onde as panelas fumegavam, exalando um cheiro bom de comida. Depois, olhou em torno e, com seu vozeirão, reclamou:

– Por que a mesa ainda não está arrumada, mulher?

Laura enxugou as mãos no avental e desculpou-se, gaguejando:

— Estava terminando o almoço e já ia colocar os pratos, Afonso. Não demora nada. É só o tempo de você lavar as mãos, e a comida estará na mesa.

Resmungando qualquer coisa entredentes, o homem tomou o rumo do corredor, dirigindo-se ao banheiro, enquanto ela rapidamente estendeu uma toalha velha sobre a mesa, colocou os pratos, os talheres, os copos e, em seguida, as panelas.

Com a cara fechada, Afonso sentou-se à mesa.

— O que temos hoje para comer?

— Fiz aquele picadinho de carne com legumes que você gosta tanto, querido.

Ele não disse nada. Limitou-se a estender o prato para que ela o servisse.

— Onde estão os moleques?

— Os meninos ainda não chegaram da escola, Afonso.

— E por que não? O que é que ficam fazendo na rua? – vociferou ele, batendo com o punho fechado na mesa.

— Ainda não é meio-dia, querido. Você veio almoçar mais cedo hoje – respondeu ela, com brandura.

— Ah!

Ele começou a comer de cabeça baixa. De repente, olhou em torno e resmungou de novo.

— Onde está o pão?

Laura correu até o armário, pegou a cesta de pães e colocou-a sobre a mesa. Enquanto isso, eles ouviram vozes infantis, alegres e descontraídas, que se aproximavam do portão. A porta da sala se abriu, e três meninos entraram. Deixando as mochilas na sala, correram para a cozinha.

— Mãe! Estamos com fome! — exclamou o pequeno, entrando afoito.

Ao ver o pai, sentado, a comer de cabeça baixa, o garoto encolheu-se. Parou temeroso e murmurou:

— Bom dia, papai.

Afonso sequer levantou a cabeça. Parou a colher que levava à boca e, sem fitar o menino, rosnou:

— É desse jeito que vocês entram em casa, parecendo um bando de cavalos em disparada?

— Desculpe, papai. Não acontecerá mais.

Os outros dois estavam parados à porta, ouvindo, sem coragem de entrar na cozinha.

— O que estão esperando vocês dois? Vão ficar parados na porta a tarde inteira?

Os dois garotos aproximaram-se em silêncio, sentaram-se timidamente, sem pronunciar uma palavra, enquanto a mãezinha os servia com carinho. Depois, Laura pegou um prato e serviu-se também, encostando-se na pia para comer. Nunca se sentava junto com eles. Acostumara-se a fazer a refeição de pé, para mais facilmente servir a família, especialmente o marido.

Com os braços sobre a mesa, a cabeça enterrada no prato, o brutamontes comeu em silêncio. Ao terminar, levantou-se, quase derrubando a cadeira.

— Veja se faz alguma coisa melhor, mulher. A comida estava uma droga. Quero bife.

Levantando os olhos para ele, Laura desculpou-se:

— Então deixe dinheiro, Afonso. Não tenho mais nada comigo.

Ele praguejou, colocando a mão na cintura.

— O que fez com o que lhe dei ontem? Está gastando demais! Assim não aguento!

— O dinheiro que você deixou era pouco e não deu para as despesas. Além disso, preciso pagar as contas de água e de luz.

Enfiando a mão no bolso, ele retirou duas notas de dez reais e jogou na mesa.

— Tome. Não gaste tudo. Sou sozinho para ganhar, e todo o mundo para gastar. Assim não dá!

A esposa baixou a cabeça e não disse nada. Os vinte reais dariam para as pequenas despesas. As contas teriam de esperar.

Afonso entrou no banheiro e, logo depois, saindo, encaminhou-se para a porta da rua, batendo-a com estrondo.

A esposa e os filhos respiraram aliviados. Trocaram um olhar e sorriram. O ambiente modificou-se por completo.

— E então, meus queridos, como foram hoje na escola? – perguntou a mãe, sentando-se junto com eles.

Bruno, o caçula, de apenas cinco anos, ergueu os grandes olhos aveludados e deu um grande sorriso:

— Mamãe, hoje a professora me elogiou. Disse que sou muito inteligente!

— É mesmo, meu filho? Que bom! Mas você é mesmo muito inteligente. Vocês três são muito inteligentes!

Junior, o mais velho, de doze anos, e o mais calado dos três, delatou:

— Mamãe, a professora do Zezé mandou um recado para a senhora aparecer na escola.

José Antônio, de oito anos, que todos chamavam de Zezé, baixou a cabeça, temeroso.

— O que houve, meu filho? — indagou a mãe, com ternura.

— Nada, mamãe. Não aconteceu nada.

— Está bem. Não se preocupe. Irei à escola depois que terminar de arrumar a cozinha.

Zezé levantou os olhos úmidos, com raiva do irmão, e entregou:

— E você, que andou brigando com aquele seu colega, o Fábio?

— É verdade, meu filho? Andou brigando na escola? — perguntou a mãe, apreensiva.

— Não foi nada, mamãe. Foi uma briguinha à toa.

— Mas deve ter um motivo. O que houve, meu filho? Pode falar!

— Na escola, todo o mundo sabe que não gosto que me chamem de Afonso, e o Fábio vive me desafiando. Mas só batemos boca, nada sério.

A mãe colocou a mão no braço do filho, com carinho, e considerou:

— Meu querido, você não pode se irritar só porque alguém o chama de Afonso. É o seu nome, e é lindo!

O garoto virou a cabeça para o outro lado, chateado:

— Mas a senhora sabe que não gosto dele. Prefiro que me chamem de Junior.

A mãe entendeu perfeitamente. O filho rejeitava o nome por causa do pai. Olhando cada um deles, justificou:

— Meus filhos, seu pai está assim porque tem tido alguns problemas na oficina. Ele não é mau, apenas não sabe se controlar.

— Mãe, ele não gosta de nós. Trata mal a senhora, e isso eu não posso suportar! — contestou Junior.

Com lágrimas nos olhos, Laura fitou os filhos e disse:

— Ele vai mudar, mas nós precisamos ajudá-lo. Somos quatro e temos condições de fazer do nosso lar um lugar bom para se viver. Nunca se esqueçam disso. Se nós queremos mudar o ambiente da nossa casa, nós podemos fazê-lo. Juntos, conseguiremos.

Conversaram um pouco mais, depois cada um foi cuidar das suas obrigações. Sentaram-se à mesa da sala de jantar para fazer os deveres da escola.

Laura arrumou a cozinha, tomou banho, vestiu-se e avisou os filhos que iria sair. Fez-lhes algumas recomendações e completou:

— Vou fazer umas comprinhas e, depois, passar na escola. Junior, cuide dos seus irmãos. Não demoro.

Ela ganhou a rua, caminhando apressada. Em pensamento, passava em revista tudo o que tinha de fazer, não podia esquecer de nada. Preocupada com Zezé, resolveu passar primeiro na escola. Entrou e perguntou pela professora Adélia. Informaram que estava na sala dos professores. Para lá se dirigiu.

A professora, que tomava um cafezinho naquele momento, sorriu ao vê-la:

— Aceita um café, Laura?

— Aceito, com prazer. Recebi seu recado, Adélia. Quer falar comigo?

— Sim. Sente-se — convidou, entregando à Laura a xícara fumegante.

— Do que se trata? — indagou a mãe, aflita.

— É o seguinte. O rendimento escolar do José Antônio vem piorando a cada dia. Ele não presta atenção nas aulas, não faz as tarefas direito e, em virtude disso, as notas dele nas últimas provas foram baixas. Ele está com algum problema? Observei que parece tenso, preocupado, como se andasse sempre temeroso de alguma coisa.

A professora parou de falar por alguns instantes, tomando mais um gole de café, depois prosseguiu:

— E em casa, como ele tem se comportado?

Laura fitava a professora, pensando em todos os problemas que vivenciavam, sem coragem para falar. Tinha vergonha. Afinal, respondeu:

— Realmente, não sei o que está havendo com Zezé, Adélia. Vou conversar com ele e procurar ajudá-lo. Às vezes, é coisa de momento. Sabe como é! Ele é um menino muito sensível, tímido, e por qualquer motivo fica diferente, se fecha.

— Está bem, Laura. Se souber de algo, avise-me, sim?

— Sem dúvida. Até logo, Adélia, e obrigada.

A mãe despediu-se da professora e encaminhou-se para o mercado, mas não conseguia esquecer a conversa, preocupada com o filho. Certamente, o problema estava no relacionamento com o pai, que deixava todos inseguros, tensos, medrosos.

No mercado, Laura gostava de ver todos os itens, de observar as embalagens, ver as novidades, mesmo que não fosse comprar. Aquela era a sua distração. Não tinha momentos de lazer, e o tempo que passava no mercado era uma diversão para ela. Afinal, a renda que tinham mal dava para as despesas básicas. Sabia que os filhos precisavam de roupas, de calçados; a casa precisava de alguns reparos, a geladeira estava velha, pedindo outra, o fogão funcionava por puro milagre; muitas vezes, tomavam banho frio, porque o chuveiro era antigo e queimava; as contas de água e energia elétrica estavam atrasadas, mas também outras se acumulavam na gaveta. Na verdade, era preciso dar um jeito de aumentar a renda da família, mas como?

Nesse dia, caminhando pelas bancas, preocupada ainda com Zezé, ela não prestava atenção em nada.

De repente, viu uma senhora idosa, que se aproximou de uma banca, portando uma cesta de fibra trançada, coberta com pano alvo e muito limpo. Enquanto Laura observava alguns queijos diferentes, sua paixão, a outra mulher falava com a dona da banca, entregando-lhe grandes pães caseiros, acondicionados em sacos plásticos; a proprietária conferiu a quantidade, fez a conta e entregou o dinheiro para a vendedora. Não deveria ser muito, mas o sorriso daquela mulher humilde, simples e simpática, atraiu a atenção de Laura.

Enquanto a dona da banca atendia uma freguesa que chegara, Laura dirigiu-se à velhinha.

— A senhora está de parabéns! Seus pães são lindos! A senhora sempre os vende aqui?

— Sim. Temos compradores fiéis e, graças a Deus, nunca me falta trabalho. Bem, preciso ir andando. Tenho ainda outras entregas de pães e roscas doces e não posso me atrasar. Até logo.

Laura despediu-se da senhora e começou a refletir sobre a própria vida. Quem sabe também poderia ter uma renda extra, vendendo alguma coisa que pudesse atrair as pessoas? Quem sabe fazer bombons e docinhos para vender? Ela não entendia de bombons, mas talvez pudesse até fazer um curso rápido, desses que são oferecidos em um dia ou dois!

A disposição daquela velhinha deixou-a mais animada. Afinal, ela era nova, cheia de vida e de saúde. Agora precisava voltar para casa e passar roupas, porque se Afonso não encontrasse suas camisas preferidas no armário, teria problemas.

Laura tinha uma vizinha que sempre comprava jornais. Pensou em procurá-la. Por sorte, encontrou Gertrudes no portão. Aproveitou para pedir emprestado o jornal do dia. A vizinha, sua amiga, entrou, pegou o jornal e entregou à Laura, que ficou de devolver rapidinho. Entrando em casa, ela procurou nos classificados e achou o que queria. Anotou o endereço, o horário dos cursos que poderiam interessar e o valor da inscrição. Correu até a casa da amiga para devolver o jornal, agradeceu a gentileza e, toda feliz, voltou, guardando muito bem as informações. Afonso não poderia nem sonhar com o que ela planejava. Se ele soubesse, não concordaria nunca!

As crianças, que assistiam a um filme na televisão, estranharam seu aspecto animado e sorridente e perguntaram se acontecera alguma coisa. Ela respondeu, tranquila:

– Apenas estou contente! Só o fato de ter vocês, meus filhos, já é razão suficiente para ficar feliz. Terminem de ver o filme e tomem banho. Quando o papai chegar, quero todos prontos para o jantar.

Quando o marido chegou, ela estava com a roupa passada, o jantar pronto e tudo em ordem. Tinha até colocado um vaso de flores na sala. Eram hortênsias, cultivadas no jardim, flores das quais o marido gostava muito. Esperava agradá-lo com esse carinho, tornando-o menos ríspido e mais afável.

Ao ouvirem a porta da rua se abrindo com estrondo e as passadas firmes e cadenciadas de Afonso, a alegria desapareceu do rosto deles.

O dono da casa vinha com o ânimo ainda pior do que no almoço. Os cabelos encaracolados e despenteados, fisionomia carrancuda, olhos vermelhos, injetados de sangue, com expressão de poucos amigos, e a roupa ainda mais suja de graxa. Adentrou a casa, indo direto para o banheiro. Tomou seu banho e depois, dirigindo-se ao quarto de casal, pôs-se a gritar:

— Laura! Onde está minha camisa azul?

A mulher correu para o quarto e, abrindo o guarda roupas, mostrou a camisa:

— Está aqui, Afonso! Precisa gritar desse jeito, assustando as crianças?

— Cale a boca, mulher! Eu grito quanto e quando quiser! Não me amole! A casa é minha, e sou eu que mando aqui!

Diante da grosseria, Laura saiu do aposento com vontade de chorar, porém, controlou-se. Acalmou os meninos, que ouviram a gritaria, e pediu que se sentassem à mesa, para aguardar o pai.

Ao entrar na cozinha, Afonso estava com a aparência completamente diferente. Mais apresentável, com roupa limpa, barba feita, cabelos penteados com gel, parecia outra pessoa. Exalava um cheiro bom de colônia pós-barba.

Laura colocou a tigela de sopa na mesa, a cesta de pães e um jarro de refresco de laranja. Ele reclamou, imediatamente:

— O que é isso, mulher?

— Sopa. Prove, está bem gostosa.

— É só isso o que você tem para oferecer a seu marido?

— É o que pude fazer. É comida boa e substanciosa. Os meninos adoram sopa.

— Pois eu não! Tire essa porcaria daqui!

Com raiva, bateu o braço no prato, esparramando sopa sobre a mesa e em cima das crianças, que pularam de susto. Bruninho começou a chorar, e ela correu para acalmá-lo. Afonso levantou-se da mesma hora, enraivecido. Chegando à sala, viu o vaso de flores e, com violência, deu-lhe um safanão, espatifando-o no chão e espalhando a água e as flores no assoalho de madeira.

– Por que fez isso, Afonso? – gaguejou Laura, assustada.

– É com isso que você gasta meu dinheiro? Com flores? – esbravejou ele.

– Não! Essas flores foram colhidas no nosso jardim. E você sempre gostou delas!

Mas ele já não ouvia, saindo porta afora e batendo o portão, enquanto eles ouviam seus passos que se afastavam na rua.

Respiraram aliviados.

Laura recolheu as flores, despetaladas, e, enquanto secava o piso, tentou em vão conter as lágrimas. Em seguida, levou o pano para a área de serviço e aproveitou para se recuperar, enxugando o rosto para que os filhos não vissem como se abalara.

Depois, todos voltaram para a mesa e tomaram a deliciosa sopa que ela fizera com tanto amor, e que agora tinha um sabor meio amargo, de tristeza, de desânimo.

Não se deixando abater, Laura procurou animá-los:

– Meus filhos, não fiquem tristes. Tudo vai mudar. Nós ainda teremos uma vida muito boa, acreditem! Tenham confiança em Deus!

CAPÍTULO 2

DIFICULDADES DOMÉSTICAS

Na manhã seguinte, Laura levantou bem cedo, preparou o café para o marido e para as crianças, depois voltou para o quarto. Afonso estava no banheiro, tomando banho, e ela aproveitou para arrumar a cama e guardar as roupas que ele deixara espalhadas.

Ele chegara bem tarde. Ouviu quando abriu a porta e, trombando nos móveis, foi para a cozinha.

"Ainda bem que os meninos não acordaram", pensou.

Há alguns meses, andava muito preocupada com o marido. Todas as noites ele se arrumava e saía, voltando a altas horas. O mais preocupante: sempre cheirando a bebida, mal podendo manter-se nas pernas. Houve um dia em que tombou na sala, e ela, que cochilara no quarto com um livro nas mãos, acordou assustada com o barulho. Correu até lá e o encontrou no chão, falando mole, completamente embriagado. Alto e pesado, foi com muita dificuldade que o ajudou a levantar-se, levando-o para a cama, onde ele caiu em sono profundo.

Na manhã seguinte, Afonso não se lembrava de nada.

Laura percebia que a situação só piorava. Procurava esconder o problema dos filhos, mas era difícil. Uma noite, quando o homem chegou de madrugada, como ela se atrevesse a reclamar da demora, ele se pôs a gritar com a voz empastada, acordando os filhos, que correram à sala para saber o que estava acontecendo. De pijama, carinha de sono e cabelos despenteados, mostravam espanto, sem saber o motivo daquela gritaria. A mãe tentou acalmá-los:

— Não foi nada, queridos! Papai bebeu um pouco, mas logo estará bom. Voltem para a cama e durmam sossegados. Amanhã vocês precisam levantar cedo.

Junior, Zezé e Bruno saíram da sala sem uma palavra e foram para o quarto, mas o fato de ver o pai bêbado tinha mexido muito com eles. No dia seguinte, tocaram no assunto. A mãe, porém, evitou comentários, afirmando que não tinha acontecido nada demais. Apenas um deslize de Afonso, que fora a uma festa com amigos e bebera um pouco além da conta.

Lembrando-se desse fato, Laura respirou fundo. Será que convencera os meninos? Dobrou as roupas e guardou-as no armário. Depois, pegou as peças sujas para colocar com aquelas que seriam lavadas. Ao segurar uma camisa, justamente aquela usada pelo marido na noite anterior, sentiu um cheiro de perfume estranho. Levou às narinas e percebeu que era perfume de mulher. Ficou indignada. O sangue subiu-lhe à cabeça e, quando Afonso saiu do banheiro, cobrou:

— Que perfume é esse na sua camisa, Afonso?

— Que perfume, mulher? Não tem cheiro nenhum. Está ficando doida? Veja lá se eu quero outra mulher para atentar meu juízo. Uma já é demais!

Laura não disse mais nada. Saiu do quarto e foi para a cozinha ver se os filhos estavam tomando o café direitinho. Eles já haviam acabado de tomar o leite, comer o pão com manteiga, e pegavam as mochilas. Ela entregou os lanches para cada um e acompanhou os filhos até o portão, alertando:

— Cuidado ao atravessar as ruas. Olhem para os dois lados!

— Nós sabemos, mãe! — respondeu Zezé.

— Eu sei que vocês sabem, meus filhos, mas nunca é demais repetir.

Como os maiores, antes de ir para a aula, levavam o irmão caçula para a pré-escola, recomendou ao mais velho:

— Junior, não desgrude do Bruno. Segure-o pela mão e não o largue em hipótese alguma, está bem?

— Eu sei, mamãe. Faço isso todo dia. Pode confiar em mim. Tchau!

— Tchau, meus filhos! Que Deus os acompanhe!

Laura observou as crianças até que viraram a esquina. Em seguida, entrou. Afonso terminava de tomar o café e já se aprontava para sair. Continuou calada enquanto lavava as louças. Ele saiu sem dizer nada. "Sinal de que está se sentindo culpado", pensou ela.

A manhã foi difícil. Não bastavam todos os seus problemas, agora tinha outro para se preocupar. Pegou as roupas sujas e levou para a área de serviço, colocando no tanque. Separou as mais delicadas numa bacia e as outras mergulhou na água, deixando de molho. Fazia tudo automaticamente. Seu pensamento estava longe.

Lembrou-se de quando ela e o marido se conheceram. Era muito jovem, uma adolescente, e apaixonou-se por ele assim que o viu. Afonso era um rapaz bonito, sedutor, e jogava basquete.

Laura não perdia um jogo. Mais velho do que ela alguns anos, terminava o segundo grau, enquanto ela concluía a oitava série. Logo começaram a namorar. No início, foi uma maravilha. Tudo perfeito. Depois, com o passar do tempo, o rapaz foi se modificando. Como não tinha uma definição em termos de tendência profissional, fez vários vestibulares, para diferentes cursos, e não passou em nenhum. Na verdade, Afonso nunca gostara de estudar. Tentou até Medicina, por influência do pai, mas não conseguiu, e deu graças a Deus quando não foi aprovado. Não era o que queria.

Cansado dos fracassos sucessivos do filho, o pai resolveu conversar sério com ele, chamando-o à responsabilidade. Sem saída, Afonso acabou sendo sincero com o pai, deixando claro que não tinha interesse por Medicina ou por qualquer outro curso. O pai fez um gesto com as mãos de quem não estava satisfeito, porém, sem alternativa, reconheceu a posição do outro. Depois, olhando o filho de frente, considerou:

– Bem. Se é assim que você pensa, Afonsinho, não insisto mais. No entanto, precisa se definir. Afinal, já está na idade de escolher seu futuro, tomar um rumo. Não pode continuar essa vida de jogador de basquete, de garotão sem responsabilidade, sem uma profissão, sem perspectiva. Então, seja franco comigo: o que você quer fazer da sua vida? Do que você realmente gosta, meu filho? – perguntou o pai, resolvido a acatar o desejo do filho e cansado de pagar cursinhos e vestibulares sem qualquer resultado.

Afonso pensou um pouco e respondeu:

– Pai, eu gosto mesmo é de lidar com carros.

– Lidar com carros? – estranhou o pai.

— Sim, pai. Gosto de saber como funcionam as máquinas, estudar as peças, descobrir os defeitos, fazê-las funcionar. É isso!

— Então, você quer ser mecânico? — indagou o pai, perplexo.

— É isso aí, pai. Está aí uma coisa que eu gostaria de fazer!

Extremamente desapontado, o pai caiu sentado numa poltrona, sem acreditar que seu filho único, seu único herdeiro, queria ser mecânico!

— E você seria feliz como um mecânico, Afonsinho?

— Sim. Eu seria feliz, meu pai.

O pai guardou silêncio por alguns segundos, pensativo. Depois, olhando para o filho, concordou:

— Então, se é isso o que realmente quer, que você seja um bom mecânico. De qualquer forma, vai precisar fazer um curso, estudar tudo sobre mecânica. Procure se informar e depois me avise. Quando estiver preparado, eu lhe darei uma oficina de presente e você vai viver do seu trabalho. Está bem assim?

Afonso ficou todo feliz. Quando as aulas terminaram, e ele concluiu o segundo grau com muita dificuldade, respirou aliviado. Matriculou-se num curso de mecânica de automóveis.

Alguns meses depois, Laura ficou grávida, e eles resolveram se casar. Afonso considerou que já aprendera tudo o que precisava para poder ter a própria oficina mecânica. Conversou com o pai e explicou a situação. Sabia de um local desocupado cujo aluguel era razoável. Levou o pai para ver o prédio. Alberto o examinou, com ar de entendido, e depois concordou, fazendo algumas sugestões necessárias para facilitar o atendimento dos fregueses, que Afonso aprovou, admirado com a praticidade do pai. O local rapidamente foi reformado e equipado, para alegria do rapaz, que não desejava outra coisa da vida.

Desse modo, nem Laura nem Afonso fizeram uma faculdade. Aliás, ela sequer completou o segundo grau. Casaram-se e foram cuidar da família. Há treze anos estavam juntos, e agora tinham três filhos maravilhosos.

Durante esse período, porém, Afonso mudara muito. Não era mais aquele jovem bonito e galanteador que atraía as mulheres. Deixando de praticar esporte, acabou engordando um pouco. Depois, começou a beber e tornou-se um homem bruto, violento e desagradável, que em nada lembrava aquele jogador de basquete por quem Laura se apaixonara um dia.

Recordando o passado, Laura chorava, tendo nas mãos uma foto de Afonso no porta-retratos. O marido usava o uniforme do time e segurava uma taça, no dia em que ganhara um campeonato regional de basquete. Ser o primeiro colocado nessa competição, levar a taça, fora muito importante para o time, especialmente para Afonso, que era o capitão.

Ela não entendia porque o homem mudara tanto. Tornara-se outro. Seria culpa dela? Mas sempre tinha procurado fazer o melhor. Jamais se descuidava da casa, valorizando a família acima de tudo. O que poderia ter acontecido?

No fundo, Laura reconhecia que as coisas, desde o começo, não tinham sido fáceis. Iniciar uma vida em comum com uma mulher grávida, que dorme muito e que enjoa a todo instante, certamente não foi agradável. Além disso, ele lutava com dificuldades do sustento. A oficina, que ele julgou logo estar cheia de clientes, foi uma decepção, pois os fregueses só foram chegando aos poucos. No primeiro mês, consertou apenas dois carros. As contas começaram a se acumular, e havia necessidade de cuidar do enxoval do bebê, preparar um quarto e pensar nas despesas com o parto e o hospital. Tudo isso o atormentava. Depois de muito pensar, Afonso resolveu pedir uma ajuda ao pai. Num sábado, depois de trocar ideias com Laura, telefonou, dizendo que precisava falar com o pai. Este convidou os dois para um almoço no domingo.

No dia seguinte, foram à casa paterna. Ao ver a residência grande, confortável, com amplo gramado na frente e um jardim muito bem cuidado, Afonso sentiu saudades daquele tempo em que a existência corria leve e solta, sem responsabilidades ou problemas. Laura entrou com o coração apertado. Sabia que os sogros não gostavam muito dela, considerando-a culpada pelo filho ter casado tão cedo. Afonso segurou na mão dela, bem apertado. Ela não sabia se ele queria dar forças pra ela, ou se era ele quem precisava se fortalecer.

— Afonsinho, meu filho! Que prazer recebê-los aqui em casa. Como vai, Laura? Seja bem-vinda! — cumprimentou-os Marita, aproximando-se do casal.

Em seguida, avisou o marido, que estava no escritório:

— Alberto, querido, Afonsinho e Laura chegaram!

O pai veio cumprimentá-los, sorridente. Dessa forma, recebidos carinhosamente pelo casal, puderam relaxar, esquecendo-se temporariamente do motivo que os levara até ali. Como o tempo estivesse bom e a temperatura elevada, o almoço foi servido na varanda, cercada de plantas e flores, perto da piscina. Tudo estava delicioso e conversaram bastante. Terminada a refeição, o pai convidou o filho para conversarem em outra sala, enquanto as mulheres distraíam-se com as flores do jardim, as quais atraíram a atenção e o interesse de Laura.

Caminhando entre os canteiros, observando a beleza das plantas, as duas mulheres conversavam. Marita, gentilmente, indagou:

— Conte-me, querida, como tem passado? Sei, por experiência própria, que a gravidez não é uma época fácil para a mulher.

— Agora estou bem, dona Marita. As náuseas passaram e já consigo comer normalmente. Sinto um pouco de dor nas costas, mas disseram-me que é normal, em virtude do crescimento do bebê.

— É verdade. A criança vai ocupando cada vez mais espaço e pressiona a coluna vertebral, ocasionando essas dores nas costas. Fico feliz por você não ter mais enjoos, são terríveis! Com quantos meses de gestação você está mesmo, Laura?

— Não sei ao certo, mas me parece que estou entrando no quinto mês – respondeu a futura mamãe.

Com os olhos arregalados de espanto, a senhora indagou:

— Como assim não sabe?

— Pois é... Eu não sabia que estava grávida. Só percebi quando a menstruação não veio. E, assim mesmo, depois de algum tempo. Como não sou regulada, não me dei conta, até começar a sentir sintomas estranhos.

Marita olhou-a como se ela fosse um ser de outro planeta, considerando:

— E o médico? Com uma ultrassonografia eles podem precisar com exatidão o tempo da gestação e, aproximadamente, a época do parto!

Laura sentia-se constrangida diante da perplexidade da sogra.

— Sei disso, dona Marita. Porém, como estamos em dificuldades, ainda não pude ir ao médico, isto é... quer dizer... não temos um plano de saúde, e tudo fica mais difícil.

— Não têm plano de saúde? Isso significa que ainda não fez o pré-natal?

— Exatamente.

— Mas, se é assim, Afonsinho que pague uma consulta, ora essa! Quando fiquei grávida, Alberto imediatamente levou-me ao médico da família, e tive acompanhamento o tempo todo.

Laura, constrangida com a conversa, procurava manter a calma diante daquela mulher que nunca tivera problemas de falta de dinheiro na vida e que desejava impor seus padrões.

— Dona Marita, eu sei perfeitamente que esse seria o procedimento normal. Mas, tendo em vista as circunstâncias, ainda não foi possível. E garanto que não é por culpa minha ou do Afonso.

— E por culpa de quem, então?

Laura pensou um pouco e respondeu, com lágrimas nos olhos:

— Da vida.

A dona da casa abriu a boca para retrucar, porém calou-se. O marido se aproximava, chamando:

— Ah! Aqui estão elas! Marita, nosso filho quer ir embora.

A senhora olhou o marido e o filho, que se aproximavam, e sua fisionomia abrandou-se:

— Afonsinho! Quer ir embora, meu filho? Ainda nem aproveitamos a piscina! Está tão quente, e seria bom para nos refrescarmos.

O rapaz abraçou a mãe com carinho e explicou:

— Mamãe, outro dia eu e a Laura viremos com mais tempo. Agradeço o almoço, que estava ótimo, mas agora precisamos ir.
— Por que, meu querido? Hoje é domingo!
— Sei disso, mamãe. Mas preciso trabalhar. Deixei um carro na oficina e tenho urgência de entregá-lo. O proprietário vai precisar dele amanhã cedo.
— Se é assim...

Despediram-se afetuosamente, prometendo retornar em outra oportunidade.

Entraram no carro. Afonso deu a partida e saíram, acenando adeuses. Laura estava com um nó na garganta e um desejo intenso de chorar, porém procurou se controlar. Chegaram em casa, e Afonso se jogou no sofá da pequena sala.

— E então, querido? Como foi a conversa com seu pai?

Ele respirou fundo e sintetizou:

— Difícil.

Laura não resistiu mais e desatou em choro sentido. Ao vê-la naquelas condições, o marido envolveu-a em um abraço, tranquilizando-a:

— Não chore, querida. Está tudo bem! Eu disse que foi difícil, mas não disse que foi improdutiva. Relaxe! Papai vai nos arrumar o dinheiro para pagar as contas e fazer as despesas com o enxoval, parto, médico, hospital, tudo. Arre! Vou respirar mais sossegado de agora em diante.

Laura, que havia parado de chorar para ouvi-lo, voltou a chorar depois. De alívio.

Naquela noite, dormiu a noite inteira, serena. Procurou esquecer o diálogo com Marita e pensar apenas no filho, ou filha, que estava chegando.

Afonso, apesar de mostrar-se tranquilo e risonho, no fundo trazia o peito apertado. Para não deixá-la triste e preocupada, não contara o teor da conversa com o pai, que fora muito difícil e desagradável, com cobranças e insinuações. No entanto, intimamente, mantinha-se apreensivo. Seu pai fora muito claro: por ocasião do casamento, dera-lhe uma casa, montara-lhe uma oficina e avisara que ele precisaria viver com os próprios recursos. Se não quisera fazer um curso superior, se fora irresponsável, gerando um filho de uma moça qualquer, sendo obrigado a casar-se tão jovem, arcaria com a responsabilidade. Então, que se virasse.

Afonso precisou explicar: amava Laura, e ela não era uma moça qualquer, mas a sua mulher. E ela ficara desesperada diante da gravidez. Não se casara com ele interessada no dinheiro da família. Assim, acabaram chegando a um acordo. Afonso humilhara-se, implorando ao pai uma ajuda. A certa altura da conversa, disse que o pai não precisava dar o dinheiro, mas apenas emprestar. Comprometia-se a pagar, dentro do possível. Trabalharia dia e noite, sem descanso, mas devolveria a importância ao pai. Nesses termos, fora fechado o acordo.

Entretanto, após o diálogo, Afonso sentiu-se esgotado, sem forças, e inventou uma desculpa para afastar-se o mais depressa possível daquela casa.

Diante da atitude do pai, desejava abrir-se com a esposa, chorar no ombro dela. No entanto, ao vê-la chorando, procurou fortalecer-se, recobrar o ânimo para ajudá-la. Afinal, Laura estava em uma época muito difícil, um período de maior sensibilidade, e precisaria de todo o seu apoio.

CAPÍTULO 3

EXPECTATIVAS

Sentindo os pés molhados, Laura deu-se conta da realidade. Pensando na vida, recordando o passado, deixou aberta a torneira do tanque, que encheu até transbordar. Rapidamente fechou a torneira e pegou um rodinho para enxugar o piso.

Nesse momento, olhou as horas e viu que já era tarde, precisava fazer o almoço. Enxugou o chão e, deixando a roupa no tanque, foi para a cozinha. Ainda bem que havia feijão cozido. Afonso não comia sem feijão.

Abriu a geladeira. Havia molho de tomate que sobrara de uma macarronada e um pouco de carne moída. Resolveu fazer panquecas, que todos apreciavam.

Quando os filhos chegaram da escola, o almoço estava pronto. Entraram alegres, correndo para abraçá-la, antes de deixar as mochilas no quarto. O pequeno Bruno colocou a lancheira sobre a mesa e, todo satisfeito, entregou à mãe uma folha dobrada.

– Mamãe! Olha o desenho que eu fiz para você!

Com imenso carinho, Laura abriu a folha e, enquanto a examinava com atenção, ele informou:

– É nossa família!

Nos traços simples e infantis percebia-se que ele desenhara a mãe; a si mesmo, em tamanho menor, segurando a mão dela e, do outro lado, os irmãos Zezé e Junior. Não desenhara o pai.

– Seu desenho está lindo, meu filho! Mas não está faltando alguém?

O pequeno baixou a cabeça e não disse nada. Ela acariciou-lhe a cabecinha e colocou a folha sobre o balcão, ordenando:

– Agora, todos para o banheiro lavar as mãos. Logo papai chega e vamos almoçar.

Não demorou muito, Afonso entrou, pisando duro, e foi direto para o banheiro. Os meninos acomodaram-se em seus lugares, esperando por ele. O pai sentou-se, e Laura pôs as iguarias na mesa. A última foi a travessa das panquecas, que tinham ido ao forno para derreter o queijo ralado.

Os garotos exultaram. Afonso, embora também gostasse de panquecas, resmungou, para não perder o hábito. Almoçaram em silêncio. Ao terminar, o pai foi pegar uma laranja na fruteira e deu com a folha.

– Que porcaria é essa aqui? – perguntou, com maus modos.

– Não fale assim, Afonso! É um lindo desenho que o Bruno fez.

Ele examinou o desenho e entendeu perfeitamente a linguagem infantil. Depois amassou o papel, jogando no chão.

– Para mim, continua sendo uma porcaria.

O pequeno baixou a cabeça e começou a chorar silenciosamente, enquanto Afonso saía, batendo a porta. A mãe abraçou o filho, e, enquanto colocava este no colo, explicou:

— Papai não fez por mal, meu querido. Ele não entendeu seu desenho.

Junior e Zezé pegaram a folha do chão, desamassaram-na e, vendo as figuras, trocaram um olhar de entendimento, comentando baixinho:

— Acho que ele entendeu bem demais. O pai não podia gostar mesmo! — disse Zezé.

— Claro que não! Quem sabe agora ele perceba que não faz parte da família?! — completou Júnior.

A mãe, que escutara o comentário, reagiu:

— Meus filhos! Não é assim que vamos resolver nossos problemas. Ele é o pai de vocês e devem amá-lo!

Junior cruzou os braços e fitou a mãe, revoltado:

— Amá-lo de que jeito, mamãe? Ele não nos dá atenção, carinho, nada! Só nos agride e agride a senhora. Parece um estranho dentro de casa.

— Não fale assim, Junior! É seu pai que mantém esta casa, e é graças a ele que não nos falta o que comer. Apenas precisa de ajuda neste momento. O que a gente faz quando alguém precisa de ajuda? Temos que compreender e ajudar!

— E nós, mamãe? Quem vai nos ajudar? — retrucou o menino.

O pequeno Bruno, que havia parado de chorar para escutar a conversa, lembrou:

— Quando meu gatinho se machucou, eu o ajudei, peguei no colo e cuidei do machucado dele!

As palavras de Bruno mostraram que ele tinha entendido bem o que a mãe dissera. Laura deu um sorriso, colocando o menino no chão.

– E você agiu muito bem, meu filho. Agora chega de conversa. Vocês terminaram de almoçar, então, Junior e Zezé, podem descansar um pouco, mas depois vão fazer os deveres de casa. E você, Bruninho, vá brincar no quarto, está bem?

Depois que as crianças saíram, Laura tirou a mesa e começou a lavar a louça. Enquanto isso, pensava: "Preciso dar um jeito de ganhar dinheiro. Não sei quanto tempo vou suportar essa situação. Enquanto o problema for comigo, eu suporto. Se atingir meus filhos, terei que tomar uma atitude. Infelizmente, não aprendi a fazer nada que possa vender. A não ser cozinhar, o que faço razoavelmente. Preciso ver, sem falta, aquele curso de docinhos".

Assim refletindo, Laura terminou de arrumar a cozinha e foi para o tanque; lavou toda a roupa que estava de molho e estendeu-a no varal, porém continuava a pensar, tentando achar uma saída para a situação. Cansada, tirou o avental e sentou-se na sala para descansar um pouco. Automaticamente, ligou a televisão.

Pensando nas suas dificuldades, não prestava atenção na programação nem via as imagens. Nesse momento, acabara o intervalo comercial e apareceu uma senhora simpática e sorridente na tela, que ensinava a fazer uma receita de frango no forno, com cebolas, pimentão, tomates e azeitonas. Como Laura gostava de cozinhar, prestou atenção na receita, que era fácil. O mais interessante, porém, é que a senhora afirmou que, após essa receita, iria ensinar a fazer um tipo de bombom.

Entusiasmada, achando que aquilo era uma ajuda dos Céus, correu e pegou uma caneta, seu caderno de receitas, e sentou-se, aguardando. A senhora logo apresentou o frango, recém-saído do forno e de aparência bem apetitosa. Em seguida, passou à receita de bombons. Laura anotou tudo, inclusive as dicas da apresentadora para variar os recheios e maneiras de criar embalagens bonitas e atraentes aos olhos dos consumidores.

Ela estava tão animada e ansiosa que não queria esperar o dia seguinte. Pegou a bolsa, avisou os filhos de que ia fazer compras e saiu. Tinha algum dinheiro e queria testar a receita. Comprou chocolate em barra, coco ralado, leite condensado e forminhas para embalar.

Voltou para casa e foi logo para a cozinha. Quando os meninos sentiram o cheiro gostoso de doce se espalhando pela casa, correram para perto da mãe. Após alguma dificuldade de principiante, até para encontrar o tamanho certo, ela conseguiu enrolar os bombons, passando pelo chocolate derretido em banho-maria. Esperou secar, acondicionou nas forminhas e, toda orgulhosa, apresentou aos filhos:

— Provem! Vejam como ficaram!

As crianças comeram e adoraram.

— Mamãe! Está uma delícia! – disse Zezé.

— Sen-sa-ci-o-nal! – disse Bruninho com voz infantil e pausada, separando bem as sílabas, usando a palavra nova que tinha aprendido na escola.

— Nunca provei nada melhor, mamãe. A senhora se superou! Mas por que resolveu fazer esses bombons hoje? – perguntou Junior.

Eles estavam todos em torno da mesa. Laura sentou-se e indagou:

— Vocês acham que alguém compraria?

— Claro! – responderam Zezé e Bruninho, em uníssono.

— Essa é sua intenção, mamãe? – quis saber Junior, atento.

— Sim, meu filho. Estou pensando seriamente em fazer bombons para vender. O que acham?

— Nós vamos ajudar! – disse Zezé.

— A senhora pode vender na escola, mamãe – sugeriu Junior.

— Vou vender para meus amiguinhos! – completou Bruno, já passando a mão na travessa e ameaçando sair para ir à casa dos vizinhos e oferecer os doces.

Laura segurou-o pelo braço, enquanto Junior agarrava a travessa, impedindo-a de ir ao chão.

— Não, meu filho, agora não! Não é desse jeito. Vou precisar, sim, da ajuda de vocês, mas precisamos pensar como fazer.

Cada um deu suas sugestões e resolveram que os meninos fariam a propaganda, despertando o interesse dos vizinhos e coleguinhas, e a mãe sairia oferecendo nas escolas, lojas, escritórios – enfim, onde eles pudessem ser vendidos. Para não dar o passo maior do que a perna, começaria por oferecer aos vizinhos.

Resolvido isso, Laura colocou os bombons numa caixa bonita e, deixando os filhos em casa, saiu pela vizinhança. Começou pela casa da esquerda, que era a de Gertrudes.

Tocou a campainha e esperou a amiga abrir a porta. Cumprimentaram-se, e a dona da casa convidou-a para entrar, perguntando curiosa:

— O que é isso aí, Laura?

— Já lhe mostro. Veja!

Laura abriu a caixa, e Gertrudes arregalou os olhos.

— Que lindos! Chegam a dar água na boca. Onde comprou?

— Fui eu mesma que os fiz. Prove! – respondeu Laura, toda orgulhosa.

Gertrudes levou um à boca e deliciou-se.

– Maravilhoso! Mas não sabia que você já tinha feito o curso! Aliás, nem daria tempo!

– Peguei a receita hoje, num programa de televisão. Acha que dá para vender?

– Claro! Você tem alguma dúvida?

– É que nunca fiz nada com objetivo comercial e não sei como agir, quanto poderia cobrar... – expôs Laura, insegura.

Gertrudes, que era mais velha do que Laura, mais experiente e prática, pois fora secretária de uma firma, ponderou:

– Bem. Vamos por partes, Laura. Você tem que começar fazendo uma análise do custo. Isto é, quanto gastou com os ingredientes, embalagens, sem esquecer de computar o gás que foi gasto, seu tempo, enfim, tudo o que representar custo. Depois, saber quanto rende uma receita e dividir, encontrando o valor unitário; em seguida, acrescente uma porcentagem, que representará seu lucro, e você saberá quanto poderá ganhar em cada um deles.

– Xi! É muito complicado, Gertrudes!

– Nada. É fácil. Posso ajudá-la nisso. Para começar, quanto você gastou em material?

Laura foi falando, e Gertrudes, com papel e caneta na mão, foi anotando. Fizeram as contas e acabaram estabelecendo um valor, que seria o preço de cada bombom.

Agradecida, Laura deixou a amiga e saiu pela vizinhança, mostrando seus doces. Alguns compraram e pagaram, outros não tinham dinheiro e ficaram de pagar depois, e outros, ainda, não se interessaram. Mas o primeiro passo foi dado. Retornando para casa, a caixa estava vazia, e Laura, eufórica. No bolso da saia, trazia o resultado da venda, fora o que receberia. Animada, viu que tinha o suficiente para fazer outras receitas, comprar o que faltava e variar os recheios, como ensinara a apresentadora da televisão.

Com a cabeça cheia de sonhos, Laura pensava que descobrira uma fonte de renda. No entanto, sabia que não poderia prosseguir sem a anuência de Afonso para seu projeto, e também tinha certeza de que enfrentaria dificuldades para convencê-lo. O marido, criado à moda antiga, nunca admitira que ela procurasse um emprego, que trabalhasse fora.

Entrando em casa, Laura pensava que precisaria falar logo com ele. Seria essa noite mesmo. Não podia esperar.

Os meninos correram para saber o resultado e bateram palmas quando souberam do sucesso das vendas, embora esperançosos de que houvesse sobrado alguns bombons. A mãezinha, entusiasmada, assegurou-lhes:

— Não se preocupem, meus filhos. A partir de hoje, vocês sempre terão bombons para comer. Sempre deixarei um pouco para a família. Que tal?

Novas palmas e sorrisos ansiosos das crianças, já pensando no dia seguinte.

Laura fitou-os com ternura. No fundo, lamentava por nunca ter podido dar aos filhos o que eles gostavam. A falta de dinheiro crônica impedia de comprar o que não fosse estritamente necessário. No entanto, agora, fazendo uma análise racional, reconhecia que faltara desejo de mudar, de inovar, de aprender. Afinal, não ficava tão caro assim, e poderia, ao longo dos anos, ter feito mais doces, bolos e biscoitos, bastaria que tivesse tido ânimo para isso. Refletindo, percebia que faltara algo essencial: vontade. Certamente, era muito jovem quando se casara; não sabia cozinhar e teve que aprender. Da mesma forma, poderia ter aprendido a fazer guloseimas para a família.

Ao entardecer, quando o pai chegou, encontrou todos contentes em casa. O ambiente tinha mudado, e uma sensação de bem-estar e de alegria envolvia tudo. Tanto Laura quanto as crianças estavam com os olhos brilhantes. Ao contrário da família, o dia de Afonso não tinha sido bom, e ele entrou de cara amarrada, carrancudo.

Jantaram, e Laura colocou os meninos para dormir. Depois, ela e o marido sentaram-se na sala, para ver o jornal da televisão.

— Como foi seu dia hoje, Afonso? — perguntou, tentando conversar.

— Péssimo. Tem dias em que tenho vontade de largar tudo e sumir no mundo.

— O que aconteceu?

Ele manteve-se calado, como se não tivesse escutado. Depois, quando Laura até havia esquecido a pergunta, ele respondeu lentamente:

— Um dos nossos clientes mais antigos disse que não estava contente com o conserto e que não pagaria a conta. Simplesmente pegou o carro e foi embora.

— Como assim? Ele não pode fazer isso!

— Foi desculpa. Mais tarde, ficamos sabendo que ele fugiu da cidade. Deu um calote na praça e foi embora com a secretária, abandonando a família.

— Meu Deus! E agora, Afonso?

— A vida continua. Vou ter que me matar de trabalhar, porque o tempo não para e as contas estão aí!

Laura achou que era o momento certo de se abrir com o marido. Tinha estudado bem as palavras que deveria dizer, mas agora elas fugiam da memória. Não obstante, limpou a garganta, respirou fundo, tomou coragem e, mansamente, começou:

— Afonso, preciso falar uma coisa. Tenho pensado bastante em como ajudar nossa família. Antigamente, eu precisava dedicar o tempo todo aos nossos filhos. Mas agora que eles estão maiores, bem que eu poderia arrumar algo para fazer...

Ele virou-se para a mulher com expressão de quem não entendia.

— Explique-se melhor, Laura.

— É o seguinte. Gostaria de ter uma atividade que nos desse alguma renda extra. Claro que eu não poderia trabalhar fora, porque nossos filhos, apesar de crescidos, precisam de mim. Mas aqui, em casa mesmo, eu poderia fazer algo lucrativo.

A expressão de Afonso foi se alterando, ficando vermelha, e ela percebeu que o marido estava à beira de uma crise de nervos.

— Acalme-se, Afonso! É algo bem simples. Vou explicar.

E, lentamente, contou a ideia que tivera, a facilidade da venda e a empolgação dos filhos, concluindo:

— Percebe que poderei ajudá-lo na manutenção da casa, sem grande esforço e, principalmente, sem precisar ficar o dia inteiro fora de casa? Se você permitir, tudo será mais fácil para nós e você não precisará trabalhar tanto. O que acha?

Finalmente, conseguindo extravasar seus sentimentos, Afonso explodiu:

— Acha mesmo que vou permitir que minha mulher trabalhe? Você acha que não tenho capacidade para manter a casa? Vou ficar desacreditado perante todos! O que vão dizer? Que sou incapaz de ganhar o suficiente para manter minha família e minha mulher precisa vender bombons de porta em porta! Não! Nunca! Mil vezes não!

Com lágrimas nos olhos, Laura escutou tudo o que ele disse, sem interromper. Depois, procurando manter a calma, ponderou:

— O que as outras pessoas têm a ver com nossa vida, Afonso? Hoje em dia é normal mulheres arrumarem um emprego, trabalharem fora! Que mal há nisso? E eu nem vou sair de casa. O que tiver que fazer será aqui mesmo, e posso até arrumar alguém que venda os bombons para mim.

— Não! Já disse que não! Mulher minha não trabalha fora!

O sangue subiu, e Laura acabou por perder o controle, retrucando, irritada:

— Machista é o que você é! Se soubesse que você era assim, não teria me casado. As mulheres de seus amigos trabalham e nunca vi você horrorizado por isso.

— Na "minha família" as mulheres não trabalham. Minha mãe jamais trabalhou fora! Meu pai não permitiria — gritou ele.

Descontrolada, Laura respondeu:

— Não trabalha porque não precisa. Eles são de família rica. Queria ver se seu pai não tivesse dinheiro, o que iriam fazer.

— Não é questão de dinheiro. É questão de princípios.

— Pois não me importam seus princípios machistas. Estou cansada de ver nossos filhos precisando de roupas, calçados, material escolar, remédios, e não ter dinheiro para comprar!

Soluçando, Laura saiu correndo da sala e se refugiou no quarto.

Afonso, irritado, saiu de casa batendo a porta. Sentia a garganta seca. Depois dessa discussão, precisava tomar uma cervejinha com os amigos no bar. Pelo menos lá, ninguém iria lhe azucrinar.

Caminhando pela rua, pensava. O bar era o único local onde se sentia realmente bem, sem problemas. Lá, a conversa rolava solta, todos eram felizes e ninguém ficava olhando para ele com cara feia, pedindo coisas ou cobrando algo.

Próximo do seu destino, ao virar uma esquina, encontrou um amigo.

— Pô, cara! Tô com a boca seca o dia inteiro, só pensando na gelada! Ainda bem que o serviço acabou mais cedo hoje! – disse Rolando, colocando a mão no ombro de Afonso.

— Também não via a hora, amigão! Justamente hoje que tinha resolvido ficar em casa com a família, a mulher veio me encher a cabeça com bobagens. Não deu outra. Saí na hora! E eu lá sou homem de aguentar papagaiada de mulher?

Ambos caíram na risada. Chegando ao local, que já estava cheio àquela hora, foram recebidos com alegria e gritos de entusiasmo pelos frequentadores habituais. De uma mesa, disseram ao garçom:

— Bota mais um copo aí pro meu amigo, Afonso! É hoje que vamos tomar todas! Demorou, Afonso! Pensei que não viesse mais!

— Pois se enganou, Antônio! Hoje vou beber até cair!

— Assim é que se fala! Então, vamos lá!

CAPÍTULO 4

Conquistando espaço

Na manhã seguinte, Laura levantou pálida e cansada. Não tinha conseguido dormir. Revirara-se a noite toda, pensando no que fazer, que atitude tomar. Decidiu que, dessa vez, não cederia. Durante todos esses anos de casamento, quando havia um impasse por qualquer motivo, sempre cedia. Estava cansada disso e não suportaria mais tal situação. Por ela, por seus filhos, que mereciam uma vida melhor, precisava lutar e vencer. Se Afonso não aceitasse sua decisão, estava resolvida a enfrentá-lo.

Quando os primeiros raios de sol bateram em sua janela, levantou-se e foi acordar os meninos, mergulhando na rotina diária. Coou o café, arrumou a mesa, fez o lanche de Bruno e sentou-se. Tomava o café quando o marido entrou na cozinha. Ele não disse nada, apenas sentou e serviu-se. Laura continuou comendo seu pão com manteiga como se não o tivesse visto, ignorando o homem. Logo os filhos chegaram, e ela sorriu, servindo o leite quentinho. Junior percebeu que a mãe estava abatida e, para ajudá-la, cortou o pão de Bruno, passando a manteiga.

Afonso observava tudo em silêncio. No fundo, estava incomodado com a discussão da noite anterior. Saiu para trabalhar sem dizer uma palavra. Em seguida, Laura levou os meninos até o portão, despedindo-se com um beijo e as recomendações de sempre:

– Cuidado com a rua! Não largue a mão do Bruno, Junior. Zezé, preste atenção na aula, sim? Que Deus os acompanhe!

Seguiu-os com os olhos até que viraram a esquina. Entrou em casa e deitou-se no sofá, desanimada. Não percebeu que um vulto iluminado de mulher colocava a mão diáfana sobre sua cabeça. Ondas de luz, imitando o brilho de uma pedra preciosa, saíam da mão da entidade e penetravam suavemente em seu corpo, iluminando-o por dentro. Laura começou a reagir. Sentia-se melhor. Respirou fundo, abriu os olhos, sentou-se e, olhando para si mesma, estranhou. Pela manhã, ela sempre se trocava antes de deixar o quarto, pronta para o dia. Ao notar que, contra seus hábitos, ainda estava de penhoar, encaminhou-se aos aposentos.

Após tomar um bom banho e vestir-se, resolvera o que fazer. Mais tranquila, decidiu não bater de frente com o marido, criando problemas que poderiam ser desastrosos. Prosseguiria, no entanto, com o propósito de realizar seu "novo projeto" – como ela o chamava – na tentativa de obter melhores condições de vida para toda a família.

Assim, arrumou a casa rapidamente e saiu às compras. No mercado, parou diante daquela banca que vendia produtos variados, inclusive os lindos pães vistos alguns dias antes. O momento era propício. Não havia nenhum freguês, e a proprietária aproveitava para ajeitar melhor os produtos. Laura respirou fundo e cumprimentou a mulher:

– Bom dia!

— Bom dia! O que a senhora deseja? — perguntou a mulher, solícita.

Criando coragem, ensaiou um sorriso tímido, pigarreou e disse:

— Estaria interessada em comprar bombons?

— Ah! A senhora os trouxe?

— Na verdade, não. Passei aqui para saber se havia interesse. Mas posso trazê-los mais tarde, se a senhora quiser.

— Traga. Vamos ver se conseguimos fazer negócio. Com certos produtos perecíveis, trabalho só em consignação.

— Como assim? — gaguejou Laura, sem entender.

— Quero dizer que, se não vendê-los, devolvo. Se aceitar essa condição...

— É justo. E quanto ao preço?

— Isso vai depender do material usado na confecção, do tamanho, da embalagem, enfim, da apresentação dos bombons.

Laura concordou com outro sorriso:

— Sem dúvida. Bem, após o almoço voltarei com os bombons. Quem sabe nos entendemos.

— Claro. As pessoas aqui procuram de tudo. Preciso ter itens variados.

Laura agradeceu e despediu-se, prometendo voltar.

Comprou o que precisava e retornou à casa, satisfeita e animada, cantando mentalmente uma música popular.

Fez o almoço rápido e deixou tudo encaminhado à confecção vespertina dos bombons: ralou o chocolate e preparou a massa básica do recheio, que deixou esfriar e colocou na geladeira. Abriu as embalagens de forminhas, deixando-as separadas numa bandeja sobre a geladeira, cobertas com um pano de prato, em lugar que ninguém veria. Tudo pronto, aguardou a chegada dos filhos e do marido.

Afonso entrou de cara fechada, como de costume, mas não parecia bravo ou irritado. Talvez estivesse apenas preocupado. Comeu em silêncio e voltou à oficina. Os garotos também falaram pouco, notando o ambiente carregado.

Inquieto, Junior resolveu tocar no assunto que interessava a todos:

— Mamãe, nós ouvimos a briga de vocês ontem à noite. A senhora vai desistir dos bombons?

Laura olhou para ele, depois para Zezé e para o pequeno Bruno. Respirou fundo e explicou:

— Em primeiro lugar, meus filhos, eu e o pai de vocês não brigamos. Só nos desentendemos. Foi apenas uma discussão. Nada sério.

— Mas a senhora vai fazer os bombons? — insistiu Zezé, ansioso.

— Vou sim.

Os três deram pulos de alegria, batendo palmas.

— Calma! Eu vou fazer os bombons, sim. Mas, no momento, seu pai não pode saber. Ele é muito orgulhoso, entendem? Acha que se eu trabalhar para ganhar dinheiro, ficará diminuído perante as outras pessoas.

— Como assim, mamãe? O que quer dizer "orgulhoso"? — perguntou o filho caçula.

— Orgulhoso é quem acha que pode fazer tudo sozinho, que é maior do que os outros. No caso do papai, ele acha que os outros vão pensar que ele é incapaz de dar o que a família precisa, se a mamãe trabalhar. Entendeu?

— Ah! Então, se a senhora não pode dar dinheiro ao papai, eu posso ganhar e dar a ele!

Todos caíram na risada, achando graça.

— Isso mesmo, meu querido. Quem sabe de você ele aceita — concordou a mãe. — Então, vou trabalhar durante a tarde nas horas livres. Tenho certeza de que o papai vai mudar sua maneira de pensar.

— Especialmente se ele provar um dos seus bombons, mamãe — considerou Zezé.

— Isso mesmo. Então, mãos à obra. Vocês vão fazer suas tarefas e depois terei uma surpresa para cada um.

— Nós queremos ajudar! — disse Junior, com a concordância dos outros dois.

— Sei disso e agradeço, meus filhos. Mas vocês têm deveres e não podem perder tempo. Além do mais, só eu posso fazer os bombons. Vocês ajudarão depois, colocando nas forminhas e nas caixas. Combinado?

Laura arrumou a cozinha, deixando tudo limpo para lidar com os doces. Em seguida, fez as bolinhas com a massa básica, depois recheou com uva-passa, cereja, nozes picadas e, em outros, acrescentou coco ralado. Para diferenciar uns dos outros, colocou sobre os bombons já prontos um pedacinho do recheio, ou seja, uma uva-passa, um pedacinho de cereja, de noz, ou um pouco de coco ralado. Depois, os meninos ajudaram a colocá-los nas forminhas e nas caixas.

Ficaram lindos e de grande efeito! Um sentimento bom de eficiência e de íntima alegria por produzir doces tão bonitos umedeceu os olhos de Laura. Mentalmente, agradeceu a Jesus por ter conseguido.

Os filhos a acompanharam até o portão, felizes em ver a mãe satisfeita e sorridente.

— Torçam por mim, meus queridos! Se der certo o que estou planejando, os meus bombons serão vendidos numa banca muito boa. Outro dia levo vocês até lá. Agora, comportem-se! Fiquem dentro de casa, mantenham a porta trancada e não briguem! Não vou demorar.

Bruninho acenou uma última vez, repetindo o que ela dizia todas as manhãs, quando eles saíam para a escola:

— Vá com Deus, mamãe!

Laura virou-se para olhá-los novamente, comovida com as palavras do caçula.

— Vocês também. Fiquem com Deus!

Caminhando apressada pelas ruas, embora satisfeita com a própria iniciativa, sentia-se tensa, preocupada. E se a mulher não gostasse dos seus bombons? Se colocasse defeitos neles? Se não apreciasse os sabores?

Chegando diante da banca, ficou parada enquanto a dona atendia uma freguesa. Logo depois, quando a cliente foi embora, a senhora virou-se e sorriu ao vê-la.

— E então, trouxe os bombons?

— Sim, aqui estão. Se a senhora não gostar dos recheios, posso fazer outros.

Pegando as caixas das mãos de Laura, convidou:

— Entre aqui. Vamos conversar. Eu sou Marlene. E você?

— Desculpe. Nem me apresentei. Sou Laura. Muito prazer, Marlene.

Sentadas em banquinhos, pois o espaço interno era restrito, a senhora fez uma série de perguntas, enquanto experimentava um bombom de nozes. Laura aguardava o veredicto.

– Muito bom! Vejo que trouxe vários sabores.

Laura concordou, afirmando que poderia usar recheios diferentes. Conversaram, acertaram o preço por unidade, e Laura ficou de passar a cada dois dias, para verificar como iam as vendas e os sabores de maior aceitação.

Despediram-se, e Laura saiu feliz da vida.

"Entrei no ramo dos negócios", pensou.

Chegando em casa, comemorou com os filhos, dançando e rindo, com uma alegria que há muito tempo não experimentava. Parecia que voltara a ser aquela adolescente alegre e risonha.

Desse dia em diante, a vida começou a mudar. Laura passava na banca, ficava sabendo dos produtos com maior saída e reforçava o estoque. Marlene sugeria recheios diferentes, de acordo com pedidos dos fregueses, e ela providenciava, aumentando o leque de ofertas. Em dias comemorativos, como Dia das Mães, Dia dos Namorados, Páscoa, Natal, a dona da loja pedia que fornecesse caixas para presentes, o que Laura atendia com prazer. Frequentou um curso rápido de confecção de embalagens, onde aprendeu a fazer caixas lindas, bem arrumadas e amarradas com fitas de cores variadas, usando a criatividade para atender a todos os gostos.

Para aumentar sua clientela – e recordando de que tudo começara com um programa de televisão –, ficava atenta a todas as novidades, e assim aprendeu também a fazer trufas, uma novidade no mercado. Passou a fornecê-las nos sabores de maracujá, morango, doce de leite, beijinho, nozes, avelã, castanha-do-pará, amendoim, além de outros, da preferência dos clientes.

As encomendas começaram a aumentar, e ela corria para dar conta de tudo.

Afonso mantinha-se calado, sem fazer comentários, fingindo ignorar o que acontecia, embora fosse difícil não sentir o cheiro de bombons no ar, dominando a casa toda. Laura, por sua vez, encontrara um jeito de mantê-lo longe da sua atividade de doceira.

No fundo do pequeno quintal gramado, havia uma edícula, local aonde Afonso nunca ia. Laura lembrou-se de que o espaço não era grande, mas suficiente às novas atividades: havia um quarto, um banheiro, varanda e a área de serviço, ligados à casa por uma calçadinha de cimento. Ela resolveu utilizar esse espaço, evitando correr, quando o marido chegava, para esconder tudo. Aproveitou a instalação de água do tanque e colocou ali uma pia com a ajuda de um encanador.

Com o passar dos meses, em virtude do volume de serviço, precisou contratar uma ajudante. Com o dinheiro que entrava, podia comprar o que os meninos precisavam, suprir a despensa da casa, pagar parte das contas e ainda guardar um pouquinho na poupança.

Começou a ser reconhecida por seu trabalho. Em virtude da procura, outros pontos de venda foram abertos. Sentia-se contente e realizada.

Quanto a Afonso, porém, as coisas iam de mal a pior.

Agora, como Laura raramente pedia dinheiro, ficava mais livre para usar o que ganhava na oficina, e o fazia nos bares. Cada vez chegava mais tarde em casa, mais alcoolizado e mais agressivo. A esposa procurava ajudá-lo, porém ele não aceitava. Entrava em casa cambaleando e, não raro, vomitava na sala, no banheiro, na cozinha, onde fosse.

Certo dia, Laura ouviu um barulho tarde da noite. Levantou-se e encontrou o homem caído de bruços, no corredor. Com muito esforço, arrastou o marido até o banheiro e o enfiou debaixo do chuveiro. Tirou a roupa toda suja de vômito e de urina. Ao sentir a água fria no corpo, ele levou um susto, mas abriu os olhos, consciente. Laura tirou Afonso do banheiro, vestiu nele o pijama e o deixou sentado na poltrona do quarto. Fez um café bem forte e sem açúcar, obrigando-o a beber tudo, o que ele fez com uma careta.

A água gelada o reanimara. Embora ainda estivesse bêbado, parecia melhor. Laura o repreendeu:

– O que é isso, Afonso? O que pretende da vida? Não vê o mal que está fazendo a você, a mim e, especialmente, aos nossos filhos?

– Não enche, mulher. Deixe-me em paz!

– Como deixá-lo em paz, se você, todas as madrugadas, promove um espetáculo para toda a vizinhança? Não respeita o sono de ninguém. Me acorda com seus gritos, além de me obrigar a limpar toda a sua sujeira? Isso lá é vida?!

Mantendo um sorriso idiota no rosto, o olhar de bêbado, Afonso falava coisas sem nexo. Laura percebeu que não adiantava dar lições de moral, com o marido naquele estado.

– Ah! Deixa prá lá. Venha, vamos dormir. Deite-se aqui na cama.

Com jeito, ela o ajudou a se deitar, a cobrir o corpo, e logo o ouviu ressonar.

Estava cansada e com os braços doendo. Afinal, o marido era um homem forte, de um metro e noventa! Deitou-se também, mas não conseguiu dormir.

"O que fazer? Como ajudá-lo? Não suportarei essa situação por muito tempo mais. Justamente agora, quando vou bem nos negócios, não tenho sossego!". Sentia vontade de pedir a separação. No entanto, como fazer isso, no momento em que ele se mostrava cada vez pior? Intimamente reconhecia que o marido precisava de ajuda, de tratamento. Como conseguir isso, se Afonso se recusava a ir ao médico, a frequentar grupos de ajuda, como os Alcoólicos Anônimos, por exemplo?

Decidiu conversar com o marido pela manhã, tentando conscientizá-lo da necessidade de tratar-se, de procurar ajuda.

Na manhã seguinte, porém, Afonso não conseguiu levantar-se para trabalhar. Estava prostrado. Não queria se alimentar, só pedia cerveja. Como ninguém oferecia a bebida, ficou irritado.

Preocupada, Laura chamou um médico, por indicação da vizinha. Depois de examinar Afonso, o médico afirmou:

— O caso de seu marido é grave. Terei que pedir a internação para realizar alguns exames. A senhora tem plano de saúde?

— Infelizmente não, doutor.

— Bem. Então vou verificar se há vaga na rede hospitalar do governo.

— Agradeço, doutor. Mas, o senhor disse que é grave. O que ele tem?

— Não posso dar o diagnóstico agora, minha senhora. Preciso de alguns exames laboratoriais.

– Entendo, doutor. Faça o que achar melhor.

O médico telefonou a um hospital e solicitou uma vaga, com urgência. A resposta não se fez esperar.

– Senhora, consegui uma vaga para seu marido. A ambulância virá buscá-lo o mais rápido possível. Aqui está o pedido de internação. Apresente na portaria. Vou para o hospital onde atendo. Serei avisado assim que ele chegar.

Despediu-se e saiu. Laura, atordoada, não sabia como agir, uma vez que precisaria acompanhar Afonso, e os garotos já estavam na escola. O que fazer? Lembrou-se da vizinha e telefonou.

– Gertrudes, desculpe telefonar tão cedo, mas trata-se de uma emergência.

– O que aconteceu, Laura? – perguntou a outra, assustada.

– Afonso não está nada bem, e o médico quer interná-lo. Preciso de um favor. Quando os meninos chegarem da escola, explique o que aconteceu, dizendo que o pai foi fazer alguns exames. E peça para Lurdinha, minha auxiliar, para fazer o almoço deles. Está bem?

– Não se aflija, Laura! Vá tranquila! Eu mesma posso fazer o almoço, assim a Lurdinha não precisará deixar o serviço. Coragem, minha amiga! Vá com Deus e não se preocupe com nada! Tomarei conta dos meninos.

– Obrigada, Gertrudes. Nem sei como agradecer – disse, comovida.

– Não precisa. Se eu estivesse no seu lugar, tenho certeza de que faria o mesmo por mim.

– Obrigada. Assim que puder, dou notícias. Tchau!

Laura desligou e prontamente arrumou uma bolsa com o essencial para Afonso.

Meia hora depois, chegou a ambulância. Rapidamente, os enfermeiros colocaram Afonso na maca, levando o enfermo até o veículo.

As pessoas foram se juntando na frente da casa. A vizinhança parecia aflita, e ao mesmo tempo curiosa, para saber o que havia acontecido. Comentários diversos corriam de boca em boca, cada um dando uma versão do fato.

Logo, porém, a ambulância foi embora com a sirene ligada, e as pessoas retornaram a suas casas.

CAPÍTULO 5

No hospital

Tensa e preocupada, Laura seguiu na ambulância junto com Afonso. No trajeto, suplicava a Jesus socorro para seu marido.

No hospital, Afonso foi rapidamente levado a uma sala, onde ficou aguardando os procedimentos normais. Laura dirigiu-se à portaria, entregando o pedido do médico, Dr. Carlos Manuel de Andrade.

Sentada na sala de espera, enquanto aguardava, lembrou-se dos pais de Afonso. Foi até um telefone público e ligou.

– Por favor, aqui é Laura. Preciso falar com dona Marita.

– Dona Marita não está – respondeu a voz do outro lado da linha.

– E o senhor Alberto?

– Também não está. Foi ao clube fazer ginástica.

– Quando ele volta? Por favor, é urgente!

– Isso eu não posso dizer, senhora. De lá, ele, às vezes, vai direto para a empresa.

– Passe-me o número da empresa, então.

– Isso eu não posso fazer, senhora.

Perdendo a paciência, Laura perguntou:

– Quem está falando aí?

– Aqui é a Rosa, faxineira.

– Pois bem, Rosa. Eu sou Laura, a nora dele, e preciso avisá-lo de que o filho foi internado no hospital.

– Ai, Jesus! O Afonsinho foi internado? O que é que ele tem?

– Isso não interessa! Passe já o telefone da empresa ou...

– Sim, senhora! Está aqui! É...

Nesse momento, Laura ouviu uma voz de mulher que perguntava:

– O que está acontecendo, Rosa?

– É sua nora. Quer falar com o patrão. Diz que é urgente. É por causa do Afonsinho.

– Passe-me já esse telefone, criatura!

Alguns segundos depois, soou a voz conhecida da sogra.

– O que houve com meu filho, Laura? Afinal, para telefonar tão cedo...

– Ele foi internado, dona Marita.

– Internado? O que ele tem? Sofreu algum acidente?

Laura explicou que ele não acordara muito bem, e o médico havia pedido a internação para fazer alguns exames. Deu o nome do hospital e a localização.

De repente, ouviu o sinal característico do telefone desligado.

– Que mulher estranha! Desligou na minha cara! – murmurou.

Tudo isso, porém, era o de menos. O importante, agora, era aguardar. Sentou-se e orou, suplicando a Deus que não os desamparasse, que Afonso ficasse bom logo.

Passaram-se duas horas, e ainda não tivera notícias de Afonso. Vez por outra, perguntava no balcão, mas recebia sempre a mesma resposta: o paciente estava sendo submetido a vários exames. Quando terminassem, ela seria avisada.

Laura observava a ampla sala de espera e apiedava-se de ver o sofrimento das pessoas: algumas, nitidamente doentes, pálidas, sofrendo, com expressão de dor; outras, com membros engessados; outras, ainda, acidentadas, aguardando socorro urgente; enfim, todo tipo de problema se reunia naquele lugar, e ela percebia, também, em cada uma, a mesma ansiedade e esperança de ser atendida com presteza.

Uma hora depois, chegou a mãe de Afonso. Laura levantou a mão para que a outra pudesse vê-la no meio daquela confusão de cabeças. A sogra aproximou-se, e notou que teria problemas.

— Laura, como pode ter trazido meu filho para este lugar?

Respirando fundo, ela encheu-se de paciência e respondeu:

— Bom dia, dona Marita. O médico só encontrou vaga para internação neste hospital. Os demais estão superlotados. Não é fácil! Além disso, não temos plano de saúde. Dei graças a Deus quando o médico conseguiu essa vaga.

— Então, por que não está no quarto fazendo companhia ao Afonsinho? Leve-me até ele! Quero ficar com meu filho!

— Ele não está no quarto, dona Marita. Está fazendo alguns exames. Depois, o médico certamente virá conversar conosco e dar explicações sobre o estado de saúde do Afonso.

Mais quinze minutos, e Laura viu um vulto conhecido entrar na sala. Era Alberto, seu sogro. Todo arrumado, cabelos molhados e bem penteados. A roupa, de caimento perfeito, embora esportiva, mostrava que ele viera direto da academia para o hospital. Aproximando-se, lançou um olhar crítico em torno e murmurou:

— Não há um lugar melhor para ficarmos?

Com paciência e um sorriso melancólico, Laura deu a ele a mesma explicação que dera a Marita. Precisavam aguardar.

Sem se atrever a sentar naquele lugar que considerava sujo, sem higiene, ele quis saber:

— Minha filha, conte-me o que aconteceu realmente com Afonsinho. Marita estava tão nervosa quando recebeu o recado que não soube me informar absolutamente nada.

Laura falou sobre o episódio da última noite: Afonsinho não tinha conseguido se levantar, pela manhã, e o médico, chamado, Dr. Carlos, mostrara-se apreensivo diante da gravidade do caso. Concluiu dizendo que o marido, neste momento, era submetido a vários exames.

— Gravidade do caso? Então é muito sério o problema do meu filho? – estranhou.

— Diante dos antecedentes do Afonso, as bebedeiras, as vezes nas quais chegou em casa de madrugada e tudo o mais relatado ao médico, Dr. Carlos achou melhor interná-lo.

Com expressão tensa, Alberto mostrava preocupação.

— Laura, por que não nos procurou?

— Para que, senhor Alberto?

— Bem, essas saídas noturnas... as bebidinhas sociais de meu filho.

"Ele está tentando fazer como o avestruz, que esconde a cabeça num buraco e julga-se protegido", pensou Laura.

— Não são "bebidinhas sociais", senhor Alberto. Segundo penso, o Afonso já é um alcoólatra. Mas vamos ver os exames dele – sugeriu, ao ver o médico entrar na sala, procurando por ela com os olhos.

Foram ao encontro do médico, que informou:

– Senhora Laura, as notícias não são nada boas.

– Pode falar, doutor. Aqui também estão os pais de meu marido, Alberto e Marita – apresentou.

– Muito prazer. Melhor que estejam aqui. O fígado de Afonso revelou sérias alterações, como eu previa. A pressão arterial está bastante elevada e, pelo quadro, acredito que também o colesterol e os triglicerídeos. Precisamos aguardar os resultados dos exames de sangue e outros que foram feitos. Mandei levarem o paciente para o quarto. Dona Laura, é preciso que a senhora se dirija ao balcão com os documentos necessários para proceder à internação.

– Sim, doutor.

Alberto interferiu com arrogância:

– Um momento, Laura!

E voltou-se para o médico:

– Não vou permitir que meu filho permaneça neste hospital. Tenho condições necessárias para levá-lo a um lugar melhor.

– Não tenho dúvidas, senhor. Porém, está fora de questão a transferência do meu paciente para qualquer lugar. O estado dele é bastante grave e, enquanto não melhorar, ficará aqui, sob minha responsabilidade.

– O senhor ousa me desafiar, doutor?

– Não, absolutamente! No entanto, creio que ambos desejamos o melhor para Afonso. Se seu filho for levado para outro hospital, não resistirá. Será morte certa, e o senhor será o responsável. Quer arriscar?

Ao ver a expressão grave do médico, Alberto baixou a cabeça, concordando:

— Está bem. Por enquanto, ele ficará aqui. Depois, veremos...

— Quando Afonso estiver melhor, o senhor terá toda liberdade de transferi-lo para onde quiser. Mesmo porque, neste hospital, temos falta de leitos. Ficaremos satisfeitos ao vê-lo desocupar uma vaga que será preenchida por alguém que não tem condições de pagar; o que, evidentemente, não é o seu caso.

Voltando-se para a esposa do paciente, explicou:

— Vocês podem ir até o quarto. No entanto, Afonso está sob sedação, em virtude de um exame que fez. Fiquem alguns minutos com ele, depois terão que deixá-lo aos cuidados dos enfermeiros. Dona Laura, venha amanhã cedo para podermos conversar. Costumo visitar meus pacientes antes das oito horas. Esteja aqui nesse horário. Combinado? Então, até amanhã!

— Virei sem falta. Obrigada. Até amanhã, doutor.

Laura dirigiu-se ao setor de internação e, algum tempo depois, os três se encaminharam ao quarto de Afonso. Na verdade, não era um quarto, mas uma pequena enfermaria. Nela, além de Afonso, havia outros três doentes, pessoas bem simples, de baixo nível social.

Ainda na porta, lançando um olhar pelo ambiente, o casal ficou indignado:

— Como deixar nosso filho único em semelhante companhia? – reclamou o pai.

— Veja, Alberto! Tem até um negro! Que barbaridade! – murmurou Marita, preconceituosa, fazendo coro ao marido, horrorizada.

— Eles são pessoas como nós, dona Marita. Talvez até melhores... — sussurrou Laura que, ouvindo o comentário, tentou minimizar a situação.

Preocupada com o marido, e não com as condições do ambiente, abstraiu-se dos sogros e das críticas para olhar Afonso. Com estranheza, notou que a pele dele estava amarela, até meio esverdeada. "O que será isso, meu Deus?", pensou.

Como ele permanecia dormindo, os três saíram da enfermaria, pensativos. Laura não suportava mais os comentários dos sogros, que exageravam a situação, vendo o pior em tudo: nas instalações, no atendimento hospitalar, até no médico.

— Lamento pensarem assim. Foi o melhor que consegui. Da minha parte, só posso ser grata ao hospital e ao médico que o receberam.

Marita e Alberto se calaram diante dessas palavras.

Na calçada, já fora do hospital, despediram-se, e Laura retornou para casa. Tinha pressa de ver os filhos e saber como estavam, tranquilizando-os. Certamente, estariam assustados pelo problema do pai.

Gertrudes estava com eles. Pediu notícias, que Laura se apressou a dar, reservadamente. Quanto aos filhos, ao perguntarem, preferiu dizer que o pai havia tido um mal-estar, e o médico achara melhor internar.

— Laura, os meninos almoçaram muito bem e agora estão fazendo os deveres da escola. E você, comeu alguma coisa?

Somente nesse instante, lembrou-se de que não se alimentara desde cedo. Não tomara sequer o café da manhã, e já estavam pelo meio da tarde!

— Vou comer um pouco. Na verdade, os últimos acontecimentos tiraram meu apetite.

— Deixei os pratos no forno, para essa eventualidade. Vou só esquentar.

A dona da casa sentou-se, cansada. Serviu-se do que sobrara do almoço e comeu, mesmo sem vontade.

— Obrigada, Gertrudes. Sua comida estava excelente! Tudo uma delícia! Você cozinha muito bem. Olha que posso me acostumar!

— Fico feliz que tenha gostado, Laura. Como está Afonso?

— O estado dele é muito grave, Gertrudes. Está estranho, amarelo.

— Ah! O problema dele é no fígado, então.

— Sim! Foi o que o médico disse. É muito grave?

— Bem, o fígado é um órgão vital, você sabe. Porém, tenha confiança. Ele está sendo atendido por um excelente médico, as referências são as melhores, e ainda em um bom hospital.

— Amanhã, às oito horas, preciso voltar lá e conversar com o doutor Carlos.

— Pode ir sossegada. Cuidarei dos meninos.

— Não quero incomodá-la, amiga.

— Não é incômodo nenhum, Laura. Além disso, para que servem os amigos?

— Obrigada, mais uma vez – disse Laura, com os olhos úmidos. – No entanto, não quero abusar da sua boa vontade, mesmo porque não sei quanto tempo vai demorar a recuperação de Afonso. Vamos fazer assim: amanhã cedinho estou aqui e despacho os garotos para a escola. Depois, mais tarde, se eu não tiver voltado, e você puder ficar com eles, eu agradeço.

Assim combinado, a vizinha despediu-se, e Laura foi ter com os filhos. Após conversar um pouco com eles, verificou como andavam as coisas na edícula. Lurdinha havia terminado seu trabalho e fazia a limpeza do local. Pegou o avental e mergulhou no serviço. Especialmente agora, com Afonso doente, teria de aumentar a produção. Precisariam de recursos para atender às necessidades do marido.

~

NA MANHÃ SEGUINTE, após tranquilizar mais uma vez os filhos sobre a saúde do pai e mandá-los para a escola, Laura saiu rumo ao hospital. Àquela hora, o movimento já era grande. Pegou o elevador, dirigindo-se ao quarto onde estava o esposo. Perguntou a uma enfermeira se o médico já havia chegado.

— Ainda não o vi hoje, mas está na hora do doutor Carlos chegar. Como não é horário de visitas, a senhora terá que aguardá-lo no corredor.

— Sim, obrigada.

Logo o médico chegou. Cumprimentou-a rapidamente e dirigiu-se ao leito ocupado por Afonso, examinando-o minuciosamente, em especial a área do fígado. Depois, passou aos outros internos do quarto. Terminando, já no corredor, tirou o estetoscópio e dirigiu-se à Laura.

— E então, doutor? Ele está melhor? — indagou, ansiosa.

— Ainda é cedo para isso. Estamos submetendo o paciente a um tratamento novo e, dentro de algumas horas, ele deve mostrar algum resultado.

— Isso quer dizer que o estado dele é muito grave, doutor? O que ele tem realmente?

— Tudo leva a crer que seja uma hepatite alcoólica. O fígado é um órgão vital, e todo cuidado é pouco. Qualquer coisa que eu dissesse agora seria prematura. Vamos aguardar.

— Doutor, posso falar com meu marido?

— Pode, mas não demore.

— Obrigada. Não vou demorar.

O médico afastou-se para examinar os pacientes de outra enfermaria, e Laura aproximou-se do leito do marido. Vê-lo naquela situação constringia-lhe o coração.

— Afonso, como está?

O enfermo, que já estava acordado, abriu os olhos e fitou-a.

— Vou ficar bem, não se preocupe. Sou forte e duro na queda. Como estão os meninos?

— Estão bem, mas ansiosos para vê-lo. Olhe, não posso ficar muito tempo, porque não é hora de visitas. Precisa de alguma coisa?

— Não. Estou bem.

— Então, até mais tarde — disse, dando-lhe um beijo e afastando-se.

CAPÍTULO 6

SITUAÇÃO DE AFONSO

Deixando o hospital, Laura caminhou pelas ruas, em lágrimas. Passando por uma pracinha, vazia àquela hora, sentou-se em um banco. "O que será da minha vida se Afonso me abandonar? E meus filhos, como crescerão sem o pai? Não é possível! Houve um momento que pensei até em me separar dele, julgando a vida insuportável. No entanto, vejo agora que não conseguiria viver sem ele. Meu Deus! Não o leve embora! Deixe-o aqui conosco! Precisamos dele! Ajuda-o, Senhor! Que ele possa sarar e retornar ao nosso convívio. Prometo que não vou mais reclamar da vida".

De cabeça baixa, lembrava-se dos momentos bons que tinham passado juntos, dos primeiros tempos de namoro, depois o casamento, a chegada dos filhos. Ao mesmo tempo se questionava: "quando Afonso começou a beber, e por quê?". As lembranças vinham à mente, trazendo imagens antigas que o tempo não apagara. Ele estava sempre com problemas na oficina e voltava para casa muito cansado, invariavelmente. Começou a frequentar bares. "Para espairecer um pouco", dizia ele. Se ela o tivesse ajudado nessa ocasião, talvez tudo fosse diferente agora. Mas a verdade é que ela também se afastara dele. Poderia tê-lo acompanhado de vez em quando. Porém, não gostava do ambiente de bar e não suportava cheiro de bebida. Além disso, ele se transformava em outro homem quando bebia: grosseiro, agressivo, violento, e isso ela não podia suportar.

Lágrimas abundantes corriam pela face sem que pudesse evitar. Sentia-se sozinha naquela cidade grande. Sempre morara no sítio. De família pobre, o pai era dono de umas terrinhas pouco rentáveis, mal serviam às necessidades mais prementes. Então, sentiu necessidade de estudo e veio à cidade, morar com a tia Geni, irmã de sua mãe, casada com Jorge. No dia de seu casamento, por vergonha da pobreza, os pais nem vieram. Sabiam que a família do noivo era muito rica e não queriam passar vexame. Só os tios compareceram. Quando Marita perguntou sobre os pais da nora, inventaram uma desculpa, dizendo que Oscar e Ana lamentavam não comparecer ao casamento, mas estavam com problemas no sítio.

Durante todos esses anos, Laura mantivera distância dos pais. Tinha vontade de procurá-los, porém as dificuldades da vida acabavam por prevalecer. Se nunca tinham dinheiro para as despesas mais necessárias, como gastar com viagem?

Quanto aos tios, dois anos depois do casamento de Laura, mudaram-se para bem longe, outro Estado, e ela nunca mais tivera notícias deles.

Sentia muita falta da família, especialmente da mãe. Na verdade, sentia falta de carinho, de amizade, de pessoas para conversar. Na escola, tivera colegas, não amigas. Tinha dificuldade de confiar nas pessoas, de se entregar a uma amizade.

Mas agora, nessa hora de sofrimento, percebia o quanto fazia falta alguém para dividir seus problemas. Lembrou-se de Gertrudes, a vizinha. Sim, era a pessoa mais próxima dela, trocavam ideias e ajudavam-se.

Observou alguém que se aproximara e assustou-se. Levantou a cabeça e viu um homem parado a seu lado:

– Precisa de alguma coisa, moça?

– Não. Não preciso de nada, obrigada.

– Está chorando. Sente alguma dor? Quer que a leve...

Erguendo-se, ela limpou o rosto e disse:

– Não preciso de nada, já disse! Agradeço.

Começou a caminhar apressada, afastando-se do desconhecido. Temia ser importunada por estranhos, julgando que pudessem fazer algum mal.

Entrando em casa, tirou os sapatos, que machucavam seus pés, e calçou chinelos confortáveis, encaminhando-se para a cozinha. Um cheiro bom de tempero a envolveu.

– Chegou cedo. Pensei que fosse demorar mais hoje – constatou Gertrudes.

– É verdade – disse, jogando-se sobre uma cadeira.

Enxugando as mãos no avental, a amiga quis notícias:

– Como está seu marido?

Laura não suportou mais e caiu novamente no choro. Gertrudes abraçou-a, sentando-se numa cadeira próxima.

– Vamos, as coisas não podem ser tão ruins assim! Confie em Deus, amiga!

Sem conseguir se controlar, em pranto, Laura abriu o coração:

— Tenho medo do que nos aguarda, a mim e aos meus filhos. Não sei o que vai acontecer com Afonso. E se ele morrer, Gertrudes, o que eu faço da minha vida?

Com carinho, a outra a abraçava, confortando-a:

— Não pense no pior. Você sabe que nosso pensamento é uma força poderosa? Tenha fé! Ore a Deus e peça por seu marido!

— Tenho orado, mas não sei se Deus vai me ajudar.

— Não acredite nisso! Jesus não disse que tudo o que a gente pede, recebe?

— Será? Minha situação é tão difícil!

Laura contou à vizinha sobre a sua vida, tudo o que estava acontecendo, sobre o temperamento de Afonso e até sobre a ideia mantida nos últimos tempos, de acabar com o casamento, se o marido não mudasse. Concluiu:

— E agora, Gertrudes, essa doença dele. Me pergunto se não foi um castigo de Deus, pela minha intenção.

— Minha amiga, Deus é amor e não castiga ninguém dessa forma!

— Culpo-me também por não ter ajudado o Afonso. Sei que alguém com o vício do álcool precisa muito de ajuda, e eu me acomodei, limitando-me a culpá-lo pela situação.

— E agora você está se culpando por isso. Não se martirize. Estando de fora, posso analisar melhor a situação. Você é muito jovem, minha querida, e foi obrigada a amadurecer mais cedo, com tantos problemas sobre os ombros. No entanto, Jesus disse que o Pai não dá um fardo maior do que podemos carregar. Então, siga em frente e procure sempre fazer o melhor. Não somos culpados por aquilo que não sabemos. Se você percebeu que Afonso precisa de socorro, vamos fazer algo para ajudá-lo. Mas não agora. Há tempo para tudo. Neste momento, ele está no hospital, sendo tratado, e é dessa ajuda que precisa. Cada coisa em seu tempo, como um dia após o outro. Está bem?

Laura respirou fundo. Sentia-se bem melhor. As palavras da amiga a acalmaram, mostrando que tudo tem sua hora certa.

– Obrigada pela força, Gertrudes! Você me ajudou muito. Mas precisamos acabar o almoço. Os meninos devem estar chegando.

– Isso mesmo. A prioridade agora é o almoço. Vá ajeitar-se um pouco, e eu cuido da cozinha. A comida está pronta. Falta só arrumar a mesa.

Laura foi ao banheiro, lavou o rosto, penteou os cabelos e se recompôs, melhorando a aparência. Em seguida, os três garotos chegaram.

~

Dois dias depois, Laura recebeu um telefonema. Deveria comparecer ao Hospital Santa Lúcia, às oito horas da manhã, no dia seguinte. O médico desejava conversar com ela.

Apreensiva, Laura passou aquela noite sem conseguir dormir, em sobressalto.

No horário previsto, chegou ao hospital, apresentou-se no balcão, avisou o motivo de sua vinda, e a atendente pediu que aguardasse ser chamada.

Quinze minutos depois, ouviu uma voz gritar seu nome:

– Laura Mendes Cardoso!

Apresentou-se, e a atendente conduziu-a à sala do Dr. Carlos. Ao vê-la, ele levantou-se, estendendo a mão.

— Como vai, dona Laura? Sente-se, por favor.

— Vou bem, doutor, apesar de tudo. Obrigada.

— Pedi que viesse aqui porque os últimos exames do Afonso ficaram prontos e precisamos conversar.

Laura inclinou-se um pouco para frente, ansiosa:

— Sim. Pode falar, doutor.

O médico cruzou os dedos das mãos e, com sua voz mansa e pausada, informou:

— Dona Laura, o estado do seu marido é grave e preocupante. Pelos dados que constam da ficha, ele ingere bebidas alcoólicas há pelo menos cinco anos. Correto? Com que frequência ele faz isso?

— Quase todos os dias.

— E ele bebe muito?

— Não sei dizer, doutor. Nunca o vi beber. Afonso não bebe em casa. Só nos bares, com os amigos.

— Bem, os exames acusam hepatite alcoólica em grau elevado. Além disso, esteatose hepática e também um início de cirrose hepática.

Atordoada, ouvindo tantos nomes estranhos, com olhos arregalados de espanto, Laura pediu:

— Por favor, doutor Carlos, explique melhor tudo isso. Não entendi nada! O que são essas... Tudo isso aí que o senhor falou?

Ele pegou sobre a mesa duas pequenas esculturas coloridas, representando organismos humanos. Mostrando uma delas, foi explicando:

— Laura, está vendo aqui este órgão? É o fígado. Aqui nós temos uma glândula sadia e aqui outra, doente. A hepatite alcoólica é a condição grave de um fígado bastante danificado pelo consumo abusivo de álcool, é uma inflamação que causa a morte das células hepáticas.

— Entendi. E a outra doença?

— Esteatose hepática. É o acúmulo de gorduras no fígado, causando aumento do órgão. Veja, aqui! – e mostrou o pequeno modelo à frente.

— E a terceira, doutor?

— A cirrose hepática caracteriza, geralmente, um estágio avançado produzido pelo álcool no organismo. Gera danos irreversíveis e permanentes, impedindo o fígado de realizar funções vitais, como a purificação do sangue e a depuração dos nutrientes absorvidos pelo intestino.

Laura ouvia o médico sem conseguir respirar e de olhos ainda arregalados.

— Entendeu, Laura?

— Estou apavorada, doutor! Então, não tem cura? – disse, debulhando-se em lágrimas ardentes.

O médico fitou-a cheio de piedade. Ela era muito jovem.

— Eu não disse isso, Laura. Apenas relatei os problemas orgânicos do seu marido. A situação é grave, mas temos tratamentos à disposição. Só a cirrose é permanente. O resto pode ser revertido.

— Ah! Graças a Deus! Por um momento achei que... isto é, julguei que...

Entendendo a preocupação dela, o médico acalmou-a:

– Não, de forma alguma! O estado de seu marido é grave, porém não é terminal. Só se acontecer algo inesperado. Quanto à esteatose hepática, as gorduras tendem a desaparecer quando a ingestão de bebidas alcoólicas é interrompida.

– Qual o tratamento utilizado em casos como o do Afonso, doutor Carlos?

– O melhor tratamento, o mais importante, é parar de beber. Afonso não deverá mais ingerir bebidas alcoólicas. Dentre os tratamentos disponíveis, além da medicação, temos a terapia psicológica. Porque não adianta atacarmos as doenças, que são os efeitos, se a cabeça do paciente continua ligada à bebida, que é a causa. Entendeu? Além disso, Laura, você precisa estar preparada para uma crise de abstinência, que vai começar logo.

– Como assim, doutor?

– O organismo, habituado a receber a substância alcoólica, reagirá violentamente à falta. Não podemos vacilar.

– Como acontece com as drogas?

– Sim. O álcool e o cigarro também são drogas, porém de consumo livre. Na crise de abstinência, o paciente fica difícil, e, às vezes, precisa ser sedado. Não estranhe se isso acontecer. Além disso, se outras terapias falharem, pode-se pensar na possibilidade de um transplante, se for necessário.

– Transplante? – Laura apavorou-se.

– Sim, por que não? Eu disse "se" houver necessidade. Esse recurso tem sido utilizado sempre que possível, com resultados alentadores aos pacientes com doenças do fígado em estágio avançado. Mas isso é apenas uma hipótese. Por enquanto, vamos prosseguir com o tratamento geralmente aplicado nesses casos.

Creia, Laura, faremos tudo o que estiver ao nosso alcance para recuperar Afonso.

— Eu acredito, doutor. Tenho confiança no senhor.

— Então, vamos trabalhar. Darei notícias sempre que necessário.

— Obrigada por tudo, doutor. Até logo.

— Passar bem, Laura.

~

VINTE DIAS DEPOIS, Laura encaminhava-se apressada para o mercado. Nos braços, as caixas com os bombons. Chegando à banca, agora tão familiar, entrou discretamente, sentou-se e aguardou. Marlene atendia a um cliente. Enquanto esperava, Laura ouvia a conversa deles. Marlene embalou o queijo, o salame e o vidro de compota, entregou o troco e despediu-se do comprador. Quando ele foi embora, as duas mulheres cumprimentaram-se carinhosamente. Durante esse período de convivência, haviam se tornado amigas.

— Como está seu marido?

— Graças a Deus, ele está melhor, mas ainda não sei quando terá alta.

— O que o médico diz sobre a condição dele? — indagou novamente Marlene, preocupada.

— Doutor Carlos diz que a situação é grave. Dentro do quadro, ele vai bem, mas a recuperação é lenta. Afonso precisa manter repouso e seguir com o tratamento. Caso contrário, pode piorar de novo.

Continuaram conversando com familiaridade. Entre elas existia agora um clima de amizade, confiança e afeto, e sentiam verdadeiro prazer quando se encontravam. Pensativa, Laura considerou:

— O que eu sei, Marlene, é que sou muito grata a você. Se não me desse a oportunidade de trabalho, não sei o que seria da minha família. O socorro veio na hora certa. Obrigada, mais uma vez!

— Não me agradeça, Laura. A única coisa que fiz foi reconhecer a qualidade dos seus bombons. Mas... você me disse que seu marido tem uma oficina mecânica, não é?

— Tem, e não fica longe daqui. Agora está nas mãos dos empregados e não é a mesma coisa. Além disso, se o próprio Afonso enfrentava problemas com a oficina, imagine como está sem ele!

— Mas a oficina está aberta? Os empregados continuam trabalhando? Você tem recebido algum dinheiro? — perguntou a outra, com ar de preocupação.

— Sim, a oficina está abrindo normalmente, porém os empregados dizem que os recursos que entram mal dão para as despesas! Uma parte eles usam para pagar os próprios salários, quando dá. E ainda precisam saldar os gastos normais com água, energia elétrica, telefone, impostos, sem contar produtos utilizados, ferramentas que quebram e precisam de reposição. E eles também alegam que muitos clientes não têm quitado as contas.

— E você acredita nisso?

Laura abriu os braços em um gesto de impotência, exclamando:

— E o que eu posso fazer, Marlene? Não tenho como provar nada!

Pensativa, a outra balançou a cabeça, apreensiva.

— Laura, sou comerciante e sei bem como funcionam as coisas. Por isso, eu acho que você deve procurar se informar. Tem alguém que possa ajudá-la e fazer uma vistoria nas contas da oficina?

Laura pensou um pouco e respondeu:

— No momento, não me lembro de ninguém. Mas você tem toda razão, amiga. Preciso ver o que está acontecendo. No entanto, não tenho tido tempo de pensar nisso. Quando não estou no hospital, estou fazendo bombons ou cuidando da casa e dos meus filhos! Ando cansada e nem durmo direito, porém vou refletir no que me disse. Quem sabe aparece alguém que possa me ajudar?

— Faça isso, Laura. E quanto antes, melhor!

Despediram-se, e Laura saiu do mercado, tomando o rumo de casa. As dúvidas da amiga e a expressão dela ficaram martelando em sua cabeça. Quem poderia ajudá-la?

De repente, tomou uma decisão. Fez meia-volta e caminhou apressada em sentido oposto. Chegando à esquina, dobrou à direita. A oficina distava apenas algumas quadras de onde estava.

Ao aproximar-se, viu dois empregados sentados à porta, conversando futilidades. Pelas expressões maliciosas e as risadas que ouviu, certamente contavam piadas. Quando a viram, levantaram-se, encabulados, cumprimentando-a. Mal impressionada com o que vira, sem dar atenção aos dois, Laura entrou e procurou um terceiro rapaz, que trabalhava debaixo de um carro e não a viu. Pisando duro, ela foi diretamente para o escritório. Certamente, alertado pelos outros dois, que a tinham visto, o terceiro entrou, assustado.

— Boa tarde, dona Laura. Como está Afonso? Aconteceu alguma coisa?

— Não, não aconteceu nada, Valdir. Estava perto e resolvi ver como estão as coisas por aqui. Tem dinheiro no caixa?

O rapaz limpava as mãos numa estopa, desconcertado:

— Alguns trocados apenas, dona Laura. Como disse, quase não tem entrado dinheiro.

Rapidamente, porém, ela abriu a gaveta e foi direto em uma caixa escondida, onde sabia que o marido guardava importâncias maiores e cheques, deixando apenas alguns trocados à mostra. Era uma maneira de prevenir-se contra possíveis assaltos, não raros na região. Contou as notas: cinco mil e quatrocentos reais. Pegou todo o dinheiro e enfiou na bolsa.

O empregado procurou justificar-se:

— Guardava essa importância para pagar algumas contas.

— Pois eu vou levá-la. As contas você pagará depois. Até logo. A propósito, Valdir, além do carro no qual você está trabalhando, há outros três dentro da oficina, e imagino que estejam aguardando conserto. Ao entrar, vi dois empregados parados. Coloque-os para trabalhar.

— Sim, senhora.

Em seguida, sem dar maior atenção aos outros, saiu irritada e descontente. "Marlene tem toda a razão! Preciso ficar de olho na oficina. Quem poderá me ajudar?". Pensando no assunto, chegou em casa e, enquanto abria a porta, ouviu o telefone tocar. Correu para atender.

– Alô!

– Laura, como está Afonsinho? Não pude vê-lo ontem, ocupado com os negócios! – Do outro lado da linha, reconheceu a voz do sogro.

– Boa tarde, senhor Alberto. Como vai? Afonso está do mesmo jeito.

Fez-se uma pausa longa, depois ele voltou a indagar:

– Você confia realmente nesse médico, minha filha? Não sei! Afonsinho não melhora! Parece que está sempre no mesmo!

– É que o problema é grave. O senhor conversou com o médico e sabe disso. A recuperação é lenta.

– Mas há vinte e dois dias meu filho está internado naquele hospital e não vejo melhoras!

– O doutor Carlos diz que é assim mesmo. Precisamos ter paciência.

– Bem. Se não há outro jeito! Amanhã você vai lá?

– Vou sim. Devo aproveitar o horário de visitas e passar um tempo com ele.

– Também pretendo ir. Só se surgir algum problema...

Iam se despedindo, quando Laura se lembrou da oficina. "Como não pensei nele antes? Claro! Meu sogro terá o maior interesse em defender o negócio do filho!"

– Senhor Alberto, há um assunto que gostaria de conversar com o senhor. Pode ser amanhã, após a visita ao Afonso?

– Sem dúvida! Então, até amanhã.

Desligando o telefone, ela foi cuidar das suas coisas. Trabalhou o resto do dia sem descanso. Preferia mesmo não ter tempo para pensar. Não bastassem os problemas com a casa, o marido, os filhos, agora também as preocupações com a oficina mecânica! Mais tarde, de tão exausta, precisaria deitar a cabeça no travesseiro e cair desmaiada, sem pensar em nada. Quando se deitava pensando, não conseguia pregar o olho a noite inteira.

CAPÍTULO 7

SOCORRO DO ALTO

No plano espiritual, estávamos entregues às nossas atividades normais, quando recebemos um chamado. Era de uma família que vínhamos acompanhando e ajudando sempre que possível, especialmente por Bruno, o caçula, habitante da cidade Céu Azul, cujo planejamento reencarnatório fora preparado por nossos técnicos.

A família de Afonso e Laura era objeto de grande preocupação do nosso grupo de jovens, em virtude da tendência para a bebida do chefe da casa.

Ao tomar contato com o casal, anos antes, procuramos os responsáveis espirituais de ambos, em busca de maiores informações. Soubemos que Afonso trazia sérias marcas no perispírito, geradas no passado, por sua antiga atração por bebidas alcoólicas. Do grupo de espíritos do qual ele fazia parte, alguns estavam desencarnados, ligando-se a ele pela identidade de gostos e afinidade moral, o que gerava uma sintonia difícil de ser vencida.

Contudo, Afonso reencarnara trazendo as melhores esperanças no coração e na mente, desejoso de melhorar, após longo período no mundo espiritual, onde havia se recuperado, submetendo-se a várias terapias e acompanhamentos psicológicos. Além disso, participara de estudos do Evangelho, procurando vencer a si mesmo, fortalecendo o espírito.

Do Além, amigos devotados dariam o respaldo necessário para que não viesse a fracassar.

No entanto, Afonso, desde cedo, esqueceu todas as promessas feitas antes de voltar à carne. Adolescente, de estatura elevada, com físico atlético e bonito, ligou-se ao esporte. Quanto mais crescia como desportista, menos se lembrava dos compromissos assumidos antes do retorno ao mundo corpóreo. Tornou-se jogador de basquete aplaudido e admirado por todos, especialmente pelas garotas.

Até aí, tudo bem. O esporte, como atividade física, é excelente coadjuvante no equilíbrio orgânico e mental, quando o jogador procura fazer o melhor para manter saudáveis suas condições. Contudo, logo começaram a chegar convites de todos os lados, incentivando-o às saídas noturnas, aos programas com as garotas e, mais do que isso, às bebedeiras.

Desde criança, ele presenciava o pai consumir bebida alcoólica (socialmente, segundo Alberto, que, às vezes, ainda oferecia ao filho uma dose). Afonso não resistiu mais. Aos poucos, entregou-se a excessos de todo gênero. Ao conhecer Laura, por quem se apaixonara perdidamente, tentou se controlar, sabendo que ela era avessa ao hábito de beber. Para não perdê-la, abstinha-se na sua presença, evitando levantar suspeitas das suas farras.

Casaram-se. Com o passar dos anos e com a chegada dos filhos e dos problemas, Afonso voltou aos bares, para alegria dos companheiros desencarnados, que aguardavam ansiosamente esse momento.

~

Recebendo o chamado, deslocamo-nos até certa residência, localizada em um bairro da grande cidade. Entramos e fomos recepcionados por Eulália, entidade de grande elevação, a qual nós conhecemos em outra oportunidade. Era muito ligada à Laura, sua filha em mais de uma encarnação.

Fomos acolhidos com grande afeto. Eulália envolvia o grupo todo com atenção e carinho. Sua presença iluminava o ambiente, produzindo grande bem-estar.

— *Meus amigos, sejam bem-vindos! Agradeço a presença de vocês. Sei da forte ligação que têm com as crianças e, por isso, tomei a liberdade de chamá-los. Entrem.*

Era noite. Na sala, Laura se acomodara para assistir um pouco de televisão e arejar a cabeça, quando Junior se aproximou, sentando ao lado da mãe. Calados, ouvimos a conversa entre mãe e filho.

— Mamãe, quando o papai vai voltar para casa?

— Não sei, meu filho, mas não se preocupe. Ele está se recuperando.

— E por que não podemos vê-lo?

— Porque o hospital não permite a visita de crianças. Já expliquei que é para garantir a saúde de vocês. Nos hospitais, encontram-se pessoas doentes, portadoras de vírus, bactérias, micróbios, que causam doenças, infecções. Então, não permitem a entrada de crianças com a intenção de protegê-las!

Junior, no fundo, sentia-se culpado pelas vezes em que desejara que o pai desaparecesse e os deixasse em paz. Bruno e Zezé também se aproximaram e ouviram a conversa, interessados. Bruno acomodou-se entre as pernas da mãe, e Zezé sentou-se do outro lado, perguntando:

— Ué! E se uma criança ficar doente?

— Nesse caso é diferente, meu filho. A criança vai necessitar de cuidados médicos. Se precisar de internação, não ficará perto dos adultos, será colocada em local próprio para crianças. Entendeu?

— Entendi, mamãe.

— Ah! Mas a gente queria ver o papai! — choramingou o pequeno Bruno.

A mãe envolveu os três no mesmo abraço, com os olhos úmidos:

— Eu sei, meus queridos. Mas o papai sempre pergunta por vocês e manda beijos, não é?

— Não é a mesma coisa! — reclamou Zezé.

— Porém, no momento, é o que se pode fazer. Acreditem: papai logo estará em casa conosco. Agora, vamos dormir?

— Vamos! Mamãe, podemos rezar para Jesus ajudar o papai?

— Claro, Bruninho! Vamos fazer uma oração — disse Laura, com as lágrimas quase saltando dos olhos.

Levou os pequenos para o quarto, e nós acompanhamos. Ela esperou que vestissem os pijamas, fizessem as necessidades e escovassem os dentes. Depois, sentando-se entre duas camas, a mãe perguntou quem gostaria de fazer a prece, e Zezé se apresentou.

— Muito bem, meu filho! Então, vamos todos orar com o Zezé.

Da cabeça e das mãos de Eulália, um jato de luz envolveu especialmente a cabecinha de Zezé, o qual, ajoelhado e de mãos unidas, fechou os olhos:

— Amigo Jesus! Você também já foi criança como eu, e também teve um pai e uma mãe, sabe como é difícil quando alguém fica doente. Eu peço por nosso papai, que está no hospital. Você sabe qual é? É o Hospital Santa Lúcia. Ajude nosso papai a ser curado e voltar para casa. Eu sei que pode fazer isso, Jesus. Se atender ao meu pedido, eu ficarei muito agradecido. Todos nós ficaremos. A mamãe tem chorado bastante, e a gente não gosta de ver a mamãe chorar. Obrigado, Jesus. Amém.

Quando ele terminou, todos estavam comovidos, especialmente Laura, que não conteve as lágrimas.

— Não chore, mamãe! Jesus vai atender à prece do Zezé! — afirmou Bruno, com firmeza.

— Eu sei, meu filho. Tenho certeza disso. Que linda oração, Zezé! Parabéns!

— Obrigado, mamãe. Mas não chore mais. Papai vai voltar para casa!

Ela agradeceu o carinho dos filhos e, colocando as crianças no leito, cobriu cada um, deixou um beijo e desejou boa noite. Apagou a luz e saiu, dirigindo-se ao próprio quarto.

César Augusto dirigiu-se à nossa benfeitora.

— *Querida Eulália, aqui estamos, à sua disposição. Conte conosco.*

Ela sorriu, e seu rosto se iluminou, enquanto dizia:

— *Conheço vocês e sei da boa vontade que têm de trabalhar e servir. Tenho urgência de falar com Laura, em vista das tribulações que ela vem atravessando, e gostaria de pedir que levassem as crianças a um passeio.*

– Sem problemas. Será um duplo prazer, nobre Eulália, atender a um pedido seu e estar com os meninos, a quem estimamos.

César Augusto, Melina, Irineuzinho e eu ficamos no quarto das crianças, aguardando que dormissem e se desprendessem em espírito, enquanto Eulália acompanhava a dona da casa.

Laura trocou de roupa e foi ao banheiro. Dez minutos depois, estava deitada. Eulália passou a envolvê-la em suaves emanações. Laura tentou ler alguma coisa, mas não conseguiu. Sentia emoção intensa. Era algo diferente, como nunca sentira em toda a sua vida. Um bem-estar, uma sensação de paz e de harmonia se instalara em seu íntimo desde que Zezé começara a fazer a oração. Curioso é que percebera o ambiente do quarto deles diferente, como se vultos diáfanos pairassem ao redor. E ela, que sempre tivera medo de pensar em mortos e almas do outro mundo, não sentiu medo. Ao contrário, uma sensação de alegria, de satisfação, a inundava por dentro.

Auxiliada por Eulália e serena como há muito não se sentia, fechou os olhos, mergulhando em sono agradável e repousante.

De repente, abriu os olhos e viu-se num lugar desconhecido. Uma névoa azulada, leve e tênue, recobria tudo. Caminhou alguns passos, pensando em que lugar seria aquele e por que razão estaria ali. À medida que caminhava, a bruma foi se desfazendo, e logo, como num passe de mágica, viu-se em um lindo jardim. O solo era recoberto por grama bem verde e aparada. Compondo a paisagem, surgiam, em determinados lugares, belas árvores, arranjos de arbustos e tufos de flores em tonalidades diversas, tudo muito lindo e diferente, como se todas as cores fossem mais vivas, e, ao mesmo tempo, mais leves, com um brilho especial. Não saberia explicar o que via.

Nesse instante, notou um vulto caminhando em sua direção: uma senhora de porte elegante, maneiras suaves, rosto belo e resplandecente. Trajava roupa de tecido leve como a gaze, em tom azul cintilante, e os cabelos castanhos, caindo pelos ombros, assemelhavam-se a fios de luz. De resto, todo o seu corpo exibia uma singular luminosidade branda e azulada. O semblante claro e de pele perfeita resplandecia, e os olhos azuis eram profundamente ternos e amorosos.

Julgando estar em presença de Maria de Nazaré, mãe de Jesus, Laura ajoelhou-se diante dela, sob comoção profunda, que a levou às lágrimas:

— Mãe Santíssima! A Senhora atendeu às nossas preces! Ajuda-nos! Não posso perder meu Afonso, que se encontra doente no hospital.

Com voz doce e suave, estendendo-lhe as mãos num gesto de carinho, a bela senhora disse:

— *Minha filha, levante-se! Não sou a mãe de Jesus, como supõe, mas, simplesmente, alguém que deseja ajudar. Senta neste banco e acalme-se.*

Tomando-lhe a mão, conduziu-a para o banco. Somente nesse momento Laura percebeu que ali perto, debaixo de uma grande árvore florida, existia um banco como tantos que vira em praças da cidade, com a particularidade de que este era todo recoberto de musgo.

Sentaram-se. Curioso que Laura, com naturalidade, não hesitou em deitar a cabeça no colo da dama, sentindo-se inebriada de felicidade, como se há muito tempo não fizesse isso. A senhora passou delicadamente a mão sobre seus cabelos, enquanto lhe assegurava:

— *Filha do meu coração! Permitiu-me o Senhor estar contigo neste momento, com o objetivo de alertar quanto às dificuldades que passa e que fazem parte da programação realizada antes de seu renascimento. Há longo tempo estamos separadas, em virtude de fatos ocorridos no passado, que provocaram mudanças em nossas vidas. Acredite, porém, que essa separação é temporária. A presente existência é de extraordinária importância para você. Muito errou no passado e chegou a hora de corrigir seus erros. Nosso querido Afonso também tem sua parcela de responsabilidade e precisa ajudá-lo para que não perca a oportunidade tão duramente conseguida. Ampara os filhos do coração e sustente-os na fé em Deus, no amor ao dever e na conquista de valores morais, que farão deles criaturas melhores no futuro.*

Laura chorava de emoção, sentindo a presença daquela senhora que intimamente reconhecia como alguém muito querido.

— Celeste benfeitora, leve-me junto com a senhora! Não quero voltar. Os problemas são tantos, e eu sou muito frágil.

— *Engano seu, minha querida. Sempre foi muito forte, especialmente para errar, prejudicando pessoas. Agora, deve ser igualmente forte para corrigir os males que causou. Levante a cabeça e confia. Eleve-se pela oração e não lhe faltarão recursos. Estarei ao seu lado. De resto, apesar de muito ter errado, também é verdade que fez amigos devotados. Quando renasceu, eles empenharam amizade e socorro nos momentos mais difíceis. Conte com eles.*

Diante da firmeza dessas palavras, e agora mais animada, Laura levantou a cabeça do colo da dama e sentiu que nada lhe seria impossível. Uma força interior, intensa e envolvente, dominava-a por inteiro. Sentia-se capaz de lutar e vencer. Reconhecia-se forte e invencível com o amparo do Céu, disposta a enfrentar qualquer sofrimento e qualquer situação que se apresentasse.

A senhora ergueu-se, considerando:

– *Agora, vem comigo. É hora de retornar ao corpo físico. Confie sempre no amparo do Alto e nas bênçãos do Pai Eterno, que jamais nos abandona.*

Laura fechou os olhos e, de repente, acordou em seu leito, banhada em lágrimas. As primeiras luzes da madrugada surgiam, e o quarto, já menos escuro, permitia ver a janela com as cortinas bege, a penteadeira, o guarda-roupa e tudo mais que fazia parte da sua vida. No entanto, sentia como se nada daquilo lhe pertencesse. Queria voltar para algum lugar do qual sentia saudade e não sabia onde era. De repente, a lembrança da doce senhora iluminada retornou-lhe à mente. Sim! Tinha sonhado com alguém! Estivera em um lugar lindo, um maravilhoso jardim!

Por alguns minutos, deliciou-se com as imagens que afloravam-lhe à memória. Como ainda era muito cedo, adormeceu novamente.

CAPÍTULO 8

Novas informações

Eram dez e meia da manhã quando Laura despertou e olhou as horas no radiorrelógio.

– Meu Deus! O que aconteceu comigo! Perdi a hora!

Levantou-se apressada e foi ao banheiro fazer a higiene, depois trocou de roupa. Um cheiro bom de tempero invadia a casa. Ao entrar na cozinha e ver Gertrudes tomando conta das panelas, percebeu o quanto se atrasara.

– Não sei como dormi tanto, Gertrudes! Desculpe-me. Onde já se viu coisa igual? A dona da casa dormindo e a vizinha trabalhando! Ah! E meus filhos?

Enxugando as mãos no pano de prato, a amiga sorriu.

– Não se preocupe, Laura. Antes de ir para a escola, eles passaram em minha casa para avisar que você devia estar muito cansada, pois não tinha se levantado, e pediram que eu não a acordasse! Sabendo disso, tomei conta da sua cozinha e dei andamento no almoço.

– E o café dos meninos? Os lanches... Quem fez?

– Eles mesmos! Estavam tão felizes como nunca vi antes. E também orgulhosos e satisfeitos por fazerem tudo sozinhos. Viu só? Não devemos subestimar a capacidade das crianças!

Ali presentes, Melina, Irineuzinho, César e eu trocamos um olhar cúmplice de entendimento e sorrimos. A noite fora proveitosa, e as crianças acordaram ótimas.

Surpresa, Laura caiu sentada numa cadeira.

– É verdade. Mas... e Bruninho?

– Pois eles me contaram que até o pequeno Bruno fez quase tudo sozinho! O Junior cortou o pão, e ele passou a manteiga e colocou o queijo; depois pôs o suco na garrafinha e ajeitou tudo na lancheira.

Ainda incapaz de acreditar que tivesse dormido tanto, Laura ficou pensativa. Ao vê-la naquele estado, calada, Gertrudes, perguntou:

– Aconteceu alguma coisa?

Laura olhou para a amiga e comentou:

– Gertrudes, eu dormi muito bem esta noite. Amanheci tranquila e cheia de ânimo – depois, fixando um ponto qualquer à distância, prosseguiu: – Agora estou me lembrando de que tive um sonho lindo, mas não me recordo direito o que aconteceu. Vem à memória apenas de um jardim maravilhoso e... depois... depois... apareceu uma senhora coberta de luz. Sim! É isso mesmo! Como pude me esquecer? Era Nossa Senhora!

– Tem certeza?

– Sim! Nossa Senhora falou comigo longamente, explicou algumas coisas que eu devia saber! No entanto, eu esqueci tudo! Como pode ser? Não me recordo do que ela disse! Você acredita?

Gertrudes lentamente sentou-se diante de Laura e ouviu o que ela dizia. Ao ver a amiga fitando-a calada, indagou:

– Gertrudes! Você não acredita em mim?
– Claro que acredito! Por que não?

Laura lembrou-se da oração que fizeram em benefício de Afonso antes de deitarem e comentou como se sentira, o bem-estar que experimentara.

– Creio que foi por causa da oração que as crianças e eu fizemos ontem à noite!

Balançando a cabeça, Gertrudes concordou:

– Sem dúvida. Quando oramos, nossa casa e todos os moradores são beneficiados.

E falou com tanta firmeza que Laura observou-a, surpresa:

– Nunca pensei que você entendesse de orações! Aliás, nunca pensei que fosse religiosa!

– Pois eu sou. Jamais toquei no assunto porque não surgiu oportunidade. Mas tenho muita fé em Deus.

– Ah! Então, diga-me: por que sonhei com Nossa Senhora?

Gertrudes pensou um pouco e explicou delicadamente:

– Para começar, Laura, talvez você não tenha sonhado exatamente com Maria de Nazaré, mãe de Jesus, porém com um espírito muito elevado. Com certeza, alguém que se preocupa com você.

– "Espírito"?! Você disse "espírito"? Meu Deus! Morro de medo só em pensar em almas do outro mundo!

Sorrindo, a outra aduziu:

– No entanto, você disse que, após a prece, sentia-se muito bem, e ao ver essa senhora não teve medo! Ao contrário, sentiu alegria e bem-estar.

– Porque pensei que era a Mãe Santíssima!

— Bem. Mesmo que fosse ela, seria um espírito. Afinal, ela não é alguém que há muito tempo viveu neste mundo e então morreu? Isto é, voltou para o outro mundo?

Laura meneou a cabeça e disse:

— É. Pensando desse jeito... ela é um espírito.

— Pois então, Deus criou todos os espíritos de um mesmo ponto de partida, dando as mesmas condições e com a mesma finalidade, que é a evolução. Para cumprir esse objetivo, renascemos quantas vezes forem necessárias, e nossa vida é um contínuo aprendizado.

— É mesmo?

Pensativa e surpresa ante tanto conhecimento da amiga, Laura prosseguiu:

— Afinal, você não me disse qual é a sua religião.

— Sou espírita.

Assustada, a outra exclamou:

— Ai, meu Deus! Estou ficando com medo!

Gertrudes, com leve sorriso, meneou a cabeça diante de tal reação:

— Que bobagem, Laura! Você é uma pessoa inteligente, capaz de pensar, de refletir e raciocinar sobre tudo. Só não sabe nada de Espiritismo, pelo que percebo. Olha, vou lhe emprestar um livro que pode ajudar bastante. É o *Evangelho segundo o Espiritismo*, uma obra em que Allan Kardec, o Codificador da Doutrina Espírita, acrescenta explicações aos textos evangélicos, às mensagens de Jesus. Aceita?

— Sim, gostaria muito. Apesar do receio, sempre tive curiosidade em entender esse negócio de Espiritismo, mas nunca surgiu oportunidade. Uma amiga de minha mãe, que morava em um sítio perto do nosso, "recebia almas do outro mundo", segundo as pessoas contavam. Mas eu nunca vi. Isso é verdade?

— Sim, chama-se mediunidade, isto é, a faculdade que as pessoas têm de ser intermediários entre o mundo físico e o mundo espiritual, ou seja, de perceber, de ver, de ouvir os espíritos daqueles que já partiram e conversar com eles.

— Tudo isso é bastante complicado para mim. Mas, voltando à senhora que vi em sonho, ela me falou muitas coisas que eu esqueci. Como sabe tanto sobre esses assuntos, explique-me, por favor: se o objetivo dela era me ajudar, e agora não me lembro do que ela me disse, quer dizer que a presença dela não valeu nada?

— Claro que valeu, Laura! Tudo o que ela conversou com você ficou gravado em sua mente. Quando for necessário, vai se lembrar, até inconscientemente.

Gertrudes parou de falar, olhou para o fogão e disse:
— A conversa está boa, porém o feijão já deve estar cozido. Preciso desligar a panela de pressão.

Continuaram a conversar, a trocar ideias, ao mesmo tempo em que terminavam de preparar o almoço. Logo depois, as crianças chegaram.

Um raio de alegria e de luz entrou na casa com os risos e as vozes infantis.

~

NA MANHÃ SEGUINTE, Laura mandou os filhos para a escola, deu sequência aos serviços domésticos, depois verificou como ia a confecção dos bombons. Lurdinha agora fazia tudo direitinho, do jeito que ela mesma faria.

À hora do almoço, serviu as crianças, que chegaram da escola, e, em seguida, deixando-os entretidos com os deveres, tomou banho e arrumou-se. Antes de sair, lembrou ao filho mais velho:

– Junior, hoje é dia das entregas, meu filho. Não se esqueça. Verifique se a caixa está bem amarrada, para não cair.

– Eu sei, mamãe, pode ir descansada. A Lurdinha verifica sempre se está bem firme.

– Isso mesmo, dona Laura. Pode ir tranquila! – confirmou, com um sorriso, a ajudante, que estava ali perto.

Fazendo mil recomendações, saiu de casa. Para aproveitar o tempo, durante esse período de internação do marido, passava pelo mercado, antes de ir ao hospital, e entregava a produção de bombons na banca da Marlene. Era o único lugar onde entregava pessoalmente. Nos outros três postos de venda, dera a incumbência a Junior, que fazia as entregas semanalmente, de bicicleta. Na sequência, ia ao hospital ver o marido.

O horário de visitas era das três às quatro horas da tarde, mas Laura gostava de chegar sempre um pouco antes. Fizera amizade com duas ou três enfermeiras e, quando uma delas ficava de plantão, costumava dar notícias do marido: como ele se portara no dia anterior, se comera bem, se estava calmo ou agitado.

Enquanto aguardava, viu chegar o sogro. Trocaram gentilezas, e logo a porta se abriu, dando passagem às visitas. Rapidamente, se dirigiram ao quarto de Afonso. Encontraram-no sentado no leito, nervoso e irritado.

— Boa tarde, querido! Como está hoje? — cumprimentou Laura, inclinando-se para dar um beijo.

— Muito mal! Péssimo! Este hospital é uma droga. Ninguém liga pra gente. Todo mundo passa e ninguém me dá atenção. Estou cansado! Quero ir embora daqui! Não aguento mais esse inferno!

Alberto, aproximando-se, colocou a mão no ombro do filho:

— O que está acontecendo, Afonsinho? Não estão tratando você como se deve?

— Não, papai! Ninguém liga pra mim, ninguém me atende!

— Pois eu vou tomar uma providência imediatamente! — disse o pai em voz alta, tomando as dores do filho. — Que droga de hospital é esse que um paciente chama e não tem ninguém para atender? Que apareça logo um enfermeiro, ou vou tomar providências! Se não conseguir com a direção dessa porcaria, vou denunciar ao poder público, pelos maus-tratos aos pacientes.

Alberto falava em altos brados, movimentando a enfermaria. E os demais doentes aplaudiam, achando graça. Mais prudente, Laura, que conhecia as manhas do marido, olhou em torno e descobriu uma das suas amigas. Chegou perto da enfermeira e indagou:

— Sônia, o que está acontecendo? Por que Afonso está tão alterado?

— Laura, ele está em crise. Quer de todo jeito que arranjemos bebida para ele, imagine! Já pediu para todo mundo aqui dentro, até exigiu, e, como ninguém o atende, está nesse estado.

— Obrigada, Sônia.

Naquele momento, Alberto fazia um discurso para toda a enfermaria ouvir, falando sobre as más condições do atendimento hospitalar, e Afonso, aos berros, fazia coro, aproveitando a ocasião e confirmando as palavras do pai.

— Isso mesmo, pai! Isso mesmo! Vamos acabar com este hospital!

Voltando para perto do marido, Laura fez um sinal para o sogro e disse em voz baixa, tentando contê-lo:

— Senhor Alberto, acalme-se! Precisamos ajudar seu filho e não piorar a situação!

Atraídos pela confusão, dois enfermeiros tinham se aproximado com uma injeção. Enquanto um agarrou Afonso por trás, imobilizando-lhe os braços, o outro aplicou a medicação calmante. Não demorou muito, e ele dormia, diante de Alberto, aturdido e espantado, enquanto os demais pacientes se encolhiam no leito, calados e temerosos.

— Senhor Alberto, vamos embora! Nada mais temos a fazer aqui — disse Laura, em lágrimas, envergonhada diante do que presenciara e condoída pela situação do marido.

Pegou o sogro pelo braço, quase a arrastá-lo para fora do quarto. Saindo do prédio, convidou para se sentarem em uma lanchonete do outro lado da avenida, que estava tranquila àquela hora. Escolheram uma mesa e pediram dois cafés. Ainda nervoso, ele considerou:

— Você viu, Laura, o que aconteceu? Eu não acredito! Além de não atenderem meu Afonsinho, ainda lhe deram uma injeção calmante!

Procurando manter a serenidade, Laura fitou o homem à sua frente, tão alterado quanto o filho enfermo, e explicou:

— Senhor Alberto, os enfermeiros tomaram a decisão correta. Por acaso, o senhor perguntou ao Afonso o que ele queria, por que gritava? Não? Pois é! Ele desejava que os enfermeiros trouxessem bebida! Por isso estava tão nervoso. Afonso está em crise de abstinência e, nessas ocasiões, fica muito agitado.

– Eu não sabia, minha filha.

– No entanto, o senhor acusou o hospital e os funcionários das piores coisas. Eles estão ali cumprindo seu dever e, até agora, não tenho o que reclamar deles.

– Eu não sabia... Eu não sabia... – repetia ele, de cabeça baixa, constrangido pela situação que criara.

– Creio que o senhor deveria se informar melhor sobre o alcoolismo.

Chegou o café e, colocando o açúcar, Laura mudou o rumo da conversa:

– Mas não adianta falarmos sobre isso agora. Já aconteceu. Bem, eu preciso conversar com o senhor sobre outro assunto.

– Pode falar, Laura – disse ele, respirando fundo e aliviado por ela mudar o tema que tanto o constrangia.

Ela relatou as preocupações em relação à oficina mecânica do marido. Falou sobre a visita que fizera, sobre a situação encontrada, e concluiu, pedindo:

– Creio que o senhor é a única pessoa que poderia me ajudar nesse assunto. Se o senhor, que entende dessas coisas, pudesse vistoriar as contas da oficina, ver como os empregados estão agindo, eu seria muito grata.

– Claro, minha filha! Por que não pensei nisso antes? Afinal, é o negócio de meu filho e está nas mãos de pessoas que conhecemos superficialmente.

– Isso mesmo. O Valdir é mais sério, e, parece, o mais competente, talvez por ser o mais antigo. É o que toma conta de tudo, porém não sei até que ponto se pode confiar nele. Quanto aos outros, pareceram bem desinteressados do serviço.

– Pode deixar, Laura. Vou tomar conta de tudo. Não se preocupe, minha filha. Depois repasso a você a real situação.

– Obrigada, senhor Alberto. Tirou-me um peso dos ombros.

Conversaram mais um pouco, e ele perguntou pelos netos. A nora falou sobre cada um e se despediram.

Passando pelo supermercado, Laura fez as compras, pagou e deu o endereço para entrega. Saía do estacionamento quando foi barrada por alguém.

– Laura! Quanto tempo!

Levantando a cabeça, viu a pessoa que falava. Era uma antiga colega de escola que nunca mais encontrara.

– Amelinha! Estava tão distraída que nem a vi!

Abraçando a amiga, a outra concordou:

– Reparei mesmo que não tinha me visto. Como estão as coisas? Você ainda está casada com o Afonso? Tem filhos?

– Claro que sim! Temos três filhos lindos. E você, como está sua vida?

– Ah, casei-me com o Fernando, lembra-se dele? Mas já estou separada há cinco anos.

– Lembro-me, lógico! Era do mesmo time do Afonso.

– É verdade. Porém, o Afonso era melhor jogador. Como vai ele, continua bonito como sempre?

Laura baixou a cabeça ao recordar-se do marido, ante a evocação das lembranças antigas, prestes a explodir em choro convulsivo. Amelinha pegou a antiga colega pelo braço e levou a uma pequena lanchonete, do próprio supermercado. Sentaram-se em uma das mesas e, pedindo duas águas, Amélia indagou:

— O que está acontecendo? Noto que está com problemas, Laura. Se quiser desabafar...

Pegando um lencinho que trazia na bolsa, Laura enxugou os olhos úmidos e abriu-se:

— Você nem imagina como anda minha vida, Amelinha! O Afonso foi internado em um hospital há quase um mês, e estou sofrendo muito com isso.

Relatou à amiga, em voz baixa, o que tinha acontecido e a situação do marido. Inclusive, que havia acabado de sair do hospital, onde fora fazer-lhe uma visita.

Amelinha pegou a mão da outra, segurando com força, demonstrando preocupação e desejando transmitir amizade e confiança.

— Pelo que vejo, Afonso não mudou nada desde aquele tempo.

— Como assim? – perguntou Laura, admirada.

— Naquela época, já costumava tomar umas e outras.

— Deve estar enganada, Amelinha. Nunca soube disso! Sempre que saíamos, ele tomava refrigerante ou suco. Raras vezes pedia cerveja!

— Com certeza. Estava apaixonado e não queria que você soubesse. Lembro de que os amigos dele davam risada ao vê-lo tomar refrigerante, comentando que Afonso não queria "assustar a garota".

Diante dessas palavras, Laura começou a pensar, voltando ao passado, e vieram à memória algumas situações em que não entendera as brincadeiras dos amigos do marido, como se fosse um código entre eles. Em seguida, recordou-se das informações que prestara no hospital, murmurando:

– Então ele bebia há mais tempo!
– O que disse? Não entendi.
– Nada. Nada. Bobagem. Amelinha, desculpe-me, mas preciso ir embora. Meus filhos estão sozinhos em casa. Acredite, tive imenso prazer em vê-la.
– Também fiquei muito contente ao encontrá-la, depois de tantos anos. Aqui está meu cartão. Ligue-me. Quem sabe podemos nos encontrar de novo?
– Obrigada, Amelinha. Claro! Podemos marcar alguma coisa! Até logo!

Deixando a antiga colega no supermercado, Laura caminhou pelas ruas, apressada. No íntimo, trazia uma tempestade. Parecia que o chão se abria e que tudo ruiria à sua volta.

CAPÍTULO 9

Visitando a mansão

Laura entrou em casa, tirou os sapatos e jogou-se na cama. Nem viu os filhos, que assistiam à televisão no quarto.

Desatou em choro convulsivo. Se não colocasse para fora tudo o que sentia, tinha a impressão de que iria explodir. A notícia que a antiga colega de escola lhe dera caíra como uma bomba em sua cabeça.

Então, Afonso sempre mentira para ela, sempre gostara de beber? E só agora ficava sabendo disso? Se não encontrasse Amelinha, por acaso, jamais saberia! O caso dele era muito mais grave do que julgara!

Na tela da memória, reviu a imagem dos pais do marido, quando namoravam. Na opinião deles, ela certamente não era a mulher ideal para Afonso. Porém, permitiram que se casassem, até porque ela estava grávida, e Afonso não abria mão do casamento. E se ela não estivesse grávida, a aceitação teria sido a mesma? De qualquer modo, percebia agora que fora uma tábua de salvação para Alberto e Marita e, sem dúvida, também para Afonso.

Resoluta, limpou as lágrimas e pulou da cama. Precisava tomar uma atitude. Pegou o telefone e ligou.

– Alô? Dona Marita? Preciso muito falar com vocês. Ah! O senhor Alberto não está no momento? Não tem importância. Por favor, diga a ele que tenho urgência de conversar com ambos.

– Tudo bem, Laura. Algum problema com Afonsinho?

– Tem a ver com ele, sim.

– Venha almoçar conosco amanhã. É sábado, Alberto não trabalha e os meninos não têm aulas, não é?

– Sim, é verdade. Está bem. Agradeço o convite. Até amanhã.

Raramente eram convidados para almoçar na mansão. Os meninos ficariam satisfeitos.

Não queria se apresentar diante dos filhos daquele jeito, com o rosto todo vermelho e inchado de tanto chorar. Precisava se acalmar. Tomou um banho, vestiu-se e passou um pouco de maquiagem. Olhando-se no espelho, achou que já estava mais apresentável. Saiu do quarto e espiou pela porta do quarto deles. Ao vê-la, eles se alegraram.

– Você demorou muito hoje, mamãe! – disse Bruno.

– É verdade, filhinho. Tive muita coisa para fazer, mas agora estou aqui!

– Estávamos vendo um filme bem engraçado, mamãe – contou Zezé.

– Que ótimo! Depois você me conta, está bem?

– Mamãe, eu fiz as entregas direitinho. O dinheiro que recebi, coloquei no lugar que combinamos – relatou Júnior, mais sério, com ar de cumplicidade, sentindo-se responsável.

– Obrigada, meu filho. Você está sendo um ótimo auxiliar! Quando o jantar estiver pronto, eu chamo vocês.

É PRECISO RECOMEÇAR

Dirigiu-se à cozinha e esquentou a comida que sobrara do almoço. Chamou os filhos, que se sentaram à mesa e comeram com vontade. Laura aproveitou o momento e contou:

– Fomos convidados para almoçar amanhã na casa do vovô e da vovó.

Eles exultaram! A mansão era enorme e tinha um jardim extenso e bem cuidado, uma linda piscina e também um pomar com muitas frutas. As crianças se lembravam de tudo que existia lá, comentando, animados:

– Podemos entrar na piscina, mamãe? – quis saber Zezé.

– Claro que podem! Está calor, e ninguém aqui está gripado ou com problemas de garganta.

– Oba! – disseram os três em uníssono, batendo palmas.

Àquela noite, foram dormir embalados pela expectativa do programa do dia seguinte. Fizeram a oração – que se tornara um hábito – e deitaram-se satisfeitos.

Laura, por outros motivos, também não conseguia esquecer do almoço de sábado. Estava tensa e ansiosa. Como seria a conversa com os sogros? Agora não teria Afonso para ajudá-la. Ao contrário, precisaria fazer tudo sozinha, uma vez que o problema era exatamente o marido.

~

NA MANHÃ SEGUINTE, todos se levantaram cedo. O tempo custou a passar. Lá pelas onze horas, Laura mandou as crianças tomarem banho e vestirem a melhor roupa. Saíram e aguardaram o ônibus que os levaria ao bairro elegante e afastado. Chegaram à mansão por volta de meio-dia.

O porteiro, que os conhecia, deixou entrarem e avisou aos patrões. Mal atravessaram o grande portão, os meninos puseram-se a correr pelo gramado. Marita e Alberto vieram recebê-los, abraçando os netos com amor.

— Sejam bem-vindos! Como vai, Laura? — cumprimentou Marita.

— Bem, graças a Deus! E a senhora?

— Vou indo... sabe como é. Uma dor aqui, outra ali.

— Como vai, senhor Alberto?

— Tudo bem. E vocês? Vejo que meus netos estão ótimos! Fortes, saudáveis.

Laura virou-se para olhar os filhos, que corriam pelo gramado a brincar com um lindo cão labrador, e concordou com o sogro.

— É verdade. Eles são meus tesouros.

— Querem entrar na piscina? — Marita perguntou aos netos.

Eles queriam, sem dúvida. Laura entregou-lhes a sacola com os calções de banho, eles se trocaram no vestiário e logo brincavam na água.

Enquanto isso, os adultos se acomodaram no terraço, de onde podiam ver as crianças. A criada serviu sucos para todos, menos para Alberto, que pegou um copo de uísque com gelo. Ainda serviu salgadinhos e outros tira-gostos, e o casal falava sobre amenidades: as últimas notícias, fofocas da sociedade em que viviam e viagens, as quais realizavam com frequência, sempre tendo experiências interessantes e novidades para contar.

O almoço foi servido ali mesmo. O dia mostrava-se esplêndido. Sem uma nuvem no céu, temperatura elevada e, na grande varanda, em meio às plantas ornamentais, o ambiente era fresco e agradável. A comida estava muito boa, e a sobremesa, melhor ainda: bolo de chocolate com sorvete de creme. As crianças adoraram!

Enquanto eles voltavam às brincadeiras com o labrador, chegou o momento de os adultos conversarem. Alberto achou melhor irem para seu escritório. Era uma sala muito bem arrumada. Na parede, à direita, as estantes repletas de livros; à frente, perto da janela que se abria para o jardim, ficava a mesa de trabalho, grande, de carvalho, finamente lavrada, e a cadeira de encosto alto era do mesmo material, forrada de veludo verde; do lado, um jogo de sofás, onde eles se acomodaram.

Alberto e Marita, sentados com elegância, aguardavam que Laura falasse. Alberto antecipou-se:

— Laura, você disse que precisava falar conosco. Creio que é por causa da oficina, que anda causando preocupações. Estive lá, conversei com os funcionários e trouxe os livros para examinar. Quando tiver uma posição correta, eu comunico.

— Agradeço, senhor Alberto. Fico mais tranquila sabendo que o senhor está se inteirando da situação. Mas, hoje, o assunto é outro.

— Sim? Então pode falar, minha filha — disse, surpreso.

Ela respirou profundamente e limpou a garganta.

— Bem. Nem sei como começar, porém a verdade é que tenho necessidade de abrir-me com ambos. Diz respeito a Afonso.

Laura fez uma pausa e, fitando-os longamente, prosseguiu:

— Sabem desde quando meu marido ingere bebidas alcoólicas?

Alberto trocou um olhar com Marita, demonstrando surpresa ante a pergunta. Laura notou que eles ficaram um tanto constrangidos, porém absteve-se de comentar.

– Laura, minha filha, por que essa pergunta agora? – quis saber Alberto.

– Preciso saber. Afonso bebia antes do nosso casamento?

Após novo olhar sintomático dirigido à esposa, Alberto considerou:

– Nunca soubemos que Afonsinho bebesse. Isto é, além da conta. Sabíamos que, às vezes, ele tomava uma cervejinha com os amigos, mas era só. O que está acontecendo, Laura?

Ela prosseguiu firme, questionando, sem responder as perguntas.

– O que o senhor considera como "às vezes": uma, duas, três vezes por semana, talvez?

Alberto meneou a cabeça, pensativo, e respondeu:

– Não sei dizer ao certo. Talvez umas três vezes por semana.

– Ah! Três vezes por semana. E a quantidade? Ele chegava bem em casa, ou chegava bêbado, carregado por alguém?

Marita foi ficando nervosa, à medida que a nora fazia as perguntas, e acabou entrando na conversa, ruborizada:

– O que significa isso, Laura? Parece que está nos sabatinando! Está querendo insinuar que meu filho é um alcoólatra? Desde quando tomar cerveja duas ou três vezes por semana é um vício? Afonsinho bebia socialmente!

Vendo a alteração da sogra, Laura condoeu-se, entendendo a situação dos sogros. Com expressão mais branda, prosseguiu:

— Desculpem-me. Não desejo magoá-los. Sei perfeitamente o quanto isso os afeta como pais. Ver um filho nessa situação, internado em um hospital, realmente não deve ser fácil. Porém, preciso que me entendam. Quero apenas saber a verdade! Porque, quando Afonso e eu éramos namorados, jamais fiquei sabendo que ele bebia. Perto de mim, ele só tomava refrigerante e suco. Apenas uma ou duas vezes pediu cerveja, por insistência de amigos.

Os sogros olhavam para ela, calados, sem coragem de falar. Laura fez uma pausa, respirou fundo e continuou:

— Vocês entendem? Não estou acusando ninguém. Só preciso saber a verdade. Verdade essa que caiu sobre mim ontem à tarde, pela boca de uma antiga colega de escola.

Diante do casal, atônito e calado, Laura contou o que descobrira.

— Fiquei muito preocupada e aturdida ao ter conhecimento de que Afonso não queria que eu soubesse que ele bebia. Ele conhecia meu ponto de vista sobre isso e ocultou-me esse vício. Percebem como isso é grave?

Ela fez uma pausa, olhando-os e analisando o efeito de suas palavras. Então prosseguiu:

— Percebem que as informações prestadas ao médico estão erradas? Que o caso de Afonso, talvez, seja mais grave do que supomos?

Marita levou a mão ao peito, pálida e ofegante, soltando um gemido. Alberto olhou assustado para a esposa e retrucou:

— Você está exagerando, Laura! Afonsinho nunca foi de beber até cair.

– Ah, não? No entanto, nos últimos dias em que ele passou em nossa casa, andava, sim, caindo de bêbado. O senhor viu o que aconteceu ontem!

Marita arregalou os olhos, atônita, e, endireitando os ombros, virou-se para o marido:

– O que aconteceu ontem, Alberto?

– Nada, querida. Nada sério.

Sem se conter, desejando deixar tudo às claras, Laura foi incisiva:

– Como nada sério, senhor Alberto? Afonso estava em crise de abstinência e pedia bebida para todos os enfermeiros que passavam! Fez um escândalo por não atenderem a seus pedidos!

– Como assim? O que aconteceu, Alberto? Você não me contou!

– Não se preocupe, querida. Tudo foi controlado. Já passou, fique tranquila.

Ele tentava minimizar o problema, camuflar a situação. Respirando fundo, de maneira firme, Laura considerou lentamente:

– Senhor Alberto, não passou. Foi controlado porque deram medicação calmante. Caso contrário, o que teria acontecido? Já viu alguém em crise de abstinência? É terrível. A pessoa fica completamente enlouquecida!

Marita, com as mãos na boca, ouvia tudo, incrédula.

– Meu Deus! Que coisa horrível! O que fizeram com meu filho?

– Apenas o que era necessário, dona Marita: aplicaram nele uma injeção tranquilizante. Aliás, o melhor que poderia acontecer naquela situação. Ele acalmou-se, quase imediatamente, e dormiu. Quando isso acontece, o paciente dorme durante muitas horas.

Extremamente nervoso, Alberto levantou e se serviu de uma dose de uísque. Quando olhou para Laura, percebeu que ela o fitava penalizada, e entendeu seu olhar. Sentiu-se culpado. Era um hábito, como tantos que adquirira através dos anos. Na verdade, durante boa parte de sua vida, consumira bebidas alcoólicas pensando que era normal, visto que todos os seus amigos bebiam também, socialmente. Teria influenciado Afonsinho com esse hábito de tanto tempo?

Laura nada mais disse, considerando a conversa encerrada. Sabia o que desejava saber. Despediu-se e foi atrás dos filhos.

– Vamos! É hora de voltarmos para casa.

Os meninos ficaram chateados, mas não discutiram a ordem da mãe. Despediram-se da vovó Marita e do vovô Alberto, agradecendo pelas horas agradáveis e prometendo voltar outro dia.

O dia seguinte, domingo, Laura passou no ambiente familiar, em serena convivência com os filhos. Na segunda-feira, logo cedo, depois que os meninos foram para a escola, dirigiu-se ao hospital. O médico ainda estava lá, visitando seus pacientes, e ela o aguardou perto de sua sala. Ao vê-lo chegar, antes que abrisse a porta, ela o abordou:

– Doutor Carlos! O senhor pode me conceder alguns minutos? É importante.

Ele voltou-se e, ao reconhecê-la, sorriu:

– Claro. Entre.

Abriu a porta e acomodaram-se. O médico notou o abatimento de Laura e comentou:

– Fui informado sobre a crise do Afonso na sexta-feira. Tudo está sob controle agora. Ele está bem melhor, embora sob medicação.

— Foi horrível, doutor! Preciso até pedir desculpas pela atitude do meu sogro. Desejando defender o filho, falou contra atendentes, enfermeiros, médicos e até contra o hospital. Penso exatamente o contrário, asseguro.

O médico reclinou-se na cadeira, mostrando entender a situação:

— Não se preocupe, Laura. Conheço você o suficiente para saber disso. Bem, a situação do seu marido é complicada. Ele teria alta, mas nesse momento é impossível. É necessário aguardar mais um tempo.

Ela meneou a cabeça, mostrando compreender. Pensou por alguns instantes e disse, com voz pausada:

— Creio que a situação de meu marido pode ser ainda mais complicada do que imaginávamos, doutor.

— O que houve? Ficou sabendo de mais alguma coisa, Laura?

Ela balançou a cabeça, afirmativamente:

— Vou contar, doutor. Foi assim...

E relatou ao médico o encontro com a antiga colega de escola, após deixar o hospital, na sexta-feira e também falou sobre a conversa com os sogros, no sábado. O médico fitou-a sério e preocupado:

— Tenho percebido mesmo que as reações do Afonso são típicas de pessoas que têm um longo convívio com a bebida.

— O senhor não imagina quanto! Pelo que sei, o pai dele bebe "socialmente" desde que Afonso era criança. Não é de admirar que ele tenha se deixado influenciar pelo comportamento do pai.

O médico cruzou os dedos sobre a mesa e ponderou:

— Laura, esses dados jogam luz sobre uma série de coisas um tanto nebulosas. Lamento dizer: temos tentado de tudo, mas Afonso não tem respondido ao tratamento do modo esperado. Agora, entendo a razão. Quando ele sair daqui, e sairá, porque não podemos mantê-lo indefinidamente no hospital, precisará, além de vigilância cerrada, de terapia psicológica e de um grupo de apoio, como os Alcoólicos Anônimos, por exemplo. Caso contrário, não vejo possibilidade real de cura. Ele poderá deixar o hospital desintoxicado, com o estado de saúde grandemente melhorado, porém existem sequelas irreversíveis, e a qualquer momento poderá ter uma recaída, o que será gravíssimo para o estado dele. Então, vamos continuar nos esforçando para que Afonso fique bem, mas você precisa estar preparada para o que vier. A luta não vai ser fácil.

— Eu sei, doutor. Muito obrigada. Estou disposta a dar o melhor de mim.

CAPÍTULO 10

ENCONTRO COM OS FILHOS

Durante alguns dias tudo correu bem. Afonso, para surpresa de todos, recuperava-se a olhos vistos, e a esperança envolvia o coração de seus pais, de Laura, dos filhinhos e também de enfermeiros, atendentes, e especialmente do médico, que observava, satisfeito, o resultado de seus esforços.

Afonso mostrava-se tão bem e solicitava com tanto empenho a visita dos filhos, que o médico resolveu liberar, embora fosse proibida pelo regulamento do hospital. Durante uma das visitas de Carlos, o paciente o surpreendera com a seguinte rogativa:

– Doutor, sei que tenho dado muito trabalho durante esse tempo – parou de falar por alguns instantes e prosseguiu: – O senhor tem filhos?

– Tenho. Um menino de cinco anos e uma menina de três.

– Então, doutor, pode compreender o que sinto. A saudade é muito grande! Se o senhor deixar que eu veja meus filhinhos, prometo fazer tudo que precisar. Serei dócil e me submeterei a qualquer tratamento, sem reclamar.

O médico fitou o paciente, súplice, em cujos olhos brilhavam lágrimas prestes a cair. A expressão era tão comovedora, que ele se deixou convencer, pensando: "Se eu estivesse no lugar deste pai, o que gostaria que me fizessem? Certamente, que atendessem ao meu pedido. Quem sabe, realmente, a visita dos filhos poderia dar a Afonso um novo ânimo para lutar e ficar curado?"

Com um sorriso, o doutor colocou a mão no ombro do paciente e concordou:

— Está bem, Afonso. Vou tentar realizar sua vontade. Porém, não se esqueça do que me prometeu! Terá de tomar toda a medicação sem reclamar, fazer os exames sem dizer palavrões e tratar muito bem todos os enfermeiros e atendentes. Certo?

— Negócio fechado, doutor! Eu faço o que o senhor quiser.

— Muito bem. Vou pensar em uma maneira de atender ao seu pedido.

— Ah, doutor! O senhor não sabe o bem que me faz! Pensei até que poderia morrer sem ver meus meninos de novo. Eu preciso conversar com eles.

— Entendo. Agora, fique tranquilo.

— Quando será, doutor? — indagou ansioso, com os olhos a brilhar de entusiasmo.

— Preciso estudar o assunto, mas pretendo decidir o mais rápido possível. Aguarde com paciência. Até amanhã.

Despedindo-se do paciente, Carlos pensou que, exercitando compreensão e boa vontade, com tão pouco talvez pudesse ajudar a resolver a grave situação.

Dirigindo-se à sala, caminhava pelos corredores refletindo a respeito do problema. Entrou e acomodou-se. O encontro de Afonso com os filhos não poderia ser na enfermaria, evidentemente, visto que criaria um precedente, e os demais pacientes iriam querer o mesmo privilégio, pois também eram pais. De repente, teve uma ideia. Sorriu e, tirando o telefone do gancho, pediu à secretária uma ligação para Laura. Alguns minutos depois, a ligação foi completada.

— Alô?

— Laura? Bom dia! Doutor Carlos.

— Algum problema, doutor? — indagou assustada, achando que tinha acontecido alguma coisa grave.

— Não, Laura. Está tudo bem. Preciso que você traga seus filhos aqui no hospital amanhã, às dez horas. Pode ser?

— Meus filhos?

— Sim! Pode trazê-los?

— Bem. De manhã eles vão à escola, mas creio que faltar um dia não lhes fará mal algum. Mesmo porque, sei que não pediria isso se não fosse importante.

— E é realmente muito importante. Prometi ao Afonso permitir a visita dos filhos.

Ele ouviu um gritinho de alegria do outro lado da linha.

— Ah! Que notícia boa, doutor! Deus o abençoe!

— Não comente com ninguém, Laura.

— Claro, doutor. Fique descansado. Onde será o encontro?

— Na minha sala. Combinado? Então, até amanhã!

— Combinado, doutor. Obrigada. O senhor é um anjo! Até amanhã!

Durante o resto daquele dia, Laura ficou em intensa expectativa. À noite, contou aos filhos que visitariam o papai no dia seguinte, e a reação foi de euforia.

— E as aulas? — indagou Junior, surpreso.

– Essa é outra notícia. Vocês não irão à escola amanhã.

Eles deram um pulo de alegria, jogando os travesseiros para o alto. Depois, Zezé disse:

– Jesus atendeu às minhas preces. Eu tenho pedido sempre para poder ver o papai.

– Também estou com saudade dele – afirmou Junior.

– Eu vou levar meu ursinho, para o papai dormir com ele! – falou o pequeno Bruno.

A mãe abraçou os filhos com imenso carinho.

– Muito bem, queridos. Agora, vamos colocar os pijamas, fazer a nossa oração e agradecer a Jesus pela dádiva concedida. Depois, vamos dormir. Amanhã, vocês precisam estar lindos e descansados. Caso contrário, o que o papai irá pensar? Que a mamãe não cuida bem de vocês!

Nesse clima de alegria e descontração, eles se recolheram.

Na manhã seguinte, o movimento da casa começou cedo, como de costume. Os garotos tomaram banho, se arrumaram e tomaram o café da manhã. Felizes, sorriam o tempo todo. Até as briguinhas, comuns entre irmãos, não aconteceram.

Pegaram o ônibus, seguindo o trajeto até o hospital. Uma vez, lá chegando, aguardaram na sala de espera. Não demorou muito, a enfermeira Sônia chamou Laura, que, acompanhada dos filhos, foi introduzida no consultório do médico.

– Por favor, aguardem. Doutor Carlos não demora.

Alguns minutos depois, ouviram vozes no corredor. Os meninos continham a custo a ansiedade. Logo a porta se abriu. Alguém falava com o médico:

– Doutor, o que eu vim fazer aqui? Que exame é esse?

— Fique tranquilo. Você verá!

O médico entrou. Em seguida, o paciente, em uma cadeira de rodas conduzida por um enfermeiro.

Laura e os meninos estavam em local fora da visão de Afonso. Eles mal continham a impaciência, queriam abraçar o pai, mas a mãe os segurava.

— Deixem o papai se ajeitar primeiro — murmurou.

O enfermeiro acomodou a cadeira, examinou o soro e, afinal, as crianças puderam se aproximar do pai.

Afonso, ao vê-los, ficou tão emocionado que não conteve as lágrimas.

— Meus filhos! Meus queridos filhos!

Abraçou um por um, com infinito carinho.

— Papai, queria trazer meu ursinho para o senhor dormir com ele, mas a mamãe não deixou! — reclamou Bruno.

— É porque você sentiria falta dele, meu bem.

— Ah! Por que está nessa cadeira? O senhor não pode mais andar? — voltou a perguntar o pequeno.

— Posso sim, meu filho. É apenas para que eu viesse mais rápido ver vocês.

— Ah!

Bruninho já se aprontava com a intenção de fazer outra pergunta, quando Laura o puxou delicadamente para perto de si, de modo que os outros também pudessem se aproximar do pai.

— Papai, nós sentimos muito sua falta — disse Zezé, tentando segurar as lágrimas, enquanto o abraçava.

— Eu sei, meu filho. Eu também sinto muita saudade de vocês todos.

Junior aproximou-se. Ele nutria mais diferenças com o pai, e Afonso sabia disso. Abraçaram-se, e o garoto disse:

— Papai, peço desculpas por todas as vezes que o critiquei, reclamei do senhor. Cheguei a dizer que não o amava. Não é verdade, papai. Eu gosto muito do senhor, e descobri como é importante para nós.

Novamente, Afonso abraçou o filho com imenso amor.

— Não, meu filho, não é você que deve se desculpar. Sou eu. Durante esse período de internação, longe de nossa casa, pude repensar melhor minhas atitudes. Por isso, pedi ao doutor Carlos que me permitisse ver vocês, abraçá-los. Especialmente, porque desejava pedir perdão por tudo o que fiz. Eu andei muito doente, meus filhos, e não sabia o que estava fazendo. Sei que magoei todos vocês, agredi a mamãe, e me considero culpado por isso. Sinto que preciso reparar os erros cometidos, mas, ao mesmo tempo, tenho muito medo de não poder mais voltar para casa, de não poder mais estar com vocês, abraçá-los, como faço agora.

Laura aproximou-se, envolvendo marido com profundo afeto.

— Não, meu querido. Você está melhor e em breve poderá sair daqui. Não é, doutor?

Chamado ao diálogo, o médico considerou:

— Você, ultimamente, tem ajudado no seu tratamento, Afonso, e isso é promissor. Se continuar assim, quem sabe, poderá ter alta antecipada?

Afonso sentiu-se feliz, mais aliviado, por ter aberto o coração, mas ainda trazia no peito uma dor secreta, como agulhada fina que o martirizava. Era uma sensação de perigo, como se algo fosse acontecer.

Todavia, fazendo grande esforço íntimo, tentou expulsar da cabeça os pensamentos negativos que o dominavam, e sorriu para a família, que o observava, atenta. Precisava dar o máximo de si, para que os filhos saíssem daquele encontro com a melhor impressão possível.

A visita estava terminando. Afonso despediu-se dos meninos, prometendo:

— Quando voltar para casa, vou dedicar mais tempo a vocês. Vou levá-los para passear, vamos ao cinema, jogar bola, tomar sorvete e muito mais. Eu prometo.

Abraçando a esposa, ele completou:

— Querida, quando eu sair deste hospital, prometo ser um novo marido. Teremos uma vida nova, aquela que tanto sonhamos e que, de repente, transformou-se em pesadelo. Quero que confie em mim. Ainda vou fazer de você a mulher mais feliz do mundo!

Eles trocaram um longo abraço, beijaram-se e, em seguida, atendendo ao chamado do médico, o enfermeiro entrou para reconduzir o paciente ao quarto. Ainda acenaram com a mão, e Afonso procurou fixar aquela imagem, que permaneceria na sua mente e em seu coração para sempre: Laura e os filhos gesticulando para ele, risonhos e alegres.

Depois da saída do marido, Laura se pôs a chorar de alívio, com nova esperança no íntimo.

De volta ao leito, Afonso não conseguia segurar as lágrimas. Virou-se para a parede, de modo que os companheiros de enfermaria não percebessem seu estado, e chorou por longo tempo. Dentro de si, a sensação de angústia, de perigo iminente, não se afastava.

Voltaram à memória as imagens de um sonho que tivera alguns dias antes e que, em vão, lutava para esquecer. Via-se em um lugar escuro, triste, sozinho. Sentia-se doente e necessitado, mas ninguém o atendia. Gritava pedindo ajuda, porém somente o eco respondia. De repente, viu alguns seres horríveis gargalhando à sua volta, em meio a galhofas, palavrões e ameaças. Dois deles, especialmente, eram assustadores: cobriam-se com um manto negro cujo capuz, puxado para frente, não permitia que lhes visse os rostos perfeitamente. Porém eram horripilantes, de expressão atormentada e cruel; olhos enormes e vermelhos mostravam ironia, sarcasmo e ódio incontidos, e de suas bocas jorravam palavrões e ameaças. Um deles, que parecia ser o líder do bando, vociferava:

– *Agora você está aqui conosco! Não escapará mais.*

Assustado, tremendo da cabeça aos pés, ele gritou:

– Não! Quero voltar para casa! Onde estão todos? Ajudem-me! Socorro! Socorro!

–*Tarde demais. Você está morto!* – bradou o líder, com voz gutural e os olhos chamejantes de ódio.

– Não! Não pode ser! Não estou morto! Meu Deus! Ajude-me! Socorro!

Nesse momento, despertou no leito de hospital, enquanto dois enfermeiros tentavam socorrê-lo. Estava muito mal, e a pressão subira bastante. Sabendo que ele corria sérios riscos, o médico de plantão, atendendo com presteza, conseguiu reverter o quadro. Intimamente, no entanto, Afonso ficou com a certeza de que morrera e voltara a viver.

Nada contou a ninguém sobre aquilo que chamava de sonho. Todavia, passou a ter a impressão de que poderia morrer de uma hora para outra, de repente. Foi a partir desse dia que ele passou a repensar a existência, seus atos e a acalentar mais intensamente o desejo de rever os filhos, de pedir perdão a eles e à esposa por tudo o que havia feito de errado.

Durante muitos dias, Junior, Zezé e Bruninho só falavam do pai e da visita feita a ele. Agora a vida ganhara um novo significado. Sabiam que o pai estava melhor, que os amava e reconhecia o quanto tinha errado. Assim, eles se encheram de esperança e expectativa de ver o pai voltar para casa, mais alegre, mais amigo, mais companheiro. O pai que sempre quiseram ter...

CAPÍTULO 11

NA CASA ESPÍRITA

Uma semana depois, encerrando uma de nossas atividades em Céu Azul, novamente recebemos um aviso: era um pedido de socorro.

Fomos até o hospital e verificamos que a situação era realmente séria. Dois desencarnados, antigos acompanhantes de Afonso, haviam conseguido romper a barreira defensiva do hospital e estavam na enfermaria, aprontando o maior tumulto.

— *Vamos, Afonso, levante-se desse leito e venha conosco! Não está com a garganta seca? Precisamos beber! Venha conosco, companheiro!* — ordenava Valtinho ao seu ouvido.

— *É isso mesmo, camarada. Você nos faz muita falta, Afonso. Abandone esse hospital e venha conosco! Eles querem ditar normas. Você é o dono da sua vida. Ninguém pode obrigá-lo a nada que você não queira* — afirmava Geraldo, do outro lado, igualmente tentando envolvê-lo.

Aproximando das narinas do enfermo uma latinha de cerveja que trazia nas mãos, convocava-o:

— *Sinta o cheiro da "loirinha"! Venha beber conosco!*

A situação era tão grave que os outros pacientes da enfermaria – atingidos pelas emanações deletérias do ambiente, intensamente contaminado pela presença nefasta daquelas entidades espirituais e de outras, vinculadas a cada um dos doentes, começaram a apresentar idêntica agitação.

Afonso passou a mostrar-se alterado, envolvido pela presença dos antigos companheiros de bar e influenciado por emanações da bebida e condições psíquicas, recebendo ideias as quais não percebia com os ouvidos do corpo, porém na acústica da alma. Utilizando toda a força de que dispunha, apesar da medicação, arrancou o soro do braço. Preparava-se para abandonar o leito, quando um enfermeiro, passando pelo corredor, percebeu-lhe o estado de desequilíbrio e correu para contê-lo.

– O que está acontecendo, Afonso?

Acostumado a resolver seus problemas na valentia, em virtude do seu tamanho e da sua força, o enfermo respondeu, raivoso:

– Não interessa! Vou sair daqui e quero ver quem vai me impedir!

Nesse momento, nós nos aproximamos, tentando acalmar a situação. Trabalhadores desencarnados que cooperavam no próprio hospital, alertados do perigo, acercaram-se, e, todos juntos, pudemos orar, envolvendo cada uma das entidades necessitadas ali presentes, que foram retiradas da enfermaria e do hospital, sendo conduzidas a um lugar adequado, onde receberiam o atendimento necessário. Outros enfermeiros, alertados, chegaram e se esforçaram para tranquilizar os agitados pacientes, pois, embora a causa e os provocadores da confusão houvessem sido retirados, os efeitos permaneceram.

Medicado convenientemente, Afonso voltou ao tratamento mais intensivo.

Quando Laura chegou ao hospital, para a visita costumeira, encontrou-o dopado. Estranhou, procurando informações com o médico, e dele ouviu que não entendia a reação abrupta de Afonso, completando:

– Ele parecia muito bem, Laura. Reagia de maneira promissora ao tratamento, comportava-se bem, mostrava-se contente, cooperativo. Não tenho explicação para essa atitude de hoje, e ninguém sabe o que aconteceu. Mas todos os pacientes da enfermaria estavam perturbados e igualmente agressivos. Como Afonso, eles também queriam deixar os leitos, e foi difícil controlar a todos. Os enfermeiros, perplexos, não souberam explicar o que houve.

Laura saiu de lá arrasada. Os filhos tinham certeza de que o pai logo deixaria o hospital, retornando para casa, pois, sempre que perguntavam, respondia que ele estava muito bem. E estava mesmo! Mas, agora, aquela notícia caíra em sua cabeça como um balde de água fria, desnorteando-a.

Ao aproximar-se da casa, encontrou Gertrudes no portão. Ao ver sua expressão desfeita, a vizinha perguntou:

– Ei! Que desânimo é esse, amiga?

– Problemas...

Pegando Laura pelo braço, Gertrudes conduziu-a para dentro do seu portão.

– Venha! Vamos conversar. Você não pode entrar em casa desse jeito, os meninos ficariam preocupados.

Docilmente, Laura acompanhou a amiga. Acomodaram-se na sala.

– Agora que estamos sozinhas, conte-me. O que houve?

Laura pôs as mãos no rosto e caiu em pranto. Gertrudes foi até a cozinha, pegou um copo de água e ofereceu à amiga:

— Beba. Vai lhe fazer bem.

Laura parou de chorar, limpou o rosto e tomou alguns goles.

— Obrigada, Gertrudes. Estou voltando do hospital, nem pude conversar com Afonso. Está sedado. Teve outra crise.

— De novo? Mas você disse que ele se mantinha tão bem!

— Isso mesmo! Nem o médico sabe a razão dessa nova recaída! Por quê, meu Deus? Por quê? O que pode ter acontecido? O pior é que, inexplicavelmente, os outros pacientes da enfermaria também ficaram agitados! O doutor Carlos disse que deu o maior trabalho serenar os ânimos e fazê-los voltar aos leitos. Pode ser uma coisa dessas?!

Gertrudes mantinha-se calada, ouvindo o desabafo da vizinha. Tomou a mão dela na sua e confortou-a:

— Laura, tenha confiança em Deus! Para tudo existe uma explicação. Nada acontece por acaso. É preciso apenas que saibamos entender o problema para podermos ajudar corretamente. Lembra-se do livro que te dei?

— É verdade. *O Evangelho segundo o Espiritismo*. Sabe que está na minha mesinha de cabeceira e ainda não consegui achar tempo para ler?

— Pois é importante que o leia. Você vai se surpreender, amiga. Ali tem tudo o que você precisa saber para entender o que se passa ao seu redor. E, no fim do livro, tem um capítulo somente com preces para todas as situações e momentos difíceis.

— Vou ler esse livro, prometo. Porém, Gertrudes, pelo seu jeito de falar, parece que você sabe o que está acontecendo com o Afonso!

Gertrudes pensou por alguns momentos, procurando as melhores palavras para esclarecer a dúvida da amiga:

– Laura, nós somos espíritos imortais, isto é, viveremos sempre. Aqueles que morrem para este mundo, continuam vivos em outra realidade. Somente a vida material termina, por um motivo ou por outro. No entanto, o espírito, que é o ser inteligente, que age, comanda o corpo e tem sentimentos, prossegue vivendo. Você, inclusive, teve um sonho em que julgou ter conversado com a mãe de Jesus. Lembra-se?

– É verdade. Foi a coisa mais extraordinária que já me aconteceu! Mas foi apenas um sonho!

– Não foi um sonho, realmente aconteceu! Você teve um encontro com aquela senhora, que julgou ser Maria de Nazaré. A morte não existe, e todos nós continuaremos vivendo, em outra realidade.

– Você já me falou sobre isso. Então, ninguém morre – concordou Laura, assustada.

– Exatamente. Ao passar para o outro lado da vida, continuamos a ser os mesmos, porque as qualidades ou os defeitos são do espírito, não do corpo. Aqui na Terra não existem pessoas com toda a gama de sentimentos bons e maus? Pois, então, ao deixar nosso mundo, continuarão pensando e sentindo da mesma forma. Aos poucos, vão melhorando, aprendendo e evoluindo até atingirem a perfeição. Entendeu?

– Entendi, porém não é muito fácil enfiar essas coisas na minha cabeça. Mas o que tem isso a ver comigo?

– Tudo. A afinidade de gostos e de intenções aproxima as pessoas, não é? Acontece a mesma coisa com os espíritos que já deixaram o corpo físico, em relação a desencarnados como eles, ou a encarnados. No caso de Afonso, julgo que ele possa estar sofrendo a influência de espíritos viciados em bebida.

— Você quer dizer que ele está "com encosto"? — indagou Laura, usando uma expressão popular muito conhecida.

— Exato. Podemos dizer que ele está sofrendo uma influência espiritual — concordou a outra.

— Estou ficando apavorada, Gertrudes.

— Não quis assustá-la, mas mostrar um fato muito mais comum do que se pensa. E, além da medicação material, existem, do mesmo modo, outros meios de ajudar o Afonso, haja vista que o tratamento médico não tem conseguido surtir o efeito esperado, isto é, manter as melhoras dele em um nível mais constante. O que aconteceu na enfermaria mostra que, talvez, o problema dele não seja apenas orgânico, mas também espiritual.

— Meu Deus! Mais essa agora! — murmurou, perplexa.

Depois, respirando fundo, fitou a amiga e indagou, desejando enfrentar a situação:

— Bem, Gertrudes, durante nosso tempo de convivência, você tem me ensinado a ser mais prática. Por isso, pergunto: se isso é verdade, qual é sua sugestão?

— Gostaria de convidá-la para ir à casa espírita que eu frequento. Você vai gostar e talvez seja muito benéfico ao Afonso. Por coincidência, a reunião é hoje à noite. Se aceitar meu convite, não se preocupe quanto aos meninos. Existem salas de atendimento às crianças, que funcionam paralelamente à reunião dos adultos.

— Se é assim, aceito.

— Então, passo na sua casa logo mais à noite, às sete e meia. Confie. Tudo vai dar certo.

Tranquilizada com as palavras da vizinha, Laura entrou em casa com novo ânimo.

Mais tarde, conforme combinado, Gertrudes passou na casa de Laura, e todos já estavam prontos, a esperá-la. Os garotos, surpresos e satisfeitos pela programação inesperada.

O centro espírita não ficava longe: apenas a algumas quadras dali. Ao entrarem na rua pequena e tranquila, avistaram várias pessoas que se dirigiam ao mesmo ponto, e Laura entendeu que era ali o local.

A construção era de aparência simples, embora bem cuidada. Admirou-se por nunca ter visto esse lugar, muito menos a placa com o nome: Centro Espírita Amor e Paz. Entraram. Gertrudes, familiarizada com o local, encaminhou os garotos à área infantojuvenil, e as duas mulheres se dirigiram ao salão, onde se acomodaram.

Laura observava tudo com ar crítico, discretamente. O recinto, que não era grande, teria em torno de umas sessenta cadeiras enfileiradas simetricamente, segundo calculou, parcialmente ocupadas. Tudo era limpo e claro, sem imagens ou enfeites. Na frente, uma mesa retangular, coberta por uma toalha branca, e, sobre ela, um vaso de flores, alguns livros, uma jarra com água e um copo. Notou o respeito e o recolhimento dos presentes, que se mantinham calados ou conversavam em voz baixa. Ao mesmo tempo, música suave envolvia todo o ambiente em bem-estar, auxiliando a recomposição íntima. Reconheceu que era tudo bem diferente do que imaginara. Logo, começou a sentir-se mais relaxada e em paz.

Alguns minutos depois, começou a reunião. Uma senhora fez uma oração, e um senhor, que teria em torno de cinquenta anos, de cabelos grisalhos e semblante sereno, levantou-se e começou a falar. O tema era: "Ajuda-te que o Céu te ajudará".

Laura acompanhou a palestra, interessada pelos argumentos diferentes e inteligentes do orador, os quais fizeram novas ideias lhe brotarem na mente. Ao final, iniciou-se a assistência espiritual por meio dos passes. Ao entrar na sala, de iluminação reduzida, Laura sentiu grande emoção.

Terminado o trabalho, todos foram para o pátio, onde era costume conversar e aproveitar o ar fresco da noite. A senhora que havia aplicado o passe aproximou-se de Laura, e Gertrudes apresentou a visitante:

— Ofélia, esta é Laura, minha vizinha e amiga.

— Muito prazer, Laura. Tenho um recado para você. Fiquei em dúvida se deveria falar ou não, mas creio ser minha obrigação desincumbir-me da tarefa.

— Pode falar, Ofélia – disse Gertrudes.

Olhando para Laura, a outra disse:

— Laura, enquanto aplicava o passe em você, escutei alguém dizer claramente: *"Diga que precisa ter muito cuidado com ele! Muito cuidado! Não esqueça! É importante!"* Não sei o que significam essas palavras, porque nada sei da sua vida. Acabamos de nos conhecer, nem sei se você tem algum problema. Mas, enfim, o recado é esse.

Laura tornou-se lívida. Entendera perfeitamente. Claro que se referia a seu marido, Afonso! Mas por quê?

— Não se preocupe, Ofélia. Entendi o recado e agradeço. Mas foi somente isso? Nada mais? Por que "ter cuidado"?

— Não sei, Laura. As palavras foram exatamente essas.

É PRECISO RECOMEÇAR

Gertrudes contou à amiga o problema de Laura, cujo marido permanecia no hospital há mais de quarenta dias. Diante disso, Ofélia disse:

— Ah! Agora compreendo. Então, Laura, eu acho que você deve procurar agir normalmente, com tranquilidade. Se seu marido está num hospital, fique atenta a todos os acontecimentos, tomando cuidado com ele... E com os outros que estão na enfermaria.

— Por que disse isso, Ofélia? — indagou Gertrudes.

— Não sei! Veio na minha cabeça, de repente. Bem, preciso me despedir. Laura, gostaria de continuar conversando, mas papai está doente e precisa muito de mim. Deixei-o aos cuidados de meu filho, e agora o dever me chama. Preciso ir. Boa noite!

— Boa noite, Ofélia. E obrigada pela preocupação!

Nesse momento, os garotos se aproximaram. Junior e Zezé vinham conversando com dois amigos de escola que encontraram na aula de educação espírita. Estavam animados e alegres.

Voltando para casa, conversavam, caminhando lentamente e aproveitando a noite de primavera, sentindo o aroma das flores e das árvores. Os garotos iam à frente.

Olhando a amiga arrumada, bem penteada e com leve maquiagem, bem diferente daquela que via todos os dias, Laura comentou:

— Gertrudes, você está muito bonita esta noite. Nunca a vi assim! Parabéns!

— É que você me vê sempre durante o dia, envolvida com as atividades da casa.

— Diga-me uma coisa. Você sempre foi sozinha? Nunca se casou?

A amiga respirou fundo, levantou os olhos para o céu estrelado e explicou:

– Eu amei muito um rapaz, quando jovem. Um dia, ele sofreu um acidente e morreu. Nunca mais amei ninguém. Até tentei me interessar por outros homens, mas foi em vão. Desse modo, optei por permanecer solteira e me sinto muito bem.

– Ah! Entendo.

– Foi por esse motivo que me aproximei do Espiritismo. O desejo de saber onde se encontra, se está bem. Apesar do tempo transcorrido, nunca tive notícias dele. Porém, não perco as esperanças. Sonhei com ele algumas vezes, e foi só. Mas sei que ele está vivo e a qualquer momento mandará uma mensagem.

Gertrudes se calou, envolvida em suas lembranças, e Laura permaneceu silenciosa, respeitando os sentimentos da amiga.

Chegando em casa, todos se despediram da vizinha e entraram. Logo os meninos dormiam, exaustos das atividades do dia.

Somente Laura custou a adormecer, preocupada com o recado do Além recebido por intermédio de Ofélia.

CAPÍTULO 12

A MENSAGEM

Os dias seguintes foram normais. Afonso se recuperava da última crise e, aos poucos, Laura relaxou, esquecendo o aviso recebido. Começou a frequentar o centro espírita com Gertrudes, alegrando os garotos, que lá encontravam amigos da escola. Passou a ler *O Evangelho segundo o Espiritismo*, recebendo grande paz, consolação e esclarecimento em suas lições.

Sempre que sobrava algum tempo, abria o livro ao acaso e deixava-se envolver pela luminosidade dos ensinamentos doutrinários. Agora conseguia entender melhor aquelas palavras, por meio das informações consoladoras de Allan Kardec e transmitidas pelos Espíritos.

Os dias andavam mais tranquilos. Laura exibia um semblante mais sereno, e suas palavras eram mais profundas e consoladoras, atestando a mudança íntima. Até Marlene, a amiga do mercado, notou a transformação dos últimos tempos. Em um dos encontros, perguntou, curiosa:

– O que aconteceu? Você está diferente: mais bonita, mostra o rosto menos tenso... não sei explicar.

Com sorriso meigo, Laura respondeu:

– A mudança não é só externa, Marlene. Sinto mesmo transformações positivas por dentro e por fora. Gertrudes, minha vizinha, um dia falou comigo sobre a Doutrina Espírita, que talvez ajudasse Afonso. Como você sabe, ele continua internado e sem previsão para receber alta. Uma noite, fui com ela ao centro espírita e fiquei agradavelmente impressionada. Desde essa ocasião, tenho comparecido semanalmente às reuniões e noto que a ajuda não veio apenas para Afonso, mas toda a nossa família tem sido grandemente beneficiada.

Marlene, que ouvia atenta e emocionada, considerou:

– Laura, interessante você falar sobre esse assunto! Acredita que sempre quis saber mais sobre o Espiritismo, mas nunca encontrei alguém que pudesse me esclarecer? Claro, eu poderia ter tomado essa decisão sozinha, porém não sabia aonde ir, com quem falar, entende? Talvez tenha me faltado estímulo. Pois sinto que o momento chegou e gostaria de ir com vocês. Posso?

– Claro que pode, será um prazer!

– Sabe, Laura, creio que nunca contei, mas tenho um filho que sempre me deu muita preocupação. Quem sabe poderia ser bom para ele?

– Pois tenha certeza de que será ótimo para ele e para você. Meus filhos adoram! Enquanto assistimos a uma palestra, as crianças recebem aulas em salas especiais.

– Então, está combinado! Irei à próxima reunião e levarei Mateus.

Desse modo, Marlene também começou a participar do grupo, tornando-se amiga de Gertrudes. Mateus, por sua vez, tornou-se amigo de Junior, Bruno e, especialmente, de Zezé, que era da sua idade.

Estreitando os laços, as amigas, vez por outra, reuniam-se nos fins de semana, na casa de uma delas, para tomar chá e conversar. O assunto, invariavelmente, era o Espiritismo, que lhes abria o campo de visão, ajudando a entender a vida de uma maneira mais ampla e trazendo a certeza da imortalidade da alma, das vidas sucessivas e de muitas outras questões, deixando as três mais seguras, responsáveis e confiantes em Deus.

Logo após as primeiras visitas ao centro, Marlene confidenciou às amigas:

— Sabem o que Mateus me contou ontem?

Ambas balançaram a cabeça negativamente, com expressão curiosa.

— Pois bem. Meu filho, quando voltamos para casa, contou-me sobre o tema abordado durante a aulinha no centro: "A sobrevivência da alma à morte do corpo físico e a comunicação entre os dois mundos". Então, pasmem! Mateus, que nunca me contara nada, disse com toda a calma: "Mamãe, tudo isso eu já sabia! Desde pequeno, sempre vi e ouvi os espíritos. Nunca falei porque um dia, no primeiro ano escolar, toquei no assunto, e os coleguinhas riram de mim. Por esse motivo, nunca mais contei a ninguém. Eu sei que eu via pessoas que já viveram aqui na Terra. E elas morreram. Isto é, o corpo morreu, porém elas continuam vivas, porque o espírito não morre nunca!"

Laura e Gertrudes ficaram perplexas com aquela notícia. Marlene, vendo os olhos arregalados de ambas, disse:

— Se vocês estão assim, imaginam como eu fiquei?

— Marlene, então esse era o problema do seu filho?

— Sim! Ele é muito tímido! Mantinha-se isolado das pessoas, com medo de que percebessem que ele era diferente.

— Entendo que não comentasse com os amigos, mas por que ele nunca disse nada a você, que é a mãe? – perguntou Gertrudes.

— Também fiz essa pergunta. Mateus afirmou sentir medo, porque o pai, um dia, quando alguém tocou no assunto, afirmou não acreditar nessas bobagens, julgando doente quem assim pensasse, doente e necessitado de internação. Mateus teve receio de ser levado ao médico. E, por essa razão, sofreu calado o tempo todo! – informou Marlene.

— Vejam como tudo, na essência, é simples e natural. Nós é que complicamos por ignorarmos as causas do problema. Basta entendermos as leis da vida, e tudo se encaixa! – considerou Laura.

— É verdade. Exatamente por isso as informações trazidas pelos espíritos elevados e codificadas por Allan Kardec são tão importantes. Diga-se de passagem, como leis divinas, sempre existiram, sendo conhecidas desde épocas remotíssimas. Mas os homens, com o passar do tempo, as esqueceram. Contudo, essas instruções, disponíveis no tempo certo, quando o ser humano tem condições de assimilar, abrem um novo campo de visão às pessoas, esclarecendo, consolando, dando esperanças. Essa união da Ciência, da Filosofia e da Religião, sintetizada na Doutrina Espírita, faz toda a diferença. Passamos a entender que essas áreas do saber não são estagnadas. Ao contrário, completam-se, esclarecendo todas as coisas – comentou Gertrudes.

— Tem razão, amiga. Por isso, especialmente nesse momento em que meu filho falou das possibilidades de ver quem já partiu, sinto necessidade de estudar melhor o assunto, até para compreender e explicar a ele esse acontecimento. Será que existe algum curso capaz de me ajudar nesse sentido, Gertrudes?

– Claro. Estava para te sugerir essa providência. Na próxima reunião, podemos ver quando haverá o início de uma nova turma.

– Também pretendo inscrever-me! – exclamou Laura, animada.

– Então, estudaremos juntas! – disse Marlene, satisfeita.

A amizade e a união entre as três aumentavam a cada dia. Sentiam verdadeiro prazer em estar juntas, trocando ideias, conversando, ou simplesmente caminhando. Marcavam lanches, almoços e jantares na casa de cada uma delas, unindo também as crianças ainda mais. Mateus, completamente integrado ao grupo e agora tranquilo, porque nada mais tinha a esconder de ninguém, tornara-se um garoto alegre e descontraído.

Certo dia, na casa de Gertrudes, enquanto as mulheres conversavam e os meninos distraíam-se no quarto, com um jogo trazido por Júnior, Mateus apareceu de repente na sala e, aproximando-se da dona da casa, disse:

– Tia Gertrudes! Posso falar uma coisa?

– Claro, Mateus. Fale!

O menino sentou-se no sofá, ao lado da mãe, e começou a falar:

– No quarto onde estamos brincando, havia um moço na cadeira de balanço, e ele me pediu que viesse contar isso!

Levando a mão ao coração, que batia acelerado, ela indagou:

– E onde está ele agora?

– Está aqui, conosco!

– Ai, meu Deus! Como é ele, Mateus?

Olhando para o lado onde estava o moço – que somente ele conseguia ver –, descreveu:

– É alto, tem a pele clara e os cabelos pretos. Está sorrindo e diz que você o conhece. Chama-se Luís Gustavo.

Gertrudes, pálida e desfeita pela emoção, quase desmaiou de susto. Depois, caiu em choro comovido:

– É ele! É ele! Eu sabia que algum dia teria notícias dele! Mas não esperava que fosse por uma criança, como nosso querido Mateus! Diga, meu filho, o que ele está fazendo?

Com seriedade, o garoto começou a narrar:

– Está sorrindo e se aproximou de você, Tia Gertrudes, deu em você um grande abraço, depois disse: eu *jamais a esqueci, minha querida Gertrudes. Estou sempre ao seu lado, tentando ajudá-la. Confie em Deus. Algum dia, não importa quando, nós estaremos juntos. Desta vez não foi possível, por motivos que você saberá mais tarde, porém continue trabalhando e ajudando as pessoas, e estará facilitando o nosso reencontro. Que Jesus a ampare sempre.*

Ela ouvia atenta, sentindo-se mais feliz do que jamais fora na vida, bebendo as palavras que o garotinho ouvia do espírito e repetia com sua voz infantil. Quando o menino parou de falar, ela perguntou:

– E agora?

– Ele disse que precisa ir, mas voltará sempre que puder. Deseja muita paz a todos nós e despede-se acenando com a mão. Não o vejo mais. Ele se foi.

No auge da alegria, Gertrudes estendeu os braços para Mateus, que correu a aninhar-se entre eles.

– Obrigada, querido! Você não imagina como me fez feliz hoje! Obrigada! Que você possa continuar com essa faculdade de ver e ouvir os espíritos. Assim, poderá ajudar muita gente, no futuro.

Percebendo que Mateus começou a ficar impaciente, ela o soltou. Respeitosamente, ele perguntou:

– Agora posso ir para o quarto brincar?

– Claro, meu querido, vá! – disse Gertrudes.

Ele saiu correndo, enquanto Laura e Marlene envolveram a amiga em um abraço carinhoso, com lágrimas nos olhos. A cena fora emocionante para todos.

Para agradecer a bênção recebida, Gertrudes convidou-as a fazer uma prece e elevou o pensamento ao Alto, falando a Deus da gratidão e do desejo de cada vez mais servir ao próximo no labor do bem.

Marlene, profundamente comovida, confidenciou às amigas:

– Lamento apenas que Lucas, meu marido, não consiga acreditar na vida espiritual. Aliás, ele não crê em nada. É bastante cético e não entende o que se passa com nosso filho. Tentamos falar com ele, porém acha que o filho é um doente, necessitado de ajuda médica.

– Não se preocupe, Marlene – disse Gertrudes. – Não adianta querer atropelar as coisas. Cada pessoa tem um momento certo para despertar. Você vai ver, chegará uma hora em que ele não terá outro recurso senão se render às evidências. Minha amiga, Deus trabalha por caminhos que desconhecemos. Deixe que a própria vida se encarregue de mostrar a realidade dos fatos.

— Será? Quando falo que vou à casa espírita, ele não me impede, mas diz que estou levando nosso filho para ver feiticeiros, e fica fazendo pouco caso. Ultimamente, Mateus e eu saímos sem dizer aonde vamos. Acho mais fácil do que suportar as zombarias dele.

Gertrudes sorriu e completou:

— Você duvida, mas pode apostar naquilo que eu disse. Ele não poderá continuar de olhos fechados a vida inteira. Vai acontecer alguma coisa, um fato, uma notícia, até mesmo um sonho, e o fará repensar as próprias crenças... ou a falta delas.

— Deus te ouça, amiga! Não desejo outra coisa a não ser que Lucas possa ir comigo ao centro e ver a realidade. Já o convidei, deixando claro que ele não precisaria ficar se não quisesse, mas qual nada! Ele se recusa terminantemente.

— Então, vamos aguardar, Marlene! Nada como um dia depois do outro! – concluiu Gertrudes.

Mudando de assunto, Laura perguntou se elas assistiram a determinado filme pela televisão. Diante da resposta negativa, fez um resumo da história, que achou linda e de cunho espiritualista.

E continuaram conversando, trocando ideias e se divertindo juntas. Uma hora depois, olhando o relógio, Laura disse:

— Já é tarde. Preciso ir embora. Tenho mil coisas para fazer.

— Para que tanta pressa? É só sair por um portão e entrar por outro! – brincou Gertrudes.

— Eu também preciso ir. E não moro tão perto. Aliás, moro até bem longe daqui – afirmou Marlene, aproveitando a deixa.

Chamaram os filhos e se despediram, agradecendo à dona da casa a hospitalidade e o delicioso lanche.

Na verdade, a vida de Laura e dos filhos ganhara uma ajuda inesperada com a companhia de Gertrudes, Marlene e Mateus, que os fortalecia, trazendo coragem, esperança, fé e amizade sincera. Os encontros entre as famílias eram como um oásis de paz em meio aos problemas e provações.

CAPÍTULO 13

Acontecimento inesperado

No plano espiritual, estávamos preocupados. Especialmente os mais envolvidos com o caso de Afonso: César Augusto, Melina, Irineuzinho e eu.

Há mais de dois meses que Afonso fora internado.

Certo dia, após nossas atividades normais, Galeno propôs conversarmos sobre a situação, para que os demais participantes, integrantes do grupo de jovens, ali sentados em semicírculo, pudessem ter conhecimento do trabalho. O instrutor relanceou o olhar pela nossa pequena equipe, sem se dirigir a nenhum dos quatro em particular, e indagou:

– *Como vão as atividades relativas ao caso Afonso?*

Sentados próximos um do outro, trocamos um olhar de entendimento, e eu comecei a falar:

– *Parece que, neste momento, tudo corre bem, Galeno. Afonso se mostra mais cooperativo, recupera-se de maneira promissora, e o médico pensa em dar alta, para prosseguir o tratamento em casa.*

– *Acompanhamos cada um dos encarnados envolvidos, com o objetivo de que tudo funcione corretamente, favorecendo o conjunto* – afirmou Irineu, aproveitando uma pausa que se fizera.

– Muito bem – concordou Galeno. – E as entidades ligadas ao nosso paciente que o incentivam a beber, têm sido abordadas?

Tomando a palavra, César ponderou:

– Tenho permanecido a maior parte do tempo no hospital, procurando colaborar. Após um tumulto na enfermaria, as entidades que o causaram, aproveitando-se de uma brecha vibratória no ambiente, foram retiradas pelos seguranças e levadas ao local de atendimento. Isso as impediu de penetrar ali por algum tempo, assim, a tranquilidade retornou ao local, em benefício dos pacientes. Tentei me aproximar, conversar com Valter e Geraldo, os companheiros de Afonso, porém, ainda estão bastante resistentes a uma ajuda mais efetiva.

– E quanto à família do Afonso?

Com a tarefa de cuidar dessa parte da ação socorrista, foi a vez de Melina comentar:

– Durante a maior parte do tempo, eu fico na casa dele, auxiliando as crianças e, especialmente, Laura, que mais necessita de forças e sustentação para não desfalecer diante das tribulações. Aliás, todos estão se sentindo muito bem, após termos conseguido encaminhá-los a um centro de ajuda espírita. Laura fortaleceu-se em contato com duas amigas, e seus pensamentos são os melhores, sempre direcionados para o Alto, mantendo o otimismo e a boa disposição em todos os momentos. Enfim, creio que nesse sentido está tudo bem, graças a Deus!

Galeno, que nos ouvira atentamente em silêncio, considerou:

– Vocês estão realizando um bom trabalho. Dividiram as tarefas e, ao mesmo tempo, se mantêm coesos e atentos, informados do que se passa na área de cada um, o que é fundamental para dar uma visão de conjunto que, separadamente, não teriam.

Perpassando o olhar pelo grupo ali reunido, Galeno perguntou se alguém tinha alguma dúvida ou sugestão. Paulo começou a falar, dirigindo-se particularmente à nossa equipe de socorro:

— *Congratulo-me com vocês por agirem com responsabilidade, coerência e fraternidade, exercitando o amor conforme Jesus nos ensinou. Temos acompanhado o caso a distância, que se nos afigura bastante difícil e complicado, em virtude das circunstâncias envolvidas. Todavia, julgo importante alertá-los para as dificuldades que possam surgir, independentemente dos cuidados que tenham com a ação do bem. Lidamos com pessoas encarnadas, que trazem marcas do passado, e não sabemos o que as espera, ou está previsto para acontecer por necessidade expiatória.*

— Sem dúvida — concordou César Augusto, prosseguindo: — Em virtude de Afonso estar num grande hospital, há uma imensa gama de situações que podem ocorrer, e precisamos estar atentos a todas elas.

Marcelo, pedindo a palavra, indagou:

— E quanto aos pais de Afonso, alguma coisa tem sido feita para ajudá-los? Parece que eles precisam muito de socorro. Ambos estão alienados: Marita, deslumbrada pela sociedade e pelas futilidades, e Alberto, pela bebida. Sem dúvida, teve um choque ao ver a situação do filho. Situação causada pelo alcoolismo, que ele, como pai, sempre incentivou, e por isso sente-se culpado, mas ainda não despertou para uma mudança real, julgando que "bebe socialmente". Alberto, inclusive, em uma reação típica de fuga ao problema, tenta intimamente se convencer de que o filho, Afonso, está nessa situação porque é um fraco. Se fosse forte como ele, isso não aconteceria.

Balançando a cabeça, concordei:

— É verdade, Marcelo. Alberto, mentalmente, enfatiza que o problema do filho não se deve à bebida, porém à fraqueza, à falta de *condição de enfrentar as situações. Contudo, ele tem até ensaiado alguma reação, desejando parar de beber para ajudar ao filho. Porém, quando os "amigos de copo" se aproximam, não tem forças suficientes para se manter firme na decisão que tomou, e deixa para outro dia. Temos tentado socorrê-lo, mas os acompanhantes de Alberto se recusam a ceder, e ele não consegue se libertar da bebida. Concordo com você, Marcelo. Sim, com toda certeza Marita e Alberto são dois doentes graves. Ele mais do que ela, que é apenas espírito apegado às futilidades da vida. Estamos estudando uma ação no sentido de fazê-la despertar dessa apatia. E acreditamos que Laura é a mais indicada para abordar o assunto, em virtude das mudanças que se operaram na sua existência.*

Uma das jovens iniciantes no grupo, preocupada, indagou:

– Galeno, se os desencarnados têm uma ação tão nefasta sobre *nossos assistidos, que já sofrem tanto, não podemos agir de maneira mais intensiva, retirando-os de perto dos encarnados, para que respirem com mais tranquilidade?*

Os mais experientes sorriram discretamente, aguardando a resposta de Galeno, que não se fez esperar:

– *Sem dúvida, sempre trabalhamos no sentido de auxiliar nossos irmãos ainda na carne. Todavia, em face do grau de afinidade que existe entre encarnados e desencarnados, não nos compete interferir mais do que o necessário, em respeito ao livre-arbítrio de cada um. Não creia que estamos diante de inocentes seres encarnados, subjugados por terríveis entidades maléficas. Não. Existem elos mais profundos de afinidade entre encarnados e desencarnados, ligações essas que não podemos romper. As entidades não estão junto dos encarnados por imposição, mas por aceitação destes, com a conivência deles, percebe? Desse modo, só eles mesmos poderão desfazer esses vínculos sutis de sintonia, quando tiverem condições para tanto.*

Aproveitando uma ligeira pausa de Galeno, a jovem acenou:

– *O interesse pela bebida, por exemplo, é um elo forte.*

– *Exatamente. Aconteceu, em outras oportunidades, de optarmos por afastar os desencarnados, para que nossos irmãos, Afonso e Alberto, pudessem tentar uma mudança. Todavia, pouco tempo depois, verificamos que novamente as entidades haviam sido atraídas para perto deles, pela condição vibratória de ambos. Sentindo saudade dos alcoólicos, atraíram os comparsas desencarnados. Entendeu?*

– *Sim. Por essa razão o César Augusto afirmou que, após o tumulto no hospital, os seguranças retiraram temporariamente os acompanhantes desencarnados.*

– *Correto. Assim que encontrarem uma brecha, eles voltarão para perto de seus "amigos" encarnados, não tenhamos dúvida quanto a isso.*

Em razão do adiantado da hora e da necessidade de vários participantes de se dirigirem aos seus postos de serviço, Galeno deu por encerrada a reunião, concluindo:

– *Tudo caminha bem, e o grupo está trabalhando dentro do que se espera, procurando agir para o benefício de todos. Não devemos ignorar, porém, que a ação do bem esbarra, não raro, em situações que independem de nossa vontade, como essas que acabamos de comentar. Como já lembrado, não podemos interferir no livre-arbítrio dos envolvidos no caso, devemos respeitá-lo. Sei que vocês desejam o melhor para nossos amigos encarnados, mas temos que dar a eles até o direito de errar, se assim o desejarem. O erro é benéfico, embora doloroso, porque favorece o crescimento. Diante das consequências do ato cometido e do sofrimento daí advindo, o espírito aprende no futuro, em situação semelhante, a agir corretamente, para não errar mais. Assim, assistam aos nossos protegidos fazendo o melhor. Estejam atentos a todas as particularidades do caso, não desprezem as ações, ainda que insignificantes, para que não venham a ser surpreendidos negativamente.*

A nossa pequena equipe agradeceu as palavras de Galeno, que finalizou:

— Sabem que podem contar conosco. Em caso de necessidade, peçam ajuda. Estaremos sempre prontos a socorrê-los, contando com as bênçãos do Mais Alto.

Despedimo-nos e nos separamos dos demais, retornando às nossas atividades na crosta, onde deixamos servidores nos substituindo nas tarefas.

De regresso à Terra, estávamos contentes. Vencendo as imensas distâncias do infinito, cada qual pensava em como realizar melhor seus deveres. Porém, ao mesmo tempo, algo oprimia o meu coração e me preocupava. As palavras de Galeno, apesar de serenas, despertaram em mim um sentimento de cuidadoso temor diante do futuro. Dentro em breve, a situação mostraria que meus temores não eram infundados.

~

Três dias depois, Laura recebeu um aviso do hospital para que comparecesse com urgência. Assustada, olhou o relógio: cinco e meia da manhã! O que teria acontecido? Levantou-se em um pulo. Arrumou-se rapidamente, tentando não fazer barulho para não acordar os garotos. Em seguida, telefonou para Gertrudes, explicando a situação e pedindo que olhasse pelos filhos.

— O que aconteceu, Laura? — indagou a vizinha com voz preocupada, embora sonolenta.

— Não sei, Gertrudes. Nada me adiantaram. Assim que puder eu telefono.

Saiu de casa. Tudo se apresentava escuro ainda, mas os ônibus já haviam começado a circular. Apressou o passo até o ponto. As primeiras claridades do dia se anunciavam em tonalidades laranja e ouro.

Quando chegou ao hospital, avisaram que o doutor Carlos a aguardava em sua sala. Bateu levemente na porta e entrou. O médico estava atrás da mesa, de cabeça baixa. Ao ouvir o ruído da porta, levantou-se e veio ao encontro dela. Vendo-o parado à sua frente, com expressão compungida, ela indagou:

— O que houve, doutor? Afonso piorou?

— Não tenho boas notícias, Laura.

— Fale, doutor! Não me deixe nesta agonia!

— Você precisa ser forte, Laura. O Afonso teve um problema e não resistiu.

Ela deu um pulo para trás, assustada e perplexa.

— Não resistiu? Como assim? Quer dizer... morreu?

— Infelizmente, é verdade.

— Mas... Ele estava se recuperando! Estava bem! Não pode ser!

Descontrolada, Laura começou a bater no peito do médico com os punhos, gritando e chorando:

— Não acredito! Não acredito! Não pode ser verdade!

Tentando contê-la, ele abraçou-a, aconchegando-a ao peito.

— Lamento profundamente, Laura, porém é verdade. Você é testemunha de que fiz tudo o que podia para salvá-lo.

O médico deixou que ela extravasasse a dor. Ao notar que parecia mais calma, acomodou-a numa cadeira e sentou-se à frente dela.

— O que aconteceu, doutor? Disse que ele teve um problema e não resistiu. Não resistiu a quê? — ela perguntou, enxugando as lágrimas.

— Vou contar. Ontem, os pacientes da enfermaria receberam visitas. Você sabe que os companheiros de Afonso não recebem visitas todos os dias, porque as famílias moram longe, em outras cidades, enfim.

Laura ouvia atentamente, aguardando o desfecho. Ele prosseguiu:

— O paciente que ocupava o leito ao lado de Afonso teve alta, lembra-se?

— Sim, o Manuel. No início da semana, outro rapaz ocupou o leito. O que tem isso a ver com meu marido?

— Calma, vou explicar. Esse novo paciente, Nélson, recebeu a visita de um primo que, desejando agradá-lo e agindo com total irresponsabilidade, trouxe-lhe uma garrafinha com bebida. Pequena, discreta, ninguém percebeu. O paciente colocou a garrafinha na gaveta da mesa de cabeceira, para que nenhum enfermeiro percebesse, talvez pensando em beber depois, creio eu.

— Como ficou sabendo disso, doutor?

— O próprio Nélson nos contou depois, assustado. Afonso não sabia da existência da bebida ali na gaveta, pois, na hora em que o vizinho recebeu a visita do primo, ele dormia, sob efeito da medicação. No entanto, acordou à noite e, talvez procurando alguma coisa para comer... você sabe, eles guardam bolachas e outras coisas ali...

— E o que aconteceu? Fale doutor! — ordenou ela, muito nervosa, inclinando-se para frente.

— Afonso encontrou a bebida e... Enfim, bebeu todo o conteúdo e teve uma parada cardíaca. Seu coração, que já vinha acusando problemas graves, não resistiu. Quando os enfermeiros perceberam, ele já havia falecido.

— Meu Deus! Como pode acontecer uma coisa dessas dentro de um hospital?

Arrasado diante de circunstâncias que fugiram ao seu controle, o médico precisava enfrentar o momento difícil, e prosseguiu:

— Dou-lhe toda a razão de estar horrorizada, Laura. As responsabilidades serão apuradas, e o culpado será desligado de suas funções, talvez até julgado.

Laura levou as mãos à cabeça, em pranto desesperador, e, com olhos esgazeados, como se estivesse fora de si, murmurou:

— Acho que vou ficar louca! Tivemos tanto cuidado, há mais de dois meses lutando para que ele se recuperasse, e Afonso vem encontrar bebida onde? No próprio hospital! Não entendo... Não entendo...

O médico, ao ver a condição de Laura, acionou pequena campainha, e logo a porta se abriu. Uma enfermeira surgiu e, a um sinal do médico, saiu, retornando logo depois, com uma injeção.

— Laura, você confia em mim?

Ela balançou com a cabeça afirmativamente.

— Então, vai tomar um tranquilizante leve para ficar calma e enfrentar a situação. Você precisa ser forte nessa hora. Seus filhos vão precisar muito de você. Eles confiam na mãe, e o mundo deles agora se resume a você. Está bem?

— Tudo bem. Só não quero dormir.

—Não é para dormir. É apenas para acalmá-la — disse o médico, fazendo leve gesto para a enfermeira, que aplicou a injeção.

— Onde está meu marido, doutor Carlos?

O médico pediu à enfermeira que levasse Laura até o necrotério. Em virtude da escassez de leitos em um hospital público cuja capacidade de atendimento era sempre inferior à demanda, foram obrigados a desocupar a vaga, transferindo o corpo para aquele local.

Ver Afonso morto já era muito difícil, porém vê-lo naquele lugar, gelado e horroroso, foi demais para a cabeça de Laura. Escorregou pela parede até o chão, a chorar continuamente.

A medicação logo começou a fazer efeito, e a atendente levou-a para um pequeno quarto, onde as enfermeiras da noite descansavam. Colocou-a deitada no leito e, em seguida, perguntou se Laura desejava avisar alguém que pudesse ajudá-la nessa hora tão dolorosa. Laura tirou a cadernetinha de endereços da bolsa e pediu que ligasse aos pais de Afonso e para Gertrudes.

Feitas as ligações, a atendente deixou-a sozinha para repousar um pouco. De repente, Laura lembrou-se dos filhos. Olhou o relógio de pulso. Eram sete horas da manhã. Os meninos deveriam estar se levantando àquela hora. Resolveu ir para casa; precisava conversar com eles. Ela mesma precisava contar sobre a morte do pai e estar perto para consolá-los. Não poderia deixar que outra pessoa fizesse isso.

"Consolá-los como, se eu mesma preciso de consolo?", pensou, caindo novamente no choro.

Deixou o leito e caminhou apressada pelos corredores, buscando a saída. Pegou um táxi e deu o endereço de casa.

CAPÍTULO 14

Enfrentando a realidade

Laura abriu a porta justamente no momento em que os garotos conversavam com Gertrudes, estranhando que a mãe não estivesse em casa àquela hora. A vizinha, que permanecera junto deles, já ciente do ocorrido, preferiu não dizer nada, aguardando a chegada da amiga, que explicaria a situação aos filhos.

Ao vê-la, os meninos correram ao seu encontro, abraçando-a.

– O que aconteceu, mamãe? – perguntou Junior.

– Venham, vamos nos sentar aqui no sofá. Quero conversar com vocês.

– Papai está bem, mamãe? – indagou Zezé, apreensivo.

Respirando fundo, Laura olhou para os filhos, procurando encontrar forças e as melhores palavras para consolá-los.

Do plano espiritual, nossa benfeitora Eulália, ali presente, colocou a mão na cabeça de Laura, que sorriu serena:

– Sim, meus filhos. Papai está bem. Vocês se lembram de tudo o que aprenderam nas aulas de educação espírita? Que a verdadeira vida é a espiritual?

– Eu lembro, mamãe – disse Zezé. – A professora explicou que ninguém morre. Só deixa o corpo, que não serve mais porque está muito velho ou muito doente. Mas por que você está perguntando isso agora?

– Porque foi o que aconteceu com o papai. Ele foi morar num mundo melhor e mais feliz. Porém, ele continuará nos amando da mesma maneira.

– O papai morreu, mamãe? – perguntou Junior, com voz embargada.

Olhando para o filho mais velho, que demonstrava uma grande aflição, tocou-lhe a face com a mão e respondeu com ternura:

– Não, meu filho. Papai continua vivo. Somente o corpo dele deixou de existir.

– Por que, mamãe? Por que logo ele? – quis saber Zezé, em lágrimas.

O pequeno Bruno respondeu rápido:

– Pois você não sabe, seu bobo? É que Jesus estava com saudade do papai!

Gertrudes, firme até aquele momento, não conseguiu conter as lágrimas. Com os olhos úmidos, Laura abraçou o pequenino e concordou:

– Isso mesmo, meu filho. Jesus gosta muito do papai e estava com saudade dele. Mas, assim que puder, o papai voltará para nos visitar, e nós também poderemos conhecer sua nova casa. Então, agora vamos orar pelo papai e pedir que ele faça uma boa viagem, está bem?

Todos concordaram, embora tristes e com lágrimas nos olhos. E ali, abraçados, fizeram uma prece, pedindo que Jesus abençoasse o papai e que ele pudesse ter uma boa viagem, voltando tão rápido quanto possível para visitá-los.

Nesse momento, a porta se abriu, e o instante de paz e elevação foi rompido bruscamente. Alberto e Marita entraram como um furacão, desesperados. Notando-lhes o descontrole, Laura fez um sinal para Gertrudes, que retirou os meninos da sala.

— Como pôde acontecer isso, Laura? Por que meu filho morreu? — gritava Marita, apoiada no marido.

— Laura, de que nosso Afonsinho morreu? — indagou Alberto, extremamente nervoso.

— Foi uma fatalidade, Senhor Alberto. Mas, acalmem-se. Sentem-se. Vou explicar tudo. Foi assim...

E relatou aos sogros o que havia acontecido. Alberto ficou possesso e, quando a nora parou de falar, levantou-se e reagiu com agressividade, gesticulando furioso:

— Isso é inadmissível! Como pode um hospital deixar entrar bebida alcoólica? Não disse, Laura, que esse hospital não era bom? Tanto insisti para que nosso filho fosse transferido a outro melhor, porém o médico dava desculpas, e você aceitava!

— Perdão, Senhor Alberto, mas na ocasião em que foi sugerida a transferência de Afonso para outro hospital, ele realmente não tinha condições de ser removido. Poderia morrer no caminho! Depois, ele mesmo não queria ser transferido. Gostava do hospital, do médico, dos enfermeiros.

Alberto, que andava de um lado para outro, impaciente, interrompeu-a e, com os olhos injetados de sangue, destilando raiva, gritou enlouquecido:

— Nosso filho morreu, e a culpa é sua! Ouviu? A culpa é toda sua!

Os garotos apareceram na sala, assustados com a gritaria. Laura, tentando manter-se equilibrada, assistida por Eulália, que a envolvia em emanações balsâmicas, ponderou, com seriedade e firmeza:

— Senhor Alberto, está sendo injusto comigo. Também estou sofrendo muito. Respeite, pelo menos, a minha dor.

Laura respirou fundo, depois, mais serena, olhou-os firme, contestando:

— Tenho tentado sempre ser uma boa esposa e uma boa mãe. O que aconteceu foi uma infelicidade, e o senhor não pode me culpar por isso. Não admito que assuste meus filhos falando tal asneira! Podemos conversar sobre esse assunto em outra ocasião. Agora, não é a hora nem o local adequado. No momento, o mais urgente é resolver a situação, cuidar dos detalhes do sepultamento. O senhor tomará as providências ou quer que eu mesma o faça?

Ouvindo-a, Alberto foi se acalmando, envolvido por Galeno em vibrações tranquilizantes. Assim, quando Laura terminou de falar, ele concordou:

— Não, não! Está bem. Pode deixar que eu cuidarei de tudo.

— Muito bem. É preciso pegar o atestado de óbito no hospital. Procure as informações com o doutor Carlos ou na portaria. Por favor, espere um momento. Vou buscar a roupa que Afonso mais gostava, para que o arrumem bem. Na funerária vão precisar.

Laura saiu da sala e voltou pouco depois com um belo terno, camisa, gravata, um par de sapatos e meias. Ao ver o terno de Afonso, que ele nunca usava, lembrou-se de que fora comprado com muita dificuldade, para irem ao casamento de um amigo, do qual seriam padrinhos. Não pôde impedir as lágrimas, que rolaram pelo rosto.

Entregou as roupas para Alberto, que saiu logo em seguida para resolver as questões burocráticas.

Marita, ao ver os netos na porta da sala, parados, assustados, foi até eles, chorosa, abraçando-os um por um:

– Meus queridos! Agora vocês vão ficar sem o papai! Que tragédia! Que desgraça, meu Deus! Tão pequenos e já sem pai!

Os meninos, embora tivessem os rostinhos vermelhos de chorar, não concordaram com ela. Para sua maior surpresa, o pequeno Bruno afirmou:

– Vovó Marita, papai não morreu. Ele apenas foi morar em outro lugar!

A avó arregalou os olhos, espantada:

– Vocês acreditam nisso?

– Claro! – disse Zezé, completando – Ninguém morre! A senhora não sabia?

Aproximando-se um pouco mais, Junior explicou para a avó:

– Eles querem dizer, vovó Marita, é que papai foi para o mundo espiritual. Apenas o corpo dele morreu, ele continua vivo, e poderemos visitá-lo onde está, ou o contrário. Entende?

– Ah! Quem ensinou essas coisas para vocês? – perguntou, perplexa.

– A professora do Evangelho.

"Professora do Evangelho? O que vem a ser isso?", pensou ela. Porém, embora assustada, Marita não queria continuar aquela conversa. Afinal, para ela, morto era morto. Ninguém jamais tinha voltado da morte para contar coisa alguma. Morreu, acabou.

Laura, sentada no sofá, ouvia a conversa entre a sogra e os filhos e mantinha-se pensativa, de olhos fechados, com a cabeça recostada numa almofada. Logo, Marita veio e acomodou-se perto dela, notando que a nora estava pálida, cansada e tinha o rosto úmido. Em voz baixa, comentou:

— Seus filhos têm ideias bem diferentes a respeito da morte. É interessante! Quem ensinou essas coisas?

Abrindo os olhos, Laura fitou a sogra:

— Por que? A senhora estranha alguém acreditar que a vida continua?

— Bem, sempre acreditei que morreu, acabou.

— Mas a senhora é católica, dona Marita! E o Catolicismo prega que a vida continua: aqueles que morrem vão para algum lugar, o Inferno, o Purgatório ou o Céu.

— É verdade, mas não podem sair do lugar onde estão.

Laura preparava-se para responder quando chegaram alguns vizinhos. Sabendo do falecimento de Afonso, vinham prestar solidariedade à família.

~

Do outro lado da vida, César Augusto, Melina, Irineu e eu também estávamos perplexos ante o rumo que o caso tomara. Ao perceber a gravidade da situação, imediatamente expedimos pedido de socorro e, pouco depois, nossos benfeitores Galeno e Eulália chegaram ao hospital.

Nosso orientador aproximou-se, avaliando o quadro. Entendeu que nada mais poderia ser feito, a não ser acabar de desligar os laços que mantinham Afonso unido ao corpo físico. Pediu nossa colaboração, a fim de mantermos a elevação de pensamentos, e trabalhou com afinco, auxiliado por Eulália. Desatados os laços que mantinham a alma imantada ao corpo, Afonso foi levado em espírito a um local isolado, onde permaneceu dormindo por algumas horas.

Após essa operação, solucionado o problema, Galeno reuniu nossa equipe e indagou:

– *Como aconteceu?*

Tenho certeza de que ele já havia se inteirado dos fatos, entretanto desejava saber como nós enxergamos todo esse processo. Expliquei que, no dia anterior, estávamos entregues às nossas ocupações e tudo transcorria bem, até que a equipe espiritual de segurança do hospital, com a qual trabalhávamos em conjunto, avisou nossos companheiros, César e Irineu, de que alguém conseguira entrar portando uma garrafinha de bebida. Imediatamente, procuraram verificar como isso tinha acontecido, já pensando nas medidas a serem tomadas para evitar males ainda maiores. A princípio, tentaram convencer o visitante infrator a não entregar a bebida ao enfermo. Ele, porém, em outra faixa vibratória, não captava as sugestões mentais, visto estar acompanhado por entidades de baixa condição, acostumadas a se beneficiar do alcoolismo dos encarnados. Então, César e Irineu postaram-se ao lado do leito de Nélson, o novo paciente, para fortalecê-lo na vontade de curar-se, não aceitando o "presente" do primo. Todavia, não obtiveram resultado. Foram atrás dos enfermeiros encarnados, tentando alertá-los para o problema, porém eles também não estavam acessíveis às orientações dos desencarnados. Então, quando o primo visitante entregou a garrafinha, muito bem acondicionada em um saco de papel, como se fosse alguma guloseima, entre pacotes de biscoitos, a enfermagem não estranhou. O paciente recebeu o pacote e guardou na gaveta da mesinha, e continuaram conversando. Tudo muito natural e tranquilo. Para os encarnados, nada que despertasse suspeitas.

Parei de falar por alguns instantes e pedi a César Augusto que prosseguisse.

– *Esse fato aconteceu por volta das três e meia da tarde. Permanecemos atentos, Galeno. Contudo, apesar da presença de Geraldo e Valtinho, entidades desencarnadas viciosas, ligadas a Afonso e posicionadas em um canto da enfermaria, o dia transcorreu sem problemas. Eram onze horas da noite quando Afonso, que dormia há muitas horas, despertou com o chamado de Geraldo: "Acorde, Afonso! Acorde! Você está com fome! Acorde!". E Afonso, cujo espírito dormia junto ao corpo físico, ouviu as sugestões do companheiro e acordou com sensação de fome. Quando virou-se para abrir a gavetinha, ficamos atentos, preocupados. Imediatamente, Irineu procurou alertar os enfermeiros, sem resultado. Àquela hora, o movimento havia diminuído bastante, e o plantão estava tranquilo. Eles conversavam e riam na sala da enfermagem, contando piadas e histórias picantes, e não nos deram ouvidos. Procuramos, então, não deixar que Afonso encontrasse o pacotinho, desviando sua mão para outro lado, onde estavam as embalagens com biscoitos. Entretanto, pelo tato, ele sentiu a firmeza do vidro entre os pacotes de biscoito e o puxou. Ao abri-lo, o cheiro o atingiu: era uísque. Em um primeiro momento, tivemos a sensação de que ele nos ouviria: "Afonso, não beba! Pense em sua saúde, na sua família, nos seus filhos! Você está se recuperando bem, logo terá alta do hospital e poderá ir para casa. Resista! Não beba!"*

Nesse instante, toda a equipe havia se concentrado ali, atraída pelos nossos chamados, e Irineu e eu nos sentimos fortalecidos. Projetá-

vamos em sua mente imagens da sua casa, da esposa, Laura, sempre tão dedicada e amorosa; dos filhinhos queridos. Na sua tela mental surgiram as imagens trazidas na memória: ele abraçado com a esposa, os momentos agradáveis no convívio com os filhos, a visita que lhe fizeram no hospital... No entanto, aquele cheiro entrava pelas suas narinas indo até o cérebro.

Aproximamo-nos das duas entidades, e eu falei com elas, alertando-as: "Meus irmãos, não façam isso! Se Afonso, que não está em condições normais, fragilizado pela doença, for atingido, vocês serão responsabilizados por seus atos e pelas consequências deles. Pensem bem!"

Mas Geraldo, irônico e gozador, respondeu: "Não amole! Não vê que ele gosta de nós, se sente bem em nossa companhia? Vocês é que são demais aqui. Além disso, ele está na nossa, e nos obedece. Já vocês, não conseguem nada com Afonso. E nada poderão fazer para nos impedir, entendeu? Voltem para o lugar de onde vieram e nos deixem em paz!"

Ainda tentei ponderar, mostrando que eles também precisavam de ajuda, mas deram uma boa gargalhada: "Você vai ver, meu jovem, do que somos capazes. Aguarde."

Em seguida, Geraldo, o mais esperto dos dois, começou a envolver Afonso em emanações viciosas, escuras e pesadas, e ele não resistiu mais. Ingeriu todo o conteúdo da garrafinha. O antigo companheiro, satisfeito por ter vencido, deu outra gargalhada. As duas entidades se grudaram no encarnado, procurando sugar as energias que se desprendiam da bebida.

Tudo isso acompanhamos sem poder fazer nada, a não ser mandar um pedido de socorro aos benfeitores espirituais.

Nesse momento, Melina viu um enfermeiro que passava pelo corredor com uma bandeja de medicação. Correu para junto dele e, usando todo o seu poder de persuasão, conseguiu que se virasse e olhasse para dentro do quarto. Surpreso, o enfermeiro viu Afonso com algo na mão. Imediatamente acendeu a luz, detectando o perigo. Correu para perto do leito dele e apertou a campainha, alertando os demais. Logo, outro enfermeiro chamou o médico de plantão, que atendeu prontamente. Tudo em vão, porém. A essa altura da situação, não havia mais jeito.

— Entendo. Foi quando Eulália e eu, alertados, chegamos. E os parceiros desencarnados?

— Geraldo, após fartar-se com os vapores do álcool, notou que alguma coisa acontecia com o amigo Afonso. Viu-o inerte e assustou-se. Com expressão de pavor, diante da situação que tinha criado, fugiu aterrorizado do hospital, indo esconder-se em algum canto, seguido por Valtinho. Certamente, agora deve estar assustado com o que fez — completei.

Estávamos arrasados. O desfecho do caso confiado a nossa responsabilidade era o pior possível. Falhamos. Não tivemos condição de cuidar de Afonso como deveríamos.

Vendo nosso estado, Galeno fitou-nos com piedade e ternura:

— Compreendo que estejam se sentindo fracassados, em vista do resultado deste caso, cujo acompanhamento lhes foi atribuído. Não se sintam culpados. Diante de um trabalho entregue, temos a obrigação de fazer o melhor. Todavia, precisam compreender que somente Deus pode tudo. Nós, seres ainda em evolução, por mais boa vontade empenhada no cumprimento do dever somada ao desejo de acertar sempre, estamos sujeitos às particularidades de cada caso, às inúmeras situações possíveis, à vontade dos envolvidos, entre outras variáveis independentes de nós.

— Como é difícil sugerir alguma coisa aos que estão ainda na carne! Eles não nos ouvem! São tão passivos em algumas situações e tão impenetráveis em outras! — exclamou César Augusto, em lágrimas.

— Sem dúvida, César. A facilidade maior ou menor vai depender do interesse que o encarnado tenha em mente. Como é uma questão de sintonia, percebe-se claramente que eles aceitam mais facilmente o que trazem dentro de si, o que realmente desejam.

— Por isso sintonizam tão facilmente com o mal — considerou Melina.

— Exato, minha amiga — concordou Galeno, prosseguindo — Nesse, como em qualquer outro caso, vigora o princípio ensinado por Jesus: "Onde está o teu tesouro, ali estará também teu coração".

— Galeno, como fica a situação espiritual do nosso amigo Afonso? — quis saber Irineu, preocupado com aquele que acabara de deixar o corpo físico e começaria uma nova vida no mundo espiritual.

— Irineu, cada um colhe o que semeia. Todavia, a lei divina levará em conta a responsabilidade de cada um dos envolvidos, a começar pelo pai, que o ensinou a fazer uso de alcoólicos desde pequeno; os "amigos de copo" da atual existência, encarnados e desencarnados; desafetos do passado, desencarnados, que se utilizam das tendências de encarnados e desencarnados para atingir seus objetivos de vingança; e, por fim, o próprio Afonso, diante do problema que poderia ter evitado e não evitou, mergulhando no alcoolismo. Em cada caso há uma situação diferente e extremamente complexa. Neste, em particular, é necessário avaliar as experiências reencarnatórias do passado para poder ajuizar com justeza.

Todos nós estávamos abismados com tudo o que deveria ser levado em conta.

— Dessa forma, não nos cabe julgar. Vamos auxiliar a todos, exercendo a legítima caridade cristã – concluiu Galeno.

— Galeno, e Afonso, agora desencarnado, terá o direito de receber alguma ajuda? – indaguei, externando o pensamento da equipe.

O benfeitor sorriu, tranquilizando-nos:

— Esperava por essa pergunta, pois noto a preocupação de todos em relação a Afonso. Em virtude das íntimas disposições que ele demonstrou para vencer o vício e tomar uma nova direção na existência, ao lado da esposa e dos filhinhos, será auxiliado, sem dúvida. Cometeu um erro grave ao ingerir a bebida, aceitando as sugestões dos desencarnados; no entanto, fragilizado pela enfermidade, sob medicação pesada, não conseguiu sobrepor-se à vontade dos antigos companheiros de copo. De qualquer modo, sofrerá muito ao entender o que fez, e a lembrança marcante dessa constatação lhe servirá de alerta, no futuro, para libertar-se definitivamente do vício.

Respiramos mais aliviados. Estávamos acostumados com a presença de Afonso, ao qual sinceramente estimávamos, e saber que poderíamos estar com ele, assisti-lo, nos tranquilizou um pouco.

Assim, quando telefonaram do hospital para solicitar a presença de Laura e avisá-la do falecimento do marido, todas as providências já haviam sido tomadas no mundo espiritual.

CAPÍTULO 15

Homenagens fúnebres

As homenagens fúnebres realizaram-se em uma das capelas mortuárias da cidade. Local de sofrimento e dor, o ambiente triste era impregnado das emanações insalubres de todos os que já haviam passado por aquela sala. Ver o caixão com o corpo inanimado daquele a quem tanto amam é extremamente difícil para a família. No Espiritismo, a crença na continuidade da vida considera que ela não se encerra no túmulo: ao contrário, prossegue mais plena de experiências. Retorna, assim, o espírito à sua verdadeira vida, a espiritual. Transcorridos os primeiros tempos de perturbação, ocorrência natural após a morte do corpo físico, readquire suas sensações e potencialidades. Assim, independentemente da nossa religião, não é fácil nem simples libertar-se dos condicionamentos de outras existências que o fazem desejar o ente querido de volta aos seus braços.

No entanto, o que já é difícil e doloroso torna-se ainda pior com o ambiente que se cria, com a presença de familiares, amigos, vizinhos, conhecidos, colegas de trabalho e, muitas vezes, até desconhecidos. Com raras e honrosas exceções, os presentes, cuja intenção era apresentar condolências à família enlutada, dando prova de amizade e de consideração, que deveriam dedicar-se a orar por aquele que partiu, lamentavelmente utilizam o tempo em conversas fúteis, em voz alta, contam piadas e dão risadas, sem nenhum respeito em relação à família, que sofre e chora a perda de alguém.

 Laura nada percebeu. Com dignidade, manteve-se o tempo todo ao lado do esquife, coração apertado de dor, em sofrimento superlativo. Naqueles momentos de íntimo recolhimento, lembrava-se de quando ela e Afonso se conheceram, ainda muito jovens, e as imagens da época feliz do namoro, em que tudo era alegria, passavam pela tela mental. Depois, o casamento, a vinda dos filhos. Recordou-se do período em que ele havia começado, ou melhor, recomeçado a beber, quando tudo foi piorando aos poucos. No fundo, culpava-se por não tê-lo ajudado mais na ocasião certa, quando poderia tê-lo feito. Agora, com os novos conhecimentos adquiridos sobre a realidade do espírito, reconhecia-se em falta. Afonso precisara de sua ajuda, e ela não entendera que ele estava doente do corpo e da alma. Em lágrimas silenciosas, Laura suplicava ajuda aos bons espíritos para que o socorressem na nova vida à qual fora chamado.

 Os filhos também estavam ali, presentes e chorosos, mas a companhia dos amigos e colegas da escola lhes facilitava vencer as horas difíceis que atravessavam. Marita, extremamente descontrolada e com problemas de hipertensão arterial, foi encaminhada a um hospital pelo médico da família. Alberto, após socorrer a esposa, retornou ao velório, tentando manter uma postura digna e respeitável, apesar da visão do filho querido, pálido e imóvel dentro do caixão, em meio às flores, quase tirar sua razão. No fundo, sentia-se profundamente culpado por tudo o que acontecia, e não se perdoava por isso.

De repente, Afonso, que dormia em um local próximo, acordou e viu aquela gente toda sem entender o motivo. Enxergou um grupo de amigos e tentou aproximar-se, porém eles não lhe deram atenção. Agiram como se não o vissem, o que o magoou, uma vez que alguns eram amigos de infância.

Reconheceu a capela mortuária, onde já estivera outras vezes, mas não passou em sua cabeça como teria chegado ao local ou o que estaria fazendo ali. Pensou apenas: "quem teria morrido?". Perguntou a uma senhora mais próxima, que não lhe respondeu. Chateado por não obter resposta, afastou-se, mas faltava coragem de aproximar-se do caixão. Sentia um medo, uma angústia terrível que não saberia definir. No entanto, deveria ser alguém muito conhecido, porque toda a sua família ali estava, inclusive seus filhos, seus pais, seus amigos, os empregados da oficina, vizinhos, pessoas conhecidas e alguns estranhos.

Viu Laura, sentada perto da urna funerária, e teve vontade de se aproximar, mas a presença do caixão o enchia de medo. Embora se mantivesse afastado dela, e sem entender como isso se dava, sentiu que um grande bem-estar vinha dela. Pareceu que a esposa falava com ele, endereçando-lhe palavras de consolo, fé e esperança, que o deixaram mais tranquilo. Afonso sentiu sono e voltou a dormir.

Em certo momento, ele despertou e viu que o esquife parecia prestes a sair. Aguardava-se apenas que o padre encerrasse a cerimônia de encomendação do defunto. Afonso saiu da sala, buscando o jardim. Nunca gostara muito de padres ou de suas rezas, embora fosse católico por tradição familiar. Todos se despediram do morto, fecharam o caixão, e ele acompanhou aquela multidão de pessoas rumo ao cemitério, que ficava próximo. Aumentaram a angústia e o medo ao entrar no cemitério, e, à medida que o esquife se aproximava do túmulo, seu estado piorava cada vez mais, até que pararam em um lugar que ele conhecia muito bem: era o jazigo de sua família! Uma capela bonita e elegante, mas que sempre o deixara apavorado, desde criança. Sentiu um mal-estar intenso, como se mergulhasse em um vazio, e começou a gritar:

— *Não estou morto! Estou vivo! Socorro! Socorro! Tirem-me daqui! Papai! Mamãe! Laura! Tirem-me daqui!*

Afonso perdeu a consciência e caiu em sono profundo.

~

LAURA VOLTOU PARA CASA com os filhos, desabando sobre uma poltrona. Estava exausta. Não via a hora de libertar-se de todos, das condolências frias e protocolares, da curiosidade das pessoas. Felizmente, tudo terminara.

Gertrudes, cheia de piedade pela situação da família, sugeriu:

— Laura, eu vou preparar um lanche ligeiro e, depois de comer alguma coisa, vocês vão descansar. Precisam dormir um pouco.

A generosa e previdente amiga comprara pão, queijo e leite. Colocou na mesa, e os meninos comeram. Laura não aceitou o lanche.

— Amiga, agradeço, mas não vou conseguir comer nada. Estou precisando mesmo é deitar.

— Então vá dormir. Quer que eu fique aqui com vocês?

— Não, querida Gertrudes. Você também está bastante cansada. Desde ontem não nos deixou nem por um momento, e eu sou muito grata. Vá descansar. Obrigada por tudo. Ficaremos bem, não se preocupe.

A vizinha concordou, considerando:

— Está bem. Mas se precisar de alguma coisa, é só ligar. Como tenho uma chave, vou aguardar os meninos tomarem o lanche, esperá-los deitar. Depois vou embora.

Aproximou-se de Laura e deu-lhe um abraço apertado e carinhoso.

Dirigindo-se ao quarto, Laura tirou os sapatos e jogou-se na cama. Tentava dormir quando notou que a porta se abrira, e três carinhas tristes e desconsoladas surgiram.

— Mamãe, podemos dormir com você? — pediu Bruninho, com sua voz infantil.

— Claro, meus queridos. Entrem.

Imediatamente, os garotos se acomodaram no leito, junto dela.

— Mamãe, estou com saudade do papai — disse Zezé, chorando.

— Eu sei, meu filho. Todos nós estamos sentindo falta dele.

— Mamãe, papai não vai ficar debaixo da terra, vai? — perguntou Bruninho, preocupado.

— Claro que não, filhinho! Só o corpo dele morreu. O papai agora está no mundo espiritual, junto com os anjinhos. Mas não fique pensando nisso. Pense no papai alegre, sorridente, como vocês o viram no hospital.

Junior tentava conter os soluços, mas a imagem do pai sendo deixado naquela capela não lhe saía da cabeça. Escondeu-se debaixo da coberta e ficou quieto, enquanto as lágrimas desciam pelo rosto.

Ali presentes na casa, assistindo-os e procurando dar-lhes sustentação nessa hora tão dolorosa, estava a amiga Eulália e nossa pequena equipe. Sentíamos um infinito carinho por todos eles. Melina murmurou ao ver a família toda reunida na cama:

– O melhor remédio para eles agora é o sono. Acordarão refeitos e mais dispostos a enfrentar a situação.

A nobre Eulália orou e nós aplicamos energias benéficas e restauradoras em cada um deles. Dentro em pouco, todos dormiam.

~

UMA SEMANA DEPOIS, a família retornara à rotina diária.

A mãe acordava cedo e chamava os garotos. Lurdinha chegava, tomava o café da manhã e logo começava a trabalhar. Verificava os pedidos de bombons, anotava os produtos dos quais precisaria naquele dia, o que havia em estoque e o que deveria ser comprado.

Após despachar os filhos para a escola, Laura pegou as caixas de bombons confeccionados no dia anterior e as entregou no mercado. Marlene lembrou-a do compromisso daquela noite.

– Laura, hoje é dia de irmos ao centro espírita.

– Sim, estou lembrada. Não deixaremos de comparecer, Marlene.

– Como está se sentindo, amiga?

Laura ficou pensativa, baixou a cabeça e confidenciou:

É PRECISO RECOMEÇAR

— É muito difícil, Marlene. É como se me faltasse o chão. Será que você pode me compreender?

— Eu entendo, porém, como não passei por isso, só posso fazer uma ideia.

— Não sei explicar. Afonso estava no hospital havia mais de dois meses e, portanto, fora de casa, e nos acostumamos à falta dele no ambiente doméstico. No entanto, agora, eu sinto a falta dele dentro de casa! Talvez eu sinta, na verdade, a falta da "rotina" ligada a ele, das visitas ao hospital, das preocupações com ele, entende? Sinto-me vazia, parece-me não ter o que fazer ou estar sem objetivos!

— E os meninos?

— Estão relativamente bem. Para eles é mais fácil. São crianças, e as atividades escolares, os coleguinhas, suprem a carência. Sei que sofrem porque, vez por outra, percebo que estão falando do pai e noto que choraram. Na minha frente, porém, evitam mostrar tristeza. Acho que não querem me ver triste também.

— Seus filhos são muito especiais, Laura. Mateus está com saudade deles.

— Leve Mateus lá em casa hoje para brincar, Marlene! Os meninos vão adorar!

— Outro dia. Hoje não vai dar. De qualquer modo, à noite vamos nos encontrar, e eles estarão juntos.

— É verdade. Bem, preciso ir. Tenho compras a fazer.

Laura despediu-se da amiga e foi fazer suas compras. Passando por uma loja, viu na vitrine um vestido lindo. "Imagine!", pensou, "Eu olhando um vestido! Há quanto tempo não penso em mim, não compro uma roupa nova? Contudo, não posso e nem devo. Aliás, nem mesmo tenho onde usá-lo!"

Afastou-se da vitrine e não pensou mais no assunto. Virando uma esquina, lembrou-se dos sogros. Como estariam Alberto e Marita? Precisava vê-los. Olhou o relógio de pulso: dez horas. Ainda era cedo e, se quisesse, poderia deixar os pacotes em casa e ir até a mansão.

Foi o que fez. Entregou as compras para Lurdinha, fez algumas recomendações e, em seguida, chamou um táxi. Em poucos minutos estava lá. O porteiro abriu o portão e ela caminhou pelo enorme jardim. A empregada, alertada, veio recebê-la.

– Bom dia, dona Laura. Como vão os meninos?

– Eles vão bem, Antônia. Dona Marita está em casa?

– Está sim, senhora, mas não sei se vai recebê-la. Desde a morte de Afonsinho, que Deus o tenha, não recebe ninguém.

– E o senhor Alberto?

– Também está num estado que dá dó. Vive trancado no escritório, sozinho, sem falar com ninguém.

– Ele está em casa no momento?

– Sim. Como eu disse, ele não sai do escritório. A morte do filho o abalou muito. Nem sei se vai resistir. Não chora, não come, não cuida dos negócios, não faz nada!

– Bem. Está precisando de ajuda, com certeza. Vou falar com dona Marita primeiro. Leve-me até os aposentos dela. Depois, darei um pulo no escritório.

– Sim, senhora. Faça o favor de me acompanhar.

Atravessaram a grande sala e subiram a escadaria, revestida de grosso tapete que amortecia os passos; entraram no corredor que conduzia aos quartos, ladeado por belas arandelas e quadros pintados a óleo, com bustos de antepassados da família de Alberto.

Diante de uma grande porta em madeira lavrada, Antônia parou. Bateu de leve.

– Posso entrar, dona Marita? Sua nora está aqui! – falou em voz baixa para não perturbar a patroa, sempre com dor de cabeça.

– Quem? Laura?

Ao ouvir seu nome, Laura passou à frente da empregada e entrou decidida no quarto, para não correr o risco de não ser convidada.

– Bom dia, dona Marita. Vim ver como a senhora está.

– Como posso estar? Péssima! – respondeu uma voz apagada que vinha do leito.

As cobertas eram tantas que a recém-chegada teve dificuldades em ver a sogra no meio daquele amontoado de tecidos. Realmente, o aposento estava gelado.

Aproximando-se mais, Laura ficou penalizada com o aspecto de Marita. Sempre muito bem arrumada e maquiada com capricho, ela agora mostrava o rosto abatido, inchado de tanto chorar. De vez em quando, levava o lenço ao nariz, vermelho e inchado. Laura sentou-se aos pés do leito, olhando-a de frente:

– Marita, minha querida, você precisa sair desse estado.

Ao ouvir a nora falando daquele jeito carinhoso, mostrando real preocupação com ela, como se fossem grandes amigas, arregalou os olhos, dizendo em voz entrecortada pelos soluços:

– Laura! Estou sentindo muito a falta do meu Afonsinho. Não suporto pensar que ele está morto, que não vou vê-lo mais, nunca mais. É demais para uma mãe! Por que Deus fez isso comigo? Parece que Ele quis me castigar por alguma coisa.

Laura entendeu perfeitamente o desespero daquela mulher. Marita considerava que havia perdido tudo o que mais amava, e tal fato era absolutamente insuportável. Cheia de compaixão, Laura levantou-se, chegou até a cabeceira da cama, sentou-se e, aconchegando-se mais àquela pobre mulher, envolveu-a com seus braços, como se ela fosse uma filha muito querida.

– Coragem, Marita! Confie em Deus, que é Pai. Ele não iria separá-la para sempre de seu filho! Algum pai da Terra faria isso? Ainda que você tivesse cometido algum erro, Deus nunca tiraria seu filho como castigo, apenas para vê-la sofrer. Você faria isso com alguém?

A outra, docemente aconchegada nos braços da nora, parara de chorar e a ouvia atenta. A essa pergunta, balançou a cabeça negativamente. Laura prosseguiu:

– Então! Existe uma passagem do Evangelho em que Jesus afirma que, se um filho pede a seu pai um pedaço de pão, este não lhe dá uma pedra; se um filho pede um peixe, o pai não lhe dá uma serpente. Então Jesus completa, dizendo: "Se vocês, que são maus e imperfeitos, sabem dar boas coisas aos seus filhos, com muito mais forte razão Deus dará os bens verdadeiros aos que lhe pedirem".

Quando Laura parou de falar, Marita a olhava, extasiada.

– Nunca tinha ouvido essas palavras!

– Pois poderá ler esse trecho, que se encontra no Evangelho de Mateus, capítulo 7, versículos 7 a 11. E não pense que sou entendida em religião. Certa vez, eu sofria muito, preocupada com Afonso. Quando li essa passagem, ela me deu grande consolo. Por essa razão, decorei-a e guardei a indicação.

– Vou procurar. Deixe anotado para mim. Senti um bem-estar muito grande quando você falava. Continue Laura, por favor.

– Jesus pronunciou essas palavras para nos mostrar a bondade e a misericórdia de Deus, que é Pai de todos nós. Ele disse: "pedi e obtereis; buscai e achareis; batei à porta, e ela vos será aberta, porque quem pede recebe e quem procura acha, e àquele que bate à porta, ela se abrirá".

– Então, nós devemos pedir rezando, não é? Mas eu não sei fazer isso! Quando preciso de algo, sempre peço ao padre que reze por mim.

– Certamente o padre vai rezar por você, Marita. Todavia, a melhor oração é aquela que nós mesmos fazemos, porque sai do fundo da alma. Quando elevamos o pensamento, mostramos humildade perante o Criador.

– Ah! Então, Deus dará o que eu pedir?

– Sim, desde que seja para o seu bem.

Marita ficou calada por alguns instantes, depois, humildemente, pediu:

– Laura, você não imagina o bem que me fez vindo até esta casa. Eu me sentia muito mal, e agora estou bem melhor. Você pode me fazer um favor?

– Claro, Marita, todos os favores que você quiser.

– Queria pedir para orar comigo antes de ir embora. Quero aprender como você faz.

Comovida, Laura concordou.

– É um prazer orar com você, Marita. Então, vamos fechar os olhos e elevar nossos pensamentos até Deus, Pai Maior. Senhor Deus, criador de todas as coisas! Desejamos agradecer por tudo o que nos tens dado. Todavia, Senhor, neste momento, diante da dor que nos alcança a alma combalida, nós Te rogamos amparo e proteção. Ajuda-nos a superar esta hora difícil, restaurando-nos intimamente e dando-nos ânimo novo. Estamos conscientes, Pai, de que tudo o que fazes é perfeito e justo, e, se nosso querido Afonso partiu para outra vida, não nos cabe "discutir" a Tua vontade, mas aceitá-la. Então, suplicamos Teu amparo para ele e para todos nós que sofremos. Abençoa-nos, Senhor, e ilumina-nos cada vez mais. Obrigada, Senhor!

Terminada a oração, Marita abriu lentamente os olhos. Sentia-se como se flutuasse no espaço. Grande bem-estar a envolvia, e o coração estava repleto de novos sentimentos. Já não sofria tanto pela perda do filho, como se ele efetivamente estivesse vivo em algum lugar desconhecido para ela, mas não menos real.

Virando-se para Laura, apertou-lhe a mão com novo brilho no olhar:

— Deus lhe pague, minha filha, pelo bem que me fez hoje! Obrigada! Sinto-me outra. Bem disposta, mais forte. Acho que poderia até deixar esta cama.

— Isso é ótimo! Estava mesmo para sugerir que fôssemos até o escritório do senhor Alberto. Ele está extremamente abalado ainda. O que acha?

Marita concordou satisfeita. Levantou-se, fez a higiene, vestiu uma roupa e, em seguida, ambas desceram as escadas rumo ao reduto do dono da casa. A criada, ao ver a patroa toda vestida, estranhou:

— Louvado seja Deus! Dona Marita não tirava a camisola havia uma semana! A senhora fez milagres, dona Laura!

CAPÍTULO 16

A VIDA RECOMEÇA

Marita bateu delicadamente na porta do escritório do marido, abrindo uma pequena fresta.

– Querido, sou eu! Trouxe Laura, que veio nos fazer uma visita.

– Marita, não quero ver ninguém! – respondeu ele asperamente.

Laura, como fizera antes, não esperou permissão para entrar. Pediu licença para Marita, que ocupava a fresta e impedia a entrada, temerosa da reação do esposo, e abriu a porta.

– Bom dia, senhor Alberto. Como está?

Ao ouvir a voz da nora, ele ergueu a cabeça, que, até aquele momento, mantivera inclinada sobre a mesa. Respondeu de má vontade, visto que sua ordem fora desobedecida:

– Como posso estar? Péssimo! O mundo desabou sobre minha cabeça, minha família, minha casa e minha vida! Perdi meu filho único! Meu herdeiro! Como você quer que eu esteja? Será que sabe o que é isso? Não consigo trabalhar, sair de casa, cuidar dos negócios, nada! – e caiu em choro descontrolado.

Ver aquele homem sempre altivo, firme, resoluto, dono da sua vida e da sua vontade, naquele desespero, sensibilizou Laura.

— Senhor Alberto, eu sei como está se sentindo. Contudo, tenha confiança. Mantenha a esperança e a fé em Deus, que é nosso Pai.

Cheio de revolta, ele fitou-a agressivo:

— Meu filho morreu, não entende Laura? — fez uma cara de desdém e prosseguiu — Mas como pode entender o que sente um pai desesperado? Para você é diferente! Daqui a algum tempo vai arrumar outra pessoa e casar-se de novo. Mas, e eu? E eu?

Laura respirou fundo. Não precisava estar ali, ouvindo aquelas palavras inconsequentes. No entanto, compreendia perfeitamente o sofrimento daquele pai. Inspirada espiritualmente por Eulália, Laura começou a falar:

— Senhor Alberto, seu filho continua vivo, acredite. Afonsinho não morreu para sempre. Somente o corpo físico dele se acabou, ele continua vivo! Seu filho não era o corpo que morreu, seu filho é um espírito, e continua vivo! O organismo é matéria e se decompõe, sujeitando-se às transformações impostas pela natureza. Mas o espírito não. É o ser imortal, criado por Deus para a perfeição. "Ele" é o seu Afonsinho, que tem qualidades e defeitos, que ri, chora, aprende, progride, ama os seus entes queridos e é amado pelo senhor, que é pai, pela mãe, por mim, por seus filhos, pelos amigos. Esse é o Afonso.

Alberto parou de chorar, fitando a nora enquanto esta falava. Nunca a tinha visto falar dessa maneira. Depois, meneou a cabeça, tristemente:

— Tudo isso é muito bonito, mas ilusório. Não creio em vida após a morte.

– Pois ela é uma realidade. E o senhor, que é um homem culto, viajado, não é possível que aceite, nos dias atuais, ideias tão ultrapassadas. A vida após a morte e, inclusive, a lei da reencarnação já faziam parte dos conhecimentos das civilizações antigas. E, hoje, grande parcela da humanidade aceita essas verdades, conforme provam as últimas pesquisas. Essas ideias tornam nossa vida muito mais relevante, mais digna de ser vivida, e atestam, de forma categórica, a sabedoria, a justiça e a bondade infinitas de Deus, nosso Pai.

– E pode dizer por quê? A Igreja prega, sim, a imortalidade da alma, mas sem possibilidade de retorno. De que me vale isso?

– Concordo com o senhor. No entanto, dá pra entender que o Artífice do Universo, Criador de uma infinidade de sóis, estrelas, planetas e tudo o mais que existe no universo, concentre a vida em um só planeta, pequeno e obscuro como a Terra, perdido no meio das galáxias? E mais, que, tendo gerado a vida, a concentre em uma só existência? Existência tão breve que, na melhor das hipóteses, alcançará no máximo cem anos? Com que objetivo?

Laura fez uma pausa, para avaliar a reação de Alberto, que a ouvia pensativo. Depois, prosseguiu:

– O senhor é um empresário, um homem de negócios. Pode pensar em alguém que, por mais rico que seja e dono de uma gleba imensa, resolva construir uma grande cidade, com prédios luxuosos e belos palacetes, e concentre toda a população apenas em uma pequena vila, isolada e pobre, nos arrabaldes dessa imensa cidade? O senhor faria isso?

– Evidente que não! Ninguém faria isso!

– Exatamente! Então, como considerarmos que Deus, o Criador de tudo o que existe no Universo, cuja dimensão ainda é inconcebível para nós, pela sua grandeza e perfeição, tenha concentrado a vida em um pequeno planeta azul, perdido na imensidão dos espaços infinitos?

Alberto, sem argumentos para contrapor-se à nora, ficou calado por alguns segundos, depois murmurou:

— Preciso pensar...

— Pense, e o senhor vai ver que eu tenho razão. Eu, propriamente, não. A Doutrina Espírita. Se quiser, posso indicar alguns livros que vão ajudá-lo a refletir sobre temas relevantes como a vida e a morte, a justiça divina, a reencarnação, a comunicação entre os dois mundos, a lei de causa e efeito e uma infinidade de outros.

Laura pegou um pequeno bloco que viu sobre a mesa, uma caneta, e anotou rapidamente em um pedaço de papel o nome de dois livros: *O Livro dos Espíritos* e *O Evangelho segundo o Espiritismo*, ambos de Allan Kardec. Em seguida, entregou a anotação ao dono da casa.

— Tenho em casa e vou mandar essas obras que sugeri. Porém, a literatura espírita é vasta. Existem muitos outros livros extremamente importantes para o conhecimento das leis naturais que regem a vida.

Ele enxugou os olhos, pegou o papel e, já com fisionomia mais leve, respondeu:

— Vou procurar lê-los. Mas não se preocupe, Laura. Mandarei comprá-los em uma grande livraria que tem aqui perto. Depois, voltaremos a conversar.

Com essas palavras, como se estivesse encerrando a entrevista, a expressão de Alberto mudou. Levantou-se, estendendo a mão para despedir-se de Laura, deixando claro que fora benevolente demais ao recebê-la e que, agora, desejava ficar sozinho.

É PRECISO RECOMEÇAR

Somente nesse momento, Laura o viu de pé e ficou penalizada ao constatar como o sogro emagrecera: o corpo arcado mostrava grande abatimento; os olhos tristes que a fitaram eram marcados por fundas olheiras; os cabelos despenteados e a roupa amassada demonstravam desinteresse pela aparência, que ele tanto prezava.

Marita aproximou-se do marido e sugeriu:

– Querido, podemos fazer uma oração? Laura orou comigo e melhorei bastante. Aceita?

Ele fez um gesto de concordância, erguendo os ombros, como se dissesse "como quiser!". Laura pediu que ele se sentasse e, depois, orou sentidamente a Deus, suplicando amparo para aquela casa e para seus moradores, de modo que encontrassem a paz, o consolo, a esperança e a fé, tão necessárias para conseguirem vencer os sofrimentos da vida.

Após a prece, ela despediu-se. Quando Laura deixou aquela mansão, o ambiente estava completamente diferente daquele que encontrara ao chegar.

Alberto e Marita recobraram o ânimo e agora teriam condições de lutar e vencer a depressão que lentamente se infiltrava neles, tirando-lhes a capacidade de reagir, de lutar contra aquela situação que parecia insuportável. Ao ultrapassar o grande portão de saída, ela respirou aliviada e satisfeita. Sentia-se contente consigo mesma. Uma agradável sensação de ter feito alguma coisa de útil, de ter ajudado aquelas pessoas, invadia seu íntimo.

Mentalmente, agradeceu a Jesus, pela oportunidade de servir, e aos amigos espirituais, pela assistência que lhe deram.

E nós, de outro plano, trocamos um olhar de entendimento. Para nós também fora muito importante o socorro aos pais de

Afonso. Graças a Deus, Laura correspondera aos nossos apelos e fora até a mansão, onde, assessorados por Eulália, tivemos a oportunidade de ajudar o casal.

Um sentimento de gratidão por Laura nos invadiu o peito. Ela se mostrava excelente companheira!

~

No antigo lar de Afonso, Laura e os filhos aos poucos foram se adaptando à nova situação. Após as primeiras semanas, de maior sofrimento, quando acreditavam que nada poderia estancar aquela dor terrível – uma dor moral, como se o peito fosse explodir, semelhante a uma dor física, orgânica, tal a intensidade –, lentamente foram voltando à normalidade.

Certamente, a situação não era fácil para ninguém, porém todos tentavam sobrepor o grande sofrimento que se abatera sobre a família.

Com o passar dos dias, até Marita e Alberto sentiam-se melhores. A visita de Laura à residência do casal fora fundamental à nova postura estavam assumindo.

Alberto, bastante curioso e mais afeito a leituras do que a esposa, logo mandou um empregado à livraria comprar as obras de Allan Kardec sugeridas pela nora. Ao manuseá-los, imediatamente interessou-se por aquele que tinha o sugestivo título de *O Livro dos Espíritos*. Abriu e, logo de início, leu no alto da página: *Filosofia Espiritualista*. No meio, o título da obra e, logo abaixo: "Princípios da Doutrina Espírita", e, em seguida: "Sobre a imortalidade da alma, a natureza dos Espíritos e suas relações com os homens, as leis morais, a vida presente, a vida futura e o porvir da humanidade" – segundo os ensinos dados por Espíritos Superiores, com o concurso de diversos médiuns, recebidos e coordenados por Allan Kardec.

Impressionado, ao perceber a seriedade e profundidade dos temas, embora os julgasse inusitados, procurou o índice. Passou os olhos pela abrangência de assuntos abordados na obra e viu que todos eram temas sérios, interessantes e, mais do que isso, instigantes. Não se contendo, abriu uma página a esmo e leu: *"Onde se pode encontrar a prova da existência de Deus?"*

"– Num axioma que aplicais às vossas ciências: não há efeito sem causa. Procurai a causa de tudo o que não é obra do homem, e a vossa razão vos responderá.

Para acreditar-se em Deus, basta ao homem lançar os olhos sobre as obras da criação. O universo existe, portanto ele tem uma causa. Duvidar da existência de Deus seria negar que todo efeito tem uma causa e admitir que o nada pode fazer alguma coisa."

Dessa questão, passou a outra, e outra e mais outra. Não conseguia parar de ler. Quando Antônia veio chamá-lo para o jantar, encontrou-o entretido na leitura a ponto de nem perceber que ela batera várias vezes na porta. De repente, ele viu a empregada à sua frente, bastante preocupada.

– Por que não bateu antes de entrar, Antônia? Sabe que não gosto de ser interrompido – reagiu diante da invasão.

– Mas eu bati, senhor Alberto! Bati várias vezes, porém o senhor não respondeu! Então, entrei, temendo que houvesse acontecido alguma coisa.

– Estou bem, Antônia, apenas distraí-me ao mergulhar na leitura deste livro. Diga logo, o que deseja?

— Dona Marita mandou avisá-lo que o jantar está pronto e será servido logo.

— Diga à Marita que vou em seguida.

A serviçal saiu, e ele fechou o livro, lamentando interromper a leitura.

Ao jantar, Marita notou que ele parecia mais afável e menos calado do que de costume. Sentiu-se com coragem de expor ao marido uma ideia que vinha acalentando:

— Alberto, estou me sentindo tão bem depois que Laura esteve aqui em casa! Tenho pensado até em aceitar o convite que ela nos fez para conhecermos a casa espírita que frequenta.

O marido continuou comendo calado, de cabeça baixa, e ela completou:

— Não se sinta obrigado a me acompanhar, querido. Se não se importar, irei com Laura.

Para sua surpresa, o marido respondeu sereno:

— Tudo bem. Iremos juntos. Também estou curioso.

— Que bom, querido! Estou contente que queira ir.

Levando o guardanapo aos lábios, Alberto acrescentou:

— Apenas me avise o que combinar com Laura, para que eu esteja livre de compromissos.

Com sorriso radiante, ela concordou:

— Tem razão, querido. Vou ligar para Laura e depois lhe comunico. Antônia, sirva a sobremesa.

Assim que deixaram a mesa e o esposo voltou ao escritório, ela correu para o telefone.

— Laura! É Marita, como vai? E meus netos?

— Que prazer, Marita. Aqui está tudo bem. E aí?

— Tenho uma excelente notícia. Alberto concordou em ir ao centro espírita comigo!

— Muito bom, Marita.

— Estou telefonando para saber o dia e a hora da reunião.

Laura deu as informações e o endereço.

— Melhor! Passaremos na sua casa para irmos juntos ao centro, o que acha?

— Agradeço a gentileza, Marita, e será um grande prazer. No entanto, costumo ir com os meninos e Gertrudes, minha vizinha, e não haveria espaço no carro para todos. Além disso, é pertinho de nossa casa. Mas não se preocupe. Habitualmente, chegamos bem mais cedo, e eu os aguardarei do lado de fora — sugeriu.

Laura percebeu, do outro lado da linha, um suspiro de alívio.

— Obrigada, Laura. Como é a primeira vez e não conhecemos o local...

— Entendo perfeitamente, Marita. Fique tranquila. Tudo é muito simples, mas vão gostar, tenho certeza.

Despediram-se, e Marita mandou beijos aos netos. Depois, repassou ao marido a anotação que fizera e o que fora combinado com a nora.

Antes de sair do gabinete, Marita lançou os olhos sobre o livro que o companheiro lia tão interessado e ficou surpresa ao notar ser um daqueles sugeridos por Laura.

— O que está achando do livro?

— Interessante — respondeu ele, sem tirar os olhos da página.

Vendo que ele não lhe dava atenção, Marita saiu da sala, avisando:

– Querido, vou subir para o nosso quarto. Não se demore. Amanhã você tem um compromisso cedo, lembra-se?

– Sim, não se preocupe. Pode ir que eu subo em seguida.

No entanto, Alberto não conseguia parar de ler. Após o jantar, resolvera que o melhor, para poder entender bem, era começar do princípio. Assim, abriu na introdução e mergulhou na leitura, não vendo o tempo passar.

Eram três horas da manhã quando, com os olhos pesados de sono, fechou o livro e foi para a cama.

CAPÍTULO 17

Encontro inesperado

Dois dias depois era a data marcada para a reunião. Os garotos tomaram banho e vestiram-se com capricho, eufóricos por saberem que vovó Marita e vovô Alberto também estariam lá.

Ao chegarem à casa espírita, Gertrudes e os meninos entraram, enquanto Laura ficou aguardando do lado de fora. Após alguns minutos, avistou os sogros. Cumprimentaram-se cordialmente, e Laura convidou-os a entrar.

Um pouco apreensivos por não saber o que encontrariam naquele local, Marita e Alberto acompanharam a nora. Ali tudo era tranquilidade e paz. Ao chegarem à porta do salão, viram uma sala bem iluminada, arrumada, limpa, onde poucas pessoas, sentadas, entretinham-se em ler alguma coisa ou em conversar em voz baixa, envolvidas por uma melodia suave. À frente, uma mesa com toalha branca e, sobre ela, apenas um vaso de flores, alguns livros e uma jarra com água e copos. Nas paredes, nada de imagens ou quadros. Acomodaram-se. A música ambiente soava bem aos seus ouvidos, convidando à meditação e à paz.

Em pouco tempo, o salão estava repleto.

No horário fixado, após dar as boas-vindas a todos e fazer a prece inicial, o responsável fez a apresentação do orador, um juiz de Direito da cidade vizinha que, naquela oportunidade, iria proferir a palestra. Alberto ficou impressionado. Na verdade, ele sempre achara que 'esse negócio de Espiritismo era coisa de gente ignorante'. Preconceituoso, confundia os espíritas com os praticantes de outras seitas, sequer se dava ao trabalho de entender do que se tratava. Ao iniciar a leitura de *O Livro dos Espíritos*, sua opinião começou a mudar. Afinal, temas tão relevantes seguramente não faziam parte das preocupações de pessoas sem cultura. Ao ver um magistrado tomar a tribuna para ministrar a palestra, sua consideração e respeito aumentou ainda mais.

A palestra versava sobre o tema "Reencarnação", assunto sobre o qual Alberto lera alguma coisa no livro de Kardec. Mas a abordagem do orador foi primorosa. Entre outras, enfocou a visão da justiça divina e a necessidade do renascimento para o espírito atingir a evolução, segundo a lei de causa e efeito, e as consequências geradas pelas ações do ser humano, em virtude do mau uso do livre-arbítrio; as conquistas da ciência moderna e os casos sugestivos de reencarnação, que ele desconhecia por completo. Tudo isso entremeado com passagens do Evangelho de Jesus em que o Mestre faz referência ao assunto.

Alberto ficou eufórico. Terminada a palestra, foi encaminhado para a sala de aplicação de passes, onde se sentiu mais leve e refeito das pressões enfrentadas desde a morte do filho.

Encerrada a reunião, várias pessoas se dirigiram à frente, para cumprimentar o palestrante, e ele também não perdeu a oportunidade. Ao chegar sua vez, elogiou o orador, que respondeu de forma simples e despojada. Aproveitando a deixa, Alberto contou:

— Esta é a primeira vez que assisto a uma palestra espírita e fiquei surpreso com suas informações sobre as mais diversas áreas do conhecimento humano. Confesso minha ignorância, doutor.

Com sorriso afável, o palestrante respondeu:

— Não me chame de doutor. Aqui, somos todos irmãos. Por isso, digo que não se engane nem me julgue melhor do que sou, meu irmão. Eu também, há muitos anos, jovem e cheio de vaidade e orgulho pela posição que exerço, entrei pela primeira vez em uma casa espírita e descobri que não sabia nada! Era ignorante e presunçoso, mas me sentia culto e inteligente! Ledo engano. Todo aquele saber que eu julgava ter nada significava. A exemplo de Sócrates, hoje eu posso dizer: só sei que nada sei.

Como Alberto era o último da fila, puderam continuar conversando e trocando ideias. O palestrante, sorrindo, confessou que seu caso fora ainda pior, uma vez que imaginara encontrar rituais estranhos no centro espírita.

— Interessante! Eu pensava da mesma forma. Para meu alívio, encontrei um ambiente completamente diferente daquele que esperava.

— No entanto, Alberto, a Doutrina Espírita tem profundo respeito por todas as expressões religiosas, pois fazem parte do crescimento do ser espiritual. São etapas que atravessamos, entre o instinto e a razão. Hoje sabemos que o sincretismo religioso apenas demonstra nossa íntima busca da fé, do Criador. Deus, Jesus, os espíritos elevados, estão em toda parte. Ajudam aqui, como lá, e em qualquer outro lugar, uma vez que todos somos igualmente filhos do Pai Celestial.

Encerraram a conversa trocando cartões e combinando de se encontrar em outra oportunidade, com mais tempo, para a troca de ideias.

Alberto mostrou-se contente e aliviado. Como quase todas as pessoas já haviam deixado o salão, foi procurar a esposa e os demais acompanhantes. Encontrou os garotos junto de Laura, Marita e Gertrudes, além de Marlene e do filho. Conversavam animados, e os netos ficaram felizes por rever os avós.

De repente, Alberto viu uma fisionomia conhecida. Era um advogado, seu amigo, bastante ligado à Igreja Católica. Jamais imaginara encontrar um ministro da Eucaristia – católico devoto, indicado pela comunidade e aprovado pelo pároco, de quem recebe um mandato, por tempo limitado, para auxiliar na celebração religiosa –, naquele lugar, um centro espírita. Cumprimentaram-se de longe, pois o amigo já estava saindo, apressado.

Alberto ficou com a desagradável impressão de que Belisário não ficara satisfeito ao ser visto por ele. Contudo, eles costumavam se encontrar sempre no mesmo estabelecimento, um restaurante onde se reuniam com outros amigos para beber e jogar conversa fora. Seria fácil encontrá-lo, embora estivesse evitando certos lugares para fugir da tentação da bebida.

Pensando nisso, Alberto deu de encontro com alguém que saía da livraria, de cabeça baixa, a folhear um livro.

– Queira desculpar-me – disse, abaixando-se para ajudar o outro, cujos livros caíram no chão.

– Perdão! Estava distraído. A culpa foi minha.

Abaixados, trocaram um olhar e, só então, se reconheceram:

— Doutor Carlos!
— Senhor Alberto!

Levantaram-se e apertaram as mãos, achando graça do episódio que permitira o encontro. Alberto, agora mais brando e começando a pensar de forma diferente, fitou o médico e disse:

— Doutor, não posso perder a oportunidade de pedir desculpas, não por hoje, mas por tantas vezes em que o destratei, pelos escândalos que fiz no hospital. Eu andava completamente enlouquecido.

Colocando a mão no braço do outro, Carlos respondeu tranquilo:

— Não me deve desculpas. Posso entender perfeitamente como se sentia naquele período, sem poder ajudar o único filho. Enfrento todos os dias o mesmo problema com as famílias. Eu também me senti impotente assim muitas vezes, pode crer. Queria ajudar Afonso e não conseguia.

— Não, doutor, o senhor fez tudo que podia por meu filho e eu só posso agradecer.

Abraçaram-se comovidos. Depois, mudando de assunto, Alberto exclamou:

— Não sabia que era espírita!

Carlos sorriu, melancólico, e afirmou:

— Não, não sou espírita. Aqui estou pela primeira vez!
— Não acredito! Eu também!

Ambos caíram na risada ao verificar a coincidência de entrarem ambos em um local completamente estranho e se encontrarem. Alberto ponderou:

— Bem. Como li que nada acontece por acaso, então deve existir uma razão para nosso encontro. Mas, venha doutor, vamos procurar Laura. Tenho certeza de que ficará contente em vê-lo. Está com a minha esposa, os filhos e uma amiga.

Encontraram-se do lado de fora do prédio, na calçada, onde as mulheres conversavam com Marlene.

Ao ver Carlos se aproximar com o sogro, Laura ficou surpresa.

— Laura, veja quem eu encontrei lá dentro!

— Doutor Carlos! Que prazer revê-lo.

— Como vai Laura? Os meninos estão bem, posso ver. E a senhora, dona Marita? Está melhor, sem dúvida.

— Agora estou bem, doutor, porém passei por momentos bastante difíceis. Mas o que faz aqui? Nunca pensei que fosse espírita!

Os homens trocaram um novo olhar de entendimento e voltaram a rir. Alberto explicou:

— Marita, querida, Carlos também veio conhecer esta casa hoje!

— Como nós?

— Sim, como nós!

Conversaram mais um pouco ali na calçada. O médico foi apresentado a Marlene, Gertrudes ele já conhecia.

Logo todos foram embora, e as luzes do centro espírita se apagaram.

— Que tal irmos todos para nossa casa comer alguma coisa e conversar? — propôs Alberto.

Os garotos adoraram e fizeram a maior festa. No entanto, Carlos se desculpou:

— Adoraria ir com vocês, porém deixei meus filhos em casa e preciso voltar. Quem sabe outro dia? Ignorava que o centro tivesse um espaço para crianças. Se soubesse, teria trazidos comigo. Pretendo voltar na próxima semana. Se estiverem aqui, nos encontraremos.

Laura fitou o médico e comentou, surpresa:

— Interessante, doutor! A gente se esquece de que os médicos também têm uma vida, família e problemas. Estivemos meses nos vendo quase todos os dias no hospital, e eu não me lembrava que tinha filhos! Recordo-me agora de ter visto uma foto com crianças na sua sala no hospital.

Ele sorriu, concordando:

— É verdade. Tenho dois filhos, Laura: Miguel, de cinco anos, e Mariana, de três. São meus tesouros. Mas você tem razão. De modo geral, as pessoas pensam que não temos vida própria, que "moramos no hospital". Às vezes, encontro pessoas que ficam surpresas ao me ver num supermercado, como se médicos também não fizessem compras, não precisassem comer!

Todos riram. Os meninos ficaram contentes com a possibilidade de vir a ter novos amigos, especialmente Bruno, da mesma faixa etária de Miguel.

Ouvindo-o falar em compras e supermercados, Laura pensava que sempre sentira curiosidade de conhecer a esposa do médico e, naquele momento de descontração, teve vontade de perguntar pela mãe das crianças, porém, como ele não tocara no assunto, resolveu ficar calada.

Assim, foi com grande satisfação que combinaram de se rever na próxima semana. Todos sentiam grande alegria e prazer por estarem juntos.

CAPÍTULO 18

Evangelho no Lar

Naquela mesma semana, Laura reuniu os filhos uma noite, após o jantar, para conversar com eles e expor a situação que vinham atravessando. Com o passar dos dias, notava que os meninos, que enfrentaram tão bem a dor que se abatera sobre eles, agora pareciam mais desanimados, mais sofridos.

Ela podia entender perfeitamente o que acontecia com eles, pois era exatamente o que sentia. Com o tempo, apesar da compreensão fixada na alma, a saudade era imensa e os atingia fundo. Aos poucos, como se acordasse de um sonho mau, sentia-se algo deprimida ao perceber que Afonso não iria mais voltar, como se somente agora tivesse se dado conta da realidade, e sabia que o mesmo se passava com os filhos.

Então, cheia de carinho, fitou-os com profundo amor e começou a falar:

– Meus queridos! Eu sei que não está sendo nada fácil para vocês, como não é fácil para mim. Mesmo assim, precisamos continuar levando nossa vida como sempre fizemos. O papai não está mais aqui conosco, porém continua fazendo parte da nossa família, porque está vivo, em algum lugar, e continua amando vocês da mesma maneira.

Ela fez uma pausa, viu aqueles rostinhos ali em torno da mesa, que a olhavam tristes e desconsolados, e continuou:

— Mamãe, mais do que nunca, precisa trabalhar, porque a responsabilidade de manter a casa agora é só minha e não quero que nada lhes falte. Quero ver vocês bem e, no entanto, sinto que não é isso que está acontecendo.

Laura parou de falar por alguns instantes e, com infinita ternura, prosseguiu:

— Abram o coração para a mamãe. Isso lhes fará bem. Como vocês estão se sentindo? Preciso saber para poder ajudá-los!

Eles trocaram um olhar, pensativos. De repente, o pequeno Bruno levantou a mão.

— Pode falar, meu filho!

— Mamãe, essa noite eu sonhei com o papai! Eu fui visitá-lo lá no céu, onde ele está.

— Que bom, filhinho! Então, conte-nos seu sonho!

— Garanto que é mentira, mamãe. O Bruninho mente muito! — retrucou Zezé.

— Não fale assim, Zezé. Deixe seu irmãozinho contar! — disse a mãe.

Sentindo-se mais fortalecido pelo apoio da mãe, de olhos arregalados, Bruninho retrucou:

— Não é mentira, Zezé! Eu vi o papai num hospital bem grande e bonito!

— E você conversou com ele? — quis saber Junior, interessado.

O pequeno balançou a cabeça negativamente, depois respondeu:

— Não. O papai estava dormindo! Mas alguém me disse que ele estava bem.

Não acreditando muito nas palavras do irmão, Zezé o desafiou:

— Mas se você não falou com ele, como pode saber que foi lá de verdade?

— Ora, porque eu sei! Eu vi o papai! Ele estava em um quarto bonito, todo branco: a cama, os lençóis, o armário. As cortinas também eram brancas, levinhas e transparentes, e se agitavam com o vento que entrava pela janela.

Diante da dúvida que suas palavras criaram no meio da família, o pequeno ficou calado por alguns segundos. Depois, se lembrando de algo, acrescentou:

— Tinha um lindo vaso de flores azuis na mesinha ao lado da cama dele. Eram aquelas que papai mais gostava. Hortênsias. E tinha um cartão. Perguntei ao moço que me acompanhava se podia ler o cartão, e ele disse que sim. Era da mamãe. Eu li: "Para Afonso, com todo o meu amor. Laura".

Nesse momento, Laura levou as mãos ao rosto e começou a chorar. O pequeno levantou-se da cadeira onde estava e correu para junto da mãe, abraçando-a, aflito:

— Não, mamãe, não chore! Não quis deixá-la triste!

A mãe tirou as mãos do rosto, enxugou as lágrimas e sorriu. Abraçando o filho caçula, explicou:

— Não, meu bem! Não estou triste. Ao contrário. Você trouxe a prova que a mamãe tanto desejava obter. Em nenhum momento eu duvidei de você, meu filho.

Depois, olhando Zezé e Junior, confirmou:

– Acredito, sim, que Bruninho foi visitar o papai.

Em seguida, respirou fundo e, contendo as lágrimas, olhou novamente para os filhos:

– Vou contar a vocês, meus queridos, algo que não sabem. No dia do enterro, desejando confortar o papai, diante da situação tão difícil que ele atravessava, em que ficaria afastado da família, de todos nós, imaginei um lindo vaso de hortênsias azuis no qual coloquei um cartão, desejando ardentemente que ele o recebesse. Como se eu estivesse enviando um presente para ele, entendem? E as palavras que escrevi no cartão foram exatamente estas: "Para Afonso, com todo o meu amor. Laura".

Junior ficou muito emocionado, e Zezé, arrependido de ter acusado o irmão, pediu:

– Bruninho, você me desculpa pelo que eu disse?

– Está desculpado – disse o pequeno de cabeça erguida, orgulhoso por ter proporcionado aquela alegria à sua mãe e aos irmãos.

Junior, levando as mãos à cabeça, revolvia os cabelos, perplexo:

– Então, é mesmo verdade que papai está no mundo espiritual? A gente escuta falar, lê sobre isso, mas o sonho do Bruninho é uma prova! Não podemos mais ter dúvidas!

Naquele momento, Laura percebeu, pelas carinhas animadas que via a seu redor, que nada mais precisava ser dito. O seu filho caçula se incumbira de dar a todos o fortalecimento moral, a confiança e a esperança em dias melhores e mais felizes.

– É verdade, meu filho. Vamos orar a Deus agradecendo essa dádiva que tivemos?

É PRECISO RECOMEÇAR

Todos concordaram, e Laura fez uma sentida prece, agradecendo pela notícia recebida e suplicando a Jesus que abençoasse Afonso em sua nova vida e pedindo forças para trabalhar e fazer o melhor, de modo a ter a oportunidade de reencontrarem aquele que partira.

Após a prece, Junior teve uma ideia:

— Mamãe, lá na aula do Evangelho, a professora falou sobre os benefícios do estudo do Evangelho no lar para todas as famílias.

— Que bela lembrança, meu filho! Sim, também já li sobre isso. O que vocês acham? — perguntou aos demais.

Como Zezé e Bruninho concordaram, resolveram instituir um dia para estudar o Evangelho no lar. Convidariam as amigas e os pais de Afonso, Alberto e Marita. E, para marcar a data tão importante, na qual tiveram notícias de Afonso, decidiram que seria logo no dia seguinte.

Naquela noite, todos dormiram muito bem.

~

NA MANHÃ SEGUINTE, Laura telefonou aos sogros e convidou os dois para virem à sua casa, explicando que começariam a fazer a leitura do Evangelho nesse dia. Depois, ligou a Marlene e Mateus, e também à querida Gertrudes.

Lurdinha, que ouviu falar da reunião pelos telefonemas, perguntou se também poderia participar. Laura acedeu com prazer e alegria, abraçando-a.

— Claro, Lurdinha! Será muito bem-vinda!

Após o almoço, o telefone tocou e Laura foi atender. Era Alberto.

— Laura, estive pensando! O que acha de convidar também Carlos e a família? Ele parece interessado pelo Espiritismo, e é uma maneira de podermos nos reunir novamente!

— Excelente ideia, senhor Alberto! Vou ligar para ele agora mesmo.

— Não se preocupe, Laura. Pode deixar que eu farei isso. Fique tranquila.

A reunião foi marcada para as dezenove horas. Cerca de quinze minutos antes começaram a chegar os convidados. A primeira foi Gertrudes, depois Marlene e Mateus e, logo em seguida, Alberto e Marita. Lurdinha nem fora para casa aquela tarde, ajudando Laura a preparar um lanche que seria servido aos convidados da noite. O último a chegar foi o doutor Carlos.

Ao abrir a porta, Laura ficou surpresa. Não tinha certeza se ele aceitaria o convite. Além disso, poderia estar de plantão no hospital.

— Boa noite, Laura. Obrigado pelo convite. Como Alberto disse que poderia trazer as crianças, aqui estão elas. Cumprimentem Laura, a dona da casa, meus filhos.

Ela viu as crianças e se emocionou. Eram lindas. O garoto, de cabelos mais escuros, como o pai, e a menina, de cabelos e olhos claros.

— São lindos, doutor Carlos! Você é o Miguel e você é a Mariana, acertei?

Abaixou-se e abraçou os dois com muito carinho.

— Sejam bem-vindos! Vamos entrar. Agora, todos já chegaram. Acomodem-se, por favor, e sintam-se à vontade.

Depois chamou os filhos:

— Deem as boas-vindas ao Miguel e à Mariana, que acabam de chegar!

— Olá! — disse Zezé. — Venham aqui para o quarto, enquanto não começa a reunião. Eu sou o Zezé, este é meu irmão Junior, e aquele é o Bruninho.

Contando com os quatro moradores da casa, havia um total de treze pessoas. Trouxeram cadeiras da sala de jantar, e todos ficaram conversando, acomodados confortavelmente na sala.

Na hora marcada, Laura sorriu e anunciou:

— Meus amigos! Estou muito satisfeita em recebê-los em nossa casa para esta primeira reunião do nosso Evangelho no lar, que esperamos continue sempre. Para iniciar, peço a Gertrudes a gentileza de fazer uma prece pedindo as bênçãos de Jesus a todos nós.

Após a oração, Laura pediu que Alberto lesse uma página de *O Evangelho segundo o Espiritismo*. Abrindo ao acaso, Alberto leu o início do quinto capítulo, cujo título é "Bem-aventurados os aflitos", e o comentário de Allan Kardec, "Justiça das aflições".

Alberto ficou emocionado com o texto. Os presentes conversaram sobre o assunto, analisando as palavras de Jesus, para entender que somente a certeza da vida futura pode explicar os textos evangélicos e a presença de Deus, que surge com toda a sua grandeza.

Após os comentários e as explicações, que especialmente Gertrudes poderia dar, por ter mais conhecimento, todos ficaram muito alegres e satisfeitos.

— Taí, gostei! Esta é a primeira vez que entendo as palavras de Jesus. Sempre que leio a Bíblia tenho grande dificuldade para compreender — considerou Lurdinha.

Os demais concordaram com ela, e Gertrudes explicou:

– *O Evangelho segundo o Espiritismo* facilita bastante o entendimento, uma vez que Allan Kardec anexou textos explicativos, de autoria dele, além de outros esclarecimentos dos textos evangélicos, enviados por entidades de ordem elevada e que constam nas "Instruções dos Espíritos".

Para encerrar, bastante comovida, Laura comunicou:

– Vocês devem ter estranhado a resolução que tomamos de iniciar o nosso Evangelho no lar justamente hoje, sem ter programado com antecedência, sem ter primeiro conversado com vocês. Na verdade, temos um motivo muito especial para isso, que eu e meus filhos gostaríamos de compartilhar com todos. Todavia, prefiro que o Bruno, o caçula da casa, conte para nós o que aconteceu com ele.

Com expressão de surpresa e curiosidade, todos se voltaram para o garoto. Com carinha satisfeita por se sentir o centro das atenções, ele começou a narrar com sua voz infantil:

– Na outra noite eu tive um sonho. Eu estava com um moço e fui até um hospital.

E, diante da plateia atenta, contou direitinho tudo o que tinha acontecido. Ninguém piscava. Quando ele falou do vaso de flores e do cartão, todos choraram. E Laura confirmou o que ele dissera, aumentando ainda mais a emoção dos presentes:

– É verdade, meus amigos. Ninguém sabia da história do vaso de hortênsias nem do cartão. Bruninho realmente foi visitar o pai!

Alberto e Marita, em lágrimas, se abraçaram, felizes por terem obtido uma notícia do filho querido que se fora para o outro mundo. Depois, abraçaram o pequeno, agradecendo a alegria daquela hora.

Não havia como duvidar das palavras de uma criança, especialmente porque ninguém sabia da história do vaso de flores e muito menos do cartão e das palavras da mãe de Bruno.

Passados os primeiros momentos de maior comoção, todos se abraçaram, crivando o pequeno Bruno de perguntas. Queriam saber o que ele vira, como era tudo lá onde ele esteve, quem era o rapaz que o acompanhava.

Ele sorria, sentindo-se importante ao notar a atenção das pessoas, enquanto respondia às indagações.

– Mas, explique de novo, Bruninho. Como estava o papai? Estava bem? – perguntou Alberto.

– Vovô, o papai dormia tranquilo. E o moço disse que ele estava bem, e parecia bem mesmo!

– Quem era esse rapaz que acompanhou você, Bruninho? Você já conhecia essa pessoa? – perguntou o médico.

– Não sei quem era ele, doutor. Mas eu me sentia bem junto dele, e confiava nele como se fosse meu amigo.

– Como era esse moço, qual a aparência dele? – quis saber Marlene.

– Tia Marlene, ele era alto, tinha os cabelos escuros e me falava com carinho. Eu senti que ele gosta de mim.

As crianças acompanhavam tudo, surpresas e interessadas. Junior perguntou:

– Bruninho, como vocês chegaram até o hospital? Você lembra o caminho que fizeram?

– Não me lembro, Junior. Quando vi, já estava no quarto do hospital.

Laura, tomando a palavra, colocou ponto-final na entrevista, sugerindo:

— Depois podemos continuar conversando. Agora é hora de terminar nossa reunião.

Com emocionada prece, que jamais seria esquecida por nenhum dos participantes, encerrou-se a primeira reunião do Evangelho no lar na casa de Laura. A fé em Deus e a confiança no auxílio divino receberam extraordinário impulso e revigoramento do alto.

Foi servido o lanche preparado com carinho e retomaram a conversa sobre o tema estudado, seus aspectos mais interessantes e a disposição de cada um. Com os corações em festa, mais fortalecidos na fé, decidiram continuar aquele encontro, que começara de forma tão promissora.

E nós, do mundo espiritual, ali presentes, também nos emocionamos, agradecendo a Jesus pelas bênçãos da noite.

Tudo corria bem. Os encarnados se recuperavam da dor, e Afonso, em convalescença, também melhorava a cada dia, preparando-se para começar um novo tipo de existência, pleno de novidades e de oportunidades, como acontece com todos aqueles que retornam à verdadeira vida.

CAPÍTULO 19
O VASO DE HORTÊNSIAS

A fonso abriu os olhos lentamente e viu a claridade que se infiltrava pela janela, mostrando a presença de um lindo dia de sol. As cortinas brancas e transparentes movimentavam-se à brisa agradável que soprava.

Olhou em torno e estranhou. Parecia um quarto de hospital, porém, não era aquele no qual estava internado há dois meses. Por que estaria ali? Lembrou-se, com certo carinho, da outra enfermaria. Lá, logo cedo havia intensa movimentação. Despertavam com a entrada dos atendentes que vinham cuidar da higiene, trazendo-lhes roupas limpas. Depois, chegava o café da manhã. Os pacientes conversavam entre si e com os auxiliares, rindo por qualquer coisa, até das próprias dificuldades. Como passavam longo tempo juntos, desenvolveram uma camaradagem que atingia também o pessoal da equipe hospitalar.

Não, definitivamente, não era o hospital onde estivera por meses. Afonso passou o olhar pelo quarto, tentando inutilmente lembrar-se de como chegara até ali. Nesse hospital não havia barulho, nem grande movimento; parecia que tudo ali era mais tranquilo, mais cheio de paz. As próprias paredes, o mobiliário, as cortinas, o vaso de flores, tudo tinha uma aparência bela, uma certa leveza, que ele não saberia definir. O pequeno armário, a mesinha de cabeceira, o leito, tudo era branco e harmônico, só quebrado por um lindo vaso de flores azuis. Coincidentemente, eram hortênsias, as flores que ele mais amava.

Estava assim, conversando intimamente, quando entrou um enfermeiro. Ao vê-lo acordado, sorriu:

– *Bom dia, Afonso! Como está se sentindo?*

– *Estou bem. Mas o que aconteceu, eu piorei? Que hospital é este? Por que estou aqui? Quero ver o doutor Carlos!*

Com leve sorriso, o atendente o tranquilizou:

– *Calma, Afonso! Você será informado de tudo. Agora, procure relaxar para continuar bem.*

– *Como posso relaxar? Preciso saber o que aconteceu, não entende? Quero ver minha esposa. Mande chamá-la! Se ela autorizou minha transferência para este hospital, preciso saber a razão. Tenho direito, não acha?*

Afonso falava bastante alterado, mostrando-se irritado e nervoso. De súbito, ele acusou uma agulhada funda e levou a mão ao peito, fazendo careta. A intensa dor fez que empalidecesse de repente e transpirasse abundantemente, sentindo o coração oprimido.

– *Ai, meu Deus! Socorro! O que está havendo? Ai! Ai! Acudam-me!*

– *Calma, Afonso! Relaxe! Mantenha-se tranquilo e a dor passará* – disse o rapaz, ao mesmo tempo que apertava uma pequena campainha.

Logo em seguida, um homem de branco entrou no quarto. Vinha sorridente e animado.

— *Bom dia, Afonso. Eu sou Henrique, seu novo médico. Como está?*

O recém-chegado era magro, de pele clara e cabelos castanho-claros. Movimentava-se com a facilidade de quem está familiarizado com a situação. Passou a examinar Afonso sem dar a ele tempo para responder. Em seguida, por alguns minutos, o médico colocou as mãos sobre a região central da cabeça do paciente, e a dor foi diminuindo de intensidade.

Diante daquela fisionomia serena e da voz calma e agradável, Afonso respondeu:

— *Eu estava bem, doutor. Juro para o senhor que eu estava bem! De repente, comecei a sentir dores no peito, sem motivo algum.*

O médico, que terminara o exame, fitou seriamente o outro e perguntou:

— *E agora, está melhor?*

— *Sim, doutor. Bem melhor. Parece um milagre.*

— *Não é milagre, Afonso. Você irá perceber que seu estado emocional é de suma importância para a manutenção do bem-estar geral. Assim, procure permanecer equilibrado, evite ficar nervoso e se preocupe apenas com sua recuperação, que é fundamental.*

— *Está certo, doutor* — mais calmo e dócil, diante da atitude serena do médico, concordou. — *No entanto, preciso de algumas informações. Por que fui transferido para este hospital? O meu médico, doutor Carlos, não me disse nada, nem os enfermeiros, nem minha esposa, ninguém! O que aconteceu? Quero ver Laura, falar com ela, pedir explicações!*

– Não se recorda? – indagou o médico, analisando o interlocutor.

– Não. Não me lembro de nada! Que hospital é este? Onde fica? Sem dúvida não é na minha cidade; se fosse eu o conheceria!

Henrique, sereno, indagou com interesse:

– Por que tanta preocupação, Afonso? Não gostou das novas instalações?

– Desculpe-me. Não é isso, doutor. O hospital parece excelente! Só não sei quem vai pagar. Se for meu pai, eu não quero, não aceito. E, pelas instalações, deve custar caro.

– Não se preocupe com isso. O doutor Carlos pediu-me que cuidasse de você. Olhe, será informado de tudo a seu tempo. Por ora, pense apenas em recuperar-se para obter alta. Quanto à sua esposa, mandou estas lindas flores que estão à sua cabeceira!

– Foi ela? – perguntou Afonso, de olhos arregalados e fisionomia mais alegre.

– Claro! Tem até um cartão. Veja!

Surpreso, uma vez que não notara o pequeno cartão escondido no meio das flores, Afonso o pegou das mãos do médico e, abrindo o envelope, leu: "Para Afonso, com todo o meu amor. Laura."

Comovido, Afonso deixou que as lágrimas rolassem pelo rosto. O médico colocou a mão na cabeça dele com afeto, enquanto recomendava:

– Agora que recebeu notícias da esposa, procure ficar bem. Deve estar com fome. Vou mandar trazer uma refeição ligeira. Deseja algo mais?

– Não, obrigado doutor. Sei que eu errei muito e que não mereço a mulher que tenho. Porém, quando tiver alta do hospital, prometo que *vou recompensá-la por tudo o que sofreu comigo até agora. Pode escrever o que estou dizendo, doutor.*

— Muito bem. Sempre é importante reconhecermos os nossos erros. Então, até mais tarde. Virei visitá-lo duas vezes por dia, e, fora desses horários, quando for necessário. Até mais tarde, Afonso.

O paciente agradeceu e respirou fundo. Teria de resignar-se com o mistério que se criara à sua volta, já que o pessoal do hospital não parecia disposto a contar a verdade.

Alguns minutos depois que o médico saiu, entrou uma jovem atendente, portando uma bandeja com uma espécie de caldo cremoso, que ele adorou, e um suco delicioso e surpreendente. Apesar de sentir o sabor familiar de uma fruta conhecida, não conseguiu identificá-la.

Em virtude de seu estado de fraqueza, o esforço gasto na alimentação fora demais para ele, que voltou a adormecer profundamente. Ao abrir os olhos de novo, notou o doutor Henrique ao seu lado, examinando-o.

— Ah, é o senhor! Como estou, doutor? — indagou, com voz ainda sonolenta.

— Diga-me você, Afonso, como se sente?

— Estou ótimo, sem dores. Só sinto muito sono!

— Esse sono é natural, Afonso, e representa uma necessidade. De agora em diante, entrando em convalescença, começará a ficar mais desperto — esclareceu Henrique, com um sorriso simpático.

Posicionando-se aos pés do leito, olhando de frente seu paciente, informou:

— Afonso, você perceberá que nossa instituição conta com tratamentos avançados, psicoterapias e aplicações magnéticas diferenciadas, *com grande poder de recuperação. Amanhã você será encaminhado para iniciar seu tratamento propriamente dito. Como está melhor, também será transferido para um quarto maior, onde aproveitará a companhia de outros internos, com problemas semelhantes aos seus.*

O médico despediu-se, e Afonso ficou pensando. Quem sabe os outros internos saberiam explicar o que acontecia? Recostado no macio travesseiro, olhou a janela, onde a brisa ligeira voltava a agitar brandamente as cortinas. O sol declinava no horizonte, anunciando a chegada da noite. Nesse momento, ele ouviu as notas de bela e delicada melodia a ecoar. Contudo, não saberia dizer se entrava pela janela aberta ou se vinha do interior do edifício.

Grande bem-estar inundou seu coração e, embora não fizesse parte de seus hábitos, sentiu necessidade de elevar o pensamento ao Criador. Ao mesmo tempo, nas ondas da melodia, ouviu que alguém orava enternecidamente e, de olhos fechados, Afonso acompanhou a prece. Sem perceber, mergulhou novamente em sono profundo.

~

NO DIA SEGUINTE, logo às primeiras horas da manhã, Afonso foi levado para dar início ao tratamento a que se referira o médico. Desse modo, viu-se em um lugar diferente. A sala, de formato redondo, não era grande e, bem no centro dela, no alto, havia uma luz azulada e brilhante. Depois, colocaram-no sentado no meio, e um homem começou a lhe aplicar energias com vistas à recuperação das áreas atingidas pela enfermidade em seu organismo. Em seguida, foi conduzido a outro local, para terapia psicológica.

Dessa forma, passou uma boa parte do dia em tratamento. Ao terminar as terapias, foi informado de que não retornaria mais ao quarto que ocupara, sendo encaminhado a novas instalações. Era uma enfermaria com seis leitos, um dos quais estava vago e reservado para ele. Reconheceu pelo vaso de hortênsias enviado por Laura, que gentilmente tinham trazido e colocado em sua mesa de cabeceira. Ao vê-lo, seu coração se alegrou. Era como um banho de esperança, de confiança e de amor recebido cada vez que olhava para aquelas flores, como se a esposa estivesse ali, junto dele.

Aos poucos, conheceu cada companheiro de quarto: Antônio, Pedro, Ambrósio, Celestino e Venâncio. Em conversa com eles, lembrou-se da tarde anterior e comentou sobre a música e a oração. Ficou sabendo que todos os dias, naquele mesmo horário, oravam em conjunto. Quem pudesse se locomover iria até o salão, onde se reuniam os diretores do hospital, médicos, enfermeiros e atendentes que não estavam de plantão, além de assistidos em convalescença. Ninguém era excluído, visto que todos participavam, mesmo nos próprios leitos.

Afonso achou interessante a preocupação do hospital, e esse diálogo lembrou a pergunta que não lhe saía da cabeça. Indagou, olhando cada um dos companheiros:

– *Vocês sabem onde estamos?*

Os demais trocaram um olhar de entendimento, e um deles, Pedro, respondeu:

– *Não. Também ignoramos que hospital é este.*

– *E o pior* – acrescentou Ambrósio com azedume – *é que não podemos receber visitas! Acho que somos prisioneiros.*

Um terceiro, olhando em volta para ver se vinha alguém, considerou em voz baixa:

— *Enquanto aguardava a terapia, conversei com um cara, na sala de espera, que tem uma ideia estranha: ele acha que estamos todos mortos!*

Aquele comentário de Venâncio ficou vibrando no ar e na mente deles. Arrepiaram-se de medo. Ninguém tinha ânimo para falar, assustados diante dessa possibilidade, e permaneceram em silêncio, pensativos. Afonso logo reagiu:

— *Que absurdo é esse, gente? Estamos em nosso corpo, sentimos dor* — levou a mão ao braço e se beliscou — *andamos, comemos, falamos! Enfim, somos o que sempre fomos! Por que pensar que poderíamos ter morrido? Que ideia maluca!*

Até que Celestino, um rapaz moreno, baixinho e magro, com risinho amarelo, disse em voz baixa:

— *O novato tem razão. Continuo com a mesma vontade de beber. Ah, se eu tivesse uma cachacinha!*

Os demais trocaram um olhar de cumplicidade e deram uma risada. Somente Antônio permaneceu sério diante da gravidade da situação. Naquele momento, Afonso lembrou-se de que o médico informara que ele seria transferido a um quarto maior, onde os internos tinham problemas semelhantes aos dele. Então era isso! Todos ali eram alcoólatras em tratamento. Então fora transferido de hospital por esse motivo?!

Naquele dia, não tocaram mais no assunto e, naqueles que se seguiram, Afonso estava tão ocupado com as terapias que acabou por esquecer o problema.

Com o passar dos dias, em plena recuperação, além das terapias a que era submetido, nas horas vagas já podia passear no jardim e conversar com outros internos nas mesmas condições. Julgou que, finalmente, obteria uma resposta. No entanto, notou que os questionamentos eram os mesmos, e os demais companheiros também ignoravam onde estavam e que lugar seria aquele. Não que tivessem qualquer reclamação a fazer, longe disso. Tudo ali era lindo, o tratamento, excelente; a alimentação, diferente, sem dúvida, adaptada às necessidades deles, porém ótima. O único problema é que não havia respostas, informações, esclarecimentos.

Certo dia, Afonso perguntou ao médico:

— *Doutor Henrique, por que minha esposa não tem vindo? No outro hospital, ela ia todos os dias! E agora, desde que cheguei aqui, ela não veio mais! Aliás, nunca veio ninguém.*

— *Não se preocupe, Afonso. Logo poderá receber visitas.*

Mas sentia-se incomodado com a situação e prosseguiu:

— *É tudo muito estranho, doutor. Diga-me, este hospital é para tratamento de alcoolismo?*

— *Não apenas para tratamento de alcoolismo, mas para recuperação de todos os vícios e dificuldades que o ser humano apresenta.*

— *Ah! Entendo. Por acaso, estamos incomunicáveis? Sim! Começo a pensar nessa hipótese! E os demais pacientes pensam como eu! Não recebemos visitas, nem ao menos temos notícias dos familiares! Por que, pode me dizer? Eu preciso saber!*

Afonso parecia bastante alterado. Nisso, uma forte dor no peito fez que prendesse a respiração. O médico, com delicadeza, colocou as mãos espalmadas sobre o tórax e, com voz branda, pediu-lhe que relaxasse, que pensasse no seu bem-estar e na sua recuperação. Das mãos do médico vinham energias luminosas que envolviam Afonso e a região afetada, gerando imenso reconforto. Logo estava bem novamente e agradeceu ao médico.

Despedindo-se dele, Henrique explicou:

– *Afonso, o pensamento é a causa tanto de nosso equilíbrio quanto de nossa perturbação. Assim, procure manter-se bem, sem agitação e sem questionamentos, que só fazem mal. Tenha confiança. Logo poderá obter as informações que deseja. Para tanto, porém, precisa estar equilibrado. O grande socorro nas horas de dificuldade e dor é a oração, meu amigo. É um remédio sem contraindicação. Utilize-o sempre que necessário e vai perceber as bênçãos fluírem sobre você com muito mais intensidade. Agora, descanse. Até amanhã.*

CAPÍTULO 20

A VIDA CONTINUA

Aquele era um dia de alegria para todos. Acordaram animados, lembrando que iriam à casa espírita à noite, o que os enchia de satisfação.

Junior, Zezé e Bruno levantaram-se cedo e foram para a escola. Laura, entregue aos seus afazeres, arrumava a casa, cantarolando uma canção. De repente, estacou, surpresa e intrigada. Há muito tempo não cantava! Aliás, desde que os desentendimentos e os problemas em casa tinham começado, nunca mais cantara.

Ao lembrar-se desse período, procurou afugentar os pensamentos doentios da cabeça. Elevou o pensamento, enviando boas vibrações ao marido, desejando que ele estivesse bem. Ainda assim, na tela da memória voltou a lembrança da época em que todos os dias visitava Afonso no Hospital Santa Lúcia e recordou do médico tão dedicado que o atendera e que reencontrara no centro espírita. Depois, na companhia dos dois filhos, ele viera à sua casa para o Evangelho no lar. Quase não tinham podido conversar, pois Laura precisava dar atenção aos demais convidados, sem contar que Alberto realmente o monopolizara.

Apoiada no cabo da vassoura, de olhos fixos no vazio, pareceu-lhe ver novamente a fisionomia do médico um tanto abatida, tristonha, como naquele dia.

"O que estaria acontecendo?", pensou. Sentia que ele necessitava de ajuda, mas por quê?

De repente, olhou para o relógio e percebeu que era tarde. Precisava cuidar do almoço. Foi para a cozinha e, preparando a refeição, a imagem de Carlos não saía de sua mente. Não poderia continuar assim. Então, decidiu que, naquela noite, conversaria com ele.

O dia transcorreu normal. Fizeram as entregas dos bombons e, antes de ir embora, Lurdinha disse:

— Dona Laura, a senhora não imagina como aquela reunião aqui na sua casa me fez bem. Sinto-me outra pessoa.

A dona da casa sorriu contente.

— É verdade, Lurdinha? Mas nunca notei que tivesse algum problema!

— Ah! Eu vivia cheia de medos, não dormia direito à noite e, o que é pior, andava mal-humorada, azeda, insatisfeita da vida.

— Não diga! Mas por quê? Se for algo aqui em casa que a deixe descontente...

— Não, em absoluto! Era comigo mesma. Sabe quando a gente fica de mal com o mundo? Talvez a senhora não tenha percebido, porque eu me controlava para não aumentar seus problemas, mas sentia-me péssima, na verdade.

Laura pensou um pouco e sugeriu:

— Lurdinha, se você gostou da nossa reunião, o que acha de ir ao centro espírita? Lá você poderá ser muito mais ajudada, pois o ambiente é preparado para socorrer as pessoas com problemas.

É PRECISO RECOMEÇAR

Você ouvirá uma palestra, cujos temas são sempre importantes ao nosso entendimento, e receberá a fluidoterapia, a terapia espírita por excelência, isto é, a aplicação de energias magnéticas por meio de passes.

— Ah, eu gostaria muito de ir! Sempre que ouço os meninos comentando que foram ao centro, eu fico morrendo de vontade de conhecê-lo.

— Pois então, a reunião é hoje. Se quiser vir conosco, esteja aqui lá pelas sete horas.

Lurdinha pensou um pouco e respondeu:

— Hoje, precisamente, não sei se poderei ir com vocês. Mas, se a senhora me der o endereço, irei direto para lá. Tem algum problema?

— Claro que não! Chegando, será fácil nos encontrar. Pelo que me contou, seria mesmo muito bom que você fosse ao centro, Lurdinha. Vai lhe fazer bem.

Despediram-se, e a auxiliar foi embora. Os garotos terminaram de fazer os deveres da escola, depois tomaram banho e se arrumaram. Laura os esperava com a mesa posta para o lanche.

Gertrudes chegou na hora que deixavam a mesa.

— Boa noite, Laura! Boa noite, garotos!

— Boa noite, Gertrudes! Aceita um café? Está fresquinho, acabei de coar.

— Obrigada, Laura. Já tomei a minha dose e não posso exagerar. Fica para outra hora. Então, vamos?

— Vamos!

Saíram todos conversando, animados. Chegando à casa espírita, entraram. O movimento ainda era pequeno e aproveitaram para rever os amigos.

Nesse momento, Laura viu o doutor Carlos, que chegava com as crianças. Cumprimentaram-se, e ele perguntou onde ficava a sala dos pequenos. Ela prontificou-se a mostrar, e caminharam juntos até o local.

Carlos mostrou-se satisfeito com o ambiente, decorado especialmente para as crianças e onde a coordenadora recebia cada uma com carinho. Deixando os filhos, fizeram o percurso de volta e pararam diante da livraria, ainda quase vazia.

— Vamos aproveitar? Quando o movimento aumenta é tão difícil ver os livros! — disse ele.

— Vamos. Estou precisando mesmo de um novo livro para ler — concordou ela, contente.

Entraram. Laura pensou em aproveitar o momento de tranquilidade, em que estavam praticamente sozinhos, para saber o que acontecia com ele, mas não sentia coragem suficiente para abordá-lo.

De repente, viu um livro sobre família e começou a examiná-lo. Carlos aproximou-se e, olhando a capa, se interessou:

— Estou precisando de um livro assim.

Laura olhou para ele e concordou que deveria ser interessante e instrutivo, ajudando nas relações familiares. Naquele instante, antes que ela pudesse pensar, as palavras vieram aos lábios:

— Doutor Carlos, eu percebi que o senhor não anda bem, está tristonho, abatido. Se estiver passando por algum problema e eu puder ajudar...

O médico fitou-a longamente e respondeu:

— Você é bastante perspicaz, Laura. Realmente, estou atravessando uma fase difícil, mas não quero falar sobre isso agora. Agradeço a boa vontade. Conversaremos outra hora, está bem?

– Quando o senhor quiser. Estou à sua disposição.

– Ótimo. Vamos? Está quase na hora de começar a reunião.

Naquela noite não se falaram mais. Após o término das atividades, ele sentia pressa de ir para casa e colocar os filhos na cama, apesar do convite de Alberto e Marita para que fossem comer alguma coisa em um restaurante.

Junior, Zezé, Bruninho e Mateus adoraram! Gertrudes e Marlene aceitaram, e então Laura, embora não muito disposta, não teve outro jeito senão acompanhá-los.

A preferência das crianças era uma pizzaria, e Alberto levou o grupo a uma casa excelente, que conhecia há muitos anos.

Comeram e conversaram bastante, em um ambiente agradável e alegre. Só não puderam demorar, porque os meninos teriam aulas logo cedo, no dia seguinte.

~

Alguns dias depois, Laura acordou disposta e resolveu fazer uma faxina na casa. Começou assim que as crianças saíram para a escola. Estava envolvida com a limpeza quando a campainha tocou.

"Quem será a essa hora?", pensou.

Abriu a porta e deu de cara com o médico.

– Doutor Carlos! Que surpresa!

Um pouco constrangido, ele justificou-se:

– Desculpe-me o horário, Laura. Ainda mais vir assim, sem avisar.

– Não se preocupe, doutor. Entre, por favor. Estou sozinha em casa. Fique à vontade. Só não repare em mim. Devo estar horrível assim: despenteada, de avental e vassoura na mão.

– Não se preocupe. Está bonita como sempre.

– Obrigada! – agradeceu, corando diante do elogio. – Sente-se.

Ele sentou e começou a falar:

– Sei que você está sozinha, Laura. Vim neste horário exatamente por isso. As crianças estão na escola e poderemos conversar com mais tranquilidade.

– Aceita um café?

– Se não for incomodar...

– Incômodo nenhum. Passei há pouco tempo. Com licença.

Laura saiu da sala e aproveitou para ajeitar os cabelos e tirar o avental. Voltou pouco depois com uma bandeja e duas xícaras. Serviu a visita e, pegando a sua xícara, sentou-se.

O médico tomou um gole de café e disse:

– Como você se colocou à minha disposição para ajudar, resolvi aproveitar sua boa vontade e procurá-la para desabafar.

– Fico contente que tenha se lembrado de mim. Doutor Carlos, nós recebemos tanto do senhor que o mínimo que posso fazer é ouvi-lo. Terei o máximo prazer se puder ajudá-lo de alguma maneira.

– Primeira coisa, Laura, somos amigos. Não me chame de doutor. Deixe isso para meus pacientes – protestou ele, sorrindo.

– Está bem, doutor... isto é, Carlos. É força do hábito.

Ele acabou de tomar o café e, colocando a xícara na mesinha, pigarreou, ganhando coragem para falar.

– Laura, você nada sabe da minha vida. Procuro separar bem a vida particular da profissional, e nosso relacionamento foi sempre dentro do hospital. Pois bem. Sou casado há dez anos com

Natália e tivemos dois filhos, que você conhece. Há cerca de dois anos, ela começou a ficar diferente, não cuidava mais das crianças e percebi que cada vez mais se afastava de mim. Tentei conversar, saber o que andava acontecendo, porém ela se manteve calada. Sugeri um psicólogo, qualquer um. Enfim, alguém com quem pudesse se abrir, mas rejeitou.

Carlos parou de falar, e Laura percebeu que ele estava muito emocionado. Aproveitando a deixa, ela comentou:

— Carlos, na vida de um casal, esses problemas podem surgir uma vez ou outra. Talvez seja só uma fase.

Balançando a cabeça, ele prosseguiu:

— Tem toda razão, Laura. No entanto, em nosso caso, Natália tomou uma atitude definitiva. Simplesmente saiu de casa uma noite e não voltou mais. Não sabemos onde ela está, com quem, se está bem, se está doente. Enfim, não sabemos o que está acontecendo! E isso é terrível, especialmente para Miguel e Mariana, que sentem bastante a falta da mãe. Tento fazer de tudo por eles, mas não é o mesmo. Como homem, as dificuldades são maiores, até porque não posso deixar de trabalhar. Natália ficava em casa o tempo todo, cuidando deles, e eu não posso fazer isso!

Laura estava perplexa:

— Meu Deus! Nunca teria imaginado que você estivesse passando por um problema grave assim. Já procurou saber dela em outros lugares?

— Sim! Primeiro, tentei obter notícias com os parentes dela, e eles garantiram-me que ninguém sabia de nada. Procurei as amigas, também ignoravam. Vasculhei em todos os hospitais, o necrotério, falei com a polícia, nada.

— Mas não é possível! Ela não pode ter evaporado no ar. Talvez estejam mentindo. Já pensou nessa hipótese?

— Certamente. Contudo, como tenho dúvidas, não posso acusar ninguém.

— Ela não poderia ter viajado?

— Pensei nessa possibilidade. Nas companhias aéreas não há registro nenhum. Quanto aos transportes rodoviários, tentei rastrear, mas até agora não obtive resposta. Estou aguardando.

— Compreendo como deve estar sofrendo e as crianças também.

— Entende como é difícil para mim? Naquela noite em que nos encontramos no centro espírita pela primeira vez, um amigo me sugeriu buscar ajuda espiritual, na oração... enfim, buscar Deus, de quem havia me afastado pelas contingências da vida. Foi bastante benéfico tê-los encontrado lá. Encheu-me de coragem e de esperança. Naquele dia, deixei meus filhos na companhia de uma senhora muito simpática, que gosta bastante deles, vizinha de apartamento e, ao voltar, pareciam mais serenos. A reunião de que participamos aqui, na sua casa, foi decisiva para que eu encontrasse mais ânimo e disposição para enfrentar os problemas.

Ele parou de falar por instantes e prosseguiu:

— Ainda não agradeci devidamente pelo convite à reunião em sua casa. Sou muito grato por tudo, Laura.

— Não me agradeça. Reconheço ser a maior beneficiada.

Ficou pensativa por instantes, tomou um gole de café, então perguntou:

— Carlos, como você explicou para seus filhos a ausência da mãe?

— Inventei que ela precisou viajar de repente para visitar uma tia distante e não houve tempo para despedir-se deles. Poucas pessoas sabem da verdade. Pedi à polícia que mantivesse sigilo, e tudo que fiz foi de forma discreta. Agora, estou de mãos atadas e sem saber o que fazer! Miguel e Mariana estão impacientes, perguntam sempre da mãe, e logo não poderei mais continuar mentindo. Terei de contar a verdade.

Inclinado, apoiando a cabeça com as mãos, parecia desesperado, sem saída. Ao vê-lo assim, Laura disse algumas palavras de consolo:

— Carlos, confie em Deus! Quando menos esperar, tudo se resolve, acredite. Tenho visto coisas que pareciam insolúveis se resolverem de uma hora para outra. Mesmo o que parece ser contra nós, não raro, é a solução às nossas dificuldades. Tenha paciência e aguarde. Acima de tudo, Deus vela por nós. Ore bastante, peça ajuda de Jesus e não se arrependerá.

Ouvindo aquelas palavras, ditas em voz mansa e suave, ele foi se acalmando. Levantou a cabeça, enxugando os olhos úmidos, e fitou-a comovido:

— Deus já me ajudou, Laura, quando me deu a ideia de vir procurá-la. Agradeço, de coração.

Também emocionada, ela procurou se controlar e sugeriu:

— Quanto às crianças, procure tornar a vida delas mais agradável, mais alegre, para que não tenham tanto tempo de pensar na mãe distante.

— Você tem razão, mas não sei o que fazer!

— Saia com eles, passeie, leve-os ao cinema, divirta-se. Você também precisa. Não pode só pensar em hospital, trabalho e pacientes. Deixe-os visitar os amiguinhos, dormir fora de casa, tudo isso ajuda. Aqui mesmo, em nossa casa, coloco-me à sua disposição para passar o dia com eles.

– Laura, estou surpreso. Nem sabe como está me ajudando. Abriu-me um leque de possibilidades. Tem razão. Meus filhos ficam em casa, apenas com a babá, e não está certo.

Olhando o relógio, lembrou-se de que precisava voltar ao hospital. Agradeceu mais uma vez, dando um abraço afetuoso na amiga, e depois partiu, deixando em Laura plena e agradável sensação de paz, alegria e bem-estar.

CAPÍTULO 21

Recebendo esclarecimentos

Embora um pouco rebelde, característica arraigada em seu íntimo como parte das imperfeições a serem trabalhadas, Afonso melhorava a olhos vistos.

Certo dia, os convalescentes receberam a notícia de que haveria uma palestra, à qual deveriam comparecer todos os pacientes com boas condições de entendimento presentes naquela ala do hospital.

Na enfermaria, a satisfação era generalizada. Aquela oportunidade quebraria a rotina hospitalar, e tudo o que quebrasse a monotonia em que viviam era bem-vindo. Arrumaram-se como há muito não faziam e, na hora marcada, foram levados ao salão onde aconteceria o evento. Conversando, animados, atravessaram um extenso jardim ladeado por magnífico conjunto de prédios. Mais à frente, depararam-se com grande construção, entre sóbria e elegante, para a qual se dirigiram. Aproximando-se, notaram outros grupos, vindos de diferentes direções, que se encaminhavam ao mesmo lugar.

À semelhança de um templo grego, a entrada era sustentada por imponentes colunas. Entraram por larga porta de vidro, admirados da beleza que viam em tudo. No amplo salão tudo transpirava leveza, harmonia e paz. Arranjos de flores contornavam as colunatas; no piso, lindos vasos de flores, colocados em espaços estratégicos, enfeitavam o ambiente, colorindo e espalhando o aroma suave e inebriante das flores. À frente, uma mesa revestida com toalha branca e, sobre ela, um arranjo igualmente belo.

Sentaram-se e aguardaram. Dentro em pouco, o enorme salão estava repleto. O público esperava com ansiedade, sem conhecer previamente a programação. Os médicos, psicólogos, enfermeiros e atendentes hospitalares, responsáveis pelos internos ali presentes, permaneceram de pé, no fundo e nas laterais do salão, vigilantes, para atendê-los se necessário, na ocorrência de qualquer eventualidade.

Pouco antes do horário marcado para o início das atividades, um grupo de pessoas trajadas de forma semelhante entrou em silêncio e posicionou-se à frente, na lateral direita, permanecendo de pé. Em seguida, três cavalheiros adentraram o recinto e tomaram assento à mesa. Diferentes na aparência e na idade, os três mostravam idêntica nobreza, distinção e bondade no olhar. O do centro, de mais idade, era o Diretor-Geral do Hospital. Tinha cabelos brancos, pele clara e olhos verdes. O da direita, responsável pelo Departamento de Atendimento Hospitalar, assemelhava-se a um dos discípulos de Jesus à época gloriosa em que o Mestre transitava pelo mundo: devia ter cerca de trinta anos, olhos e cabelos escuros, curtos, barba pequena e bem tratada. O da esquerda, com aparência de homem no vigor dos cinquenta anos, de olhos castanho-claros, tinha a cabeleira grisalha penteada para trás, fronte ampla e olhar que demonstrava determinação e fortaleza interior: era chefe do Departamento de Esclarecimento Hospitalar.

Assim que os três se acomodaram, iniciou-se um canto mavioso, como se entoado por seres angélicos. Admirados, os pacientes centralizaram as atenções no grupo postado à direita, que cantava. O som das vozes que entoavam lindas melodias tomou conta do recinto, como ondas de paz e harmonia que invadissem o ambiente. Bem-estar intraduzível dominou a todos, como se aqueles sons lembrassem os anjos e as regiões paradisíacas. Jamais ouviram músicas tão belas, e a emoção tomou conta do imenso auditório, levando cada um, inconscientemente, a refletir a respeito de suas vidas, erros praticados, tudo que poderiam ter feito e não fizeram.

Após três melodias, os componentes do coral sentaram-se e teve início a programação. Tudo sem pompa, com simplicidade jamais vista. Depois da oração, o responsável pela palestra ergueu-se. Era o chefe do Departamento de Esclarecimento, nobre espírito que há dezenas de anos se dedicava exclusivamente à coordenação das atividades desse setor.

Trajava uma túnica longa, e toda a sua pessoa exteriorizava simpatia e distinção. Seus olhos claros fitaram a assembleia ali reunida, e começou a falar sem afetação:

— *Abençoe-nos Jesus, o Celeste Amigo, a quem nos reportamos em todas as ações, buscando o amparo e o entendimento indispensáveis às nossas necessidades.*

Fez pequena pausa e, espraiando o olhar pela assistência, prosseguiu:

— *Caros irmãos! Não ignoramos que todos os que se encontram aqui reunidos sentem-se perdidos em divagações, procurando respostas para suas vidas, tentando entender o que está acontecendo.*

Encontram-se frustrados por não receberem visitas de familiares e amigos e julgam-se contidos em seus anseios. No entanto, há em vigor aqui, como em qualquer outro lugar do Universo, a Lei Divina. Durante a vida, pautaram ações considerando exclusivamente a própria vontade e seu poder de determinação, utilizando o livre-arbítrio sem avaliar devidamente os danos causados a si próprios e a outros. No âmbito familiar, agiram sem observar os mais evidentes deveres de respeito aos entes queridos, transformando suas vidas em verdadeiros tormentos. Na área profissional, da mesma forma, portaram-se de modo inconveniente, não raro prejudicando clientes e fornecedores, no afã de obter maiores lucros, quando empregadores; e, quando empregados, atuando contra os interesses da empresa e do patrão. Nos ambientes religiosos, detinham-se a exigir melhores condições de vida, estabelecendo pedidos descabidos e incompreensíveis, como se donos de direitos a que o Senhor da Vida devesse atender sem maiores delongas. Na verdade, em qualquer área de atuação, fossem patrões, empregados ou profissionais liberais, pensavam primeiramente em si mesmos, de forma egoísta, e pouco ou nada nos semelhantes, ainda que dissesse respeito à família consanguínea. No fundo, sempre vigorou o desejo de levarem vantagem em tudo, em detrimento dos demais. A existência transcorreu como se roubassem permanentemente da natureza tão dadivosa, destruindo animais, companheiros de jornada e servidores devotados, usurpando o amor e o carinho das pessoas, sem dar nada em troca. E, além disso, aniquilando a bênção da vida pelo consumo de substâncias nocivas, como o álcool, o tabaco, as drogas entorpecentes, a alimentação excessiva e/ou imprópria, além da prática de jogo e de outros vícios.

  O palestrante fez nova pausa, observando discretamente a assistência, para avaliar o efeito de suas palavras. Tocados no

É PRECISO RECOMEÇAR

fundo do coração, muitos choravam, favorecidos pelo ambiente preparado para recebê-los e despertar-lhes a consciência adormecida. O palestrante prosseguiu:

— *Todavia, meus irmãos, Deus é Pai de Justiça, mas também de Amor, Bondade e Misericórdia. Jamais abandona seus filhos, dando-lhes sempre novas oportunidades de aprendizado e crescimento. Jesus, em sua luminosa passagem pela Terra, assegurou: "Nenhuma das ovelhas que o Pai me confiou se perderá". O que significa isso? Que todos se salvarão, isto é, todos terão ensejo de vencer as imperfeições, transformando-se em pessoas melhores, mais conscientes, responsáveis e amorosas.*

"Sede perfeitos como vosso Pai Celestial também é perfeito". Quando Jesus proferiu essas palavras, os homens não o entenderam, porém o Mestre refere-se à imortalidade da alma e à evolução que deve nortear todos os espíritos. Meus irmãos, não existe a morte! Só existe vida, e há vida abundante em todos os lugares. Deus é o Criador do Universo, Pai de todas as criaturas, e não nos deixaria órfãos. Qual o pai, mesmo o mais ignorante, que deseja o sofrimento dos seus filhos? Nenhum! O sofrimento nos alcança quando nos afastamos das sábias Leis Divinas. Nosso Pai nos criou para sermos felizes; infelizmente, em certos momentos da existência, nos afastamos do caminho reto que conduz ao bem e nos infiltramos pelas veredas do mal, desperdiçando as divinas oportunidades que o Senhor nos confiara. Não por culpa de Deus, mas por nossa culpa!

Desse modo, tudo o que sofremos é consequência direta dos nossos atos, da nossa insanidade. Não se trata, porém, de castigo divino. É ensejo de aprendizado e de reparação perante aqueles que prejudicamos. E, para tanto, o Senhor nos dará sempre outras chances de voltarmos à Terra em nova existência, em que procuraremos fazer o melhor, saldando as dívidas contraídas no passado.

"A casa do Pai tem muitas moradas", disse Jesus. Qual é a casa do Pai? O universo! Então, em qualquer mundo e em qualquer lugar, estaremos sempre na casa do Pai e sob a sua proteção.

O palestrante calou-se por alguns segundos. Notava a expressão dos assistentes à sua frente: surpresos uma parte, atônitos outra, emocionados todos. Eles trocavam olhares entre si sem saber se entendiam direito as informações que chegavam. Todos, porém, choravam naquela hora de conscientização. Vinham à memória todos os erros cometidos, mas também imagens em que se viam deixando o corpo físico e tudo o mais que acontecera até aquele instante de encontro com a própria realidade. O palestrante tocara fundo seus corações.

Então, fitando emocionado a quem ali estava, ele prosseguiu:

— Reunidos hoje, aqui, somos todos seres que muito erramos e aos quais a Misericórdia Divina permitiu uma nova oportunidade. Não creiam que eu seja diferente de todos vocês. Também eu, pelo tempo, muito errei, prejudicando meus semelhantes, até que, cansado de sofrer, supliquei a Deus que me socorresse, e Ele concedeu-me nova ocasião de provar meus bons propósitos. Desde essa oportunidade, trabalho procurando fazer o melhor, servindo o quanto posso aos necessitados. Assim, todos os presentes também conseguirão se melhorar, crescendo espiritualmente e aprendendo cada vez mais. Pensem em tudo o que ouviram, meditem e reflitam, amadurecendo as ideias. Estamos aqui para esclarecê-los. Muita paz a todos!

E assim, sem cerimônia alguma, de maneira simples e despojada, o palestrante encerrou suas palavras e aguardou as perguntas que viriam.

Pouco depois, lá do meio do salão ouviu-se uma voz que soou clara em todo o recinto:

– *Pelo que entendi, estamos todos mortos?*

O palestrante sorriu levemente ao questionamento e respondeu:

– *O irmão sente-se morto? Certamente não, visto que está aqui conosco. Como afirmei antes, a morte não existe. O que existe é vida, sempre. Todos nós aqui presentes já deixamos o corpo físico, incapazes de manter por mais tempo a vida material, desgastada e rota pelos excessos. Todavia, nós somos espíritos, seres inteligentes e imortais, preexistentes e sobreviventes à morte orgânica. Assim, transpusemos os portais da morte física e estamos na verdadeira vida: a vida do espírito.*

– *Então, não voltaremos mais à Terra? E meu marido, meus filhos que lá ficaram? Jamais tornarei a vê-los?* – indagou aflita uma senhora, em lágrimas abundantes.

Com delicadeza e imensa piedade, o palestrante informou:

– *Ao contrário, minha irmã. Voltará à Terra assim que estiver em condições melhores de entendimento e controle das emoções. Quando isso acontecer, poderá realmente ajudá-los. Agora, somente iria perturbar-lhes a existência com seu mal-estar.*

– *É por isso que não recebemos visitas? Por estarmos mortos?* – perguntou um senhor empertigado, de óculos.

– *Todos os irmãos aqui presentes gostariam de receber visitas de familiares e amigos como acontecia na Terra, mas isso, no momento, não é possível. É importante que compreendam que estamos em outra realidade, e nem sempre as pessoas conseguem entender esse fato e agir como se faz preciso. Tanto é verdade que muitos, dentre os presentes, receberam visitas de familiares e amigos conscientes da realidade do espírito*. *As visitas serão permitidas, como afirmei, assim que estiverem em condições, tanto vocês quanto os encarnados.*

Afonso, e seus companheiros de enfermaria, chorava sentidamente. Sim, era verdade! Ele tinha recebido a visita de Laura, que lhe trouxera um vaso de flores, acompanhado de amoroso cartão. E também tinha a sensação de ter visto seu pequeno Bruno no quarto, ao pé do seu leito. Não conseguia definir o estado em que estava, mas era como se, embora dormindo, tivesse sonhado com o filho caçula ali, junto dele.

Um sujeito de expressão dura e desconfiada interrogou com arrogância ao digno palestrante:

– *Mas por que uns têm direito de receber visitas e outros não? Sou advogado e vejo nessa atitude uma infração aos nossos direitos, sugerindo preferências e mordomias inadmissíveis.*

Com tranquilidade e paciência, o palestrante informou:

– *Aqui, meu irmão, onde agora se encontra, como em todo o universo, vigem as Leis de Deus, eternas e imutáveis, diferentes daquelas que estava acostumado a lidar, humanas, falíveis e temporárias. Nesta etapa da vida, agimos conforme as Leis de Amor, expressamos a fraternidade por intermédio de nossos sentimentos e pensamentos. Lá, no planeta, é possível enganar os homens, colorindo com o manto de virtude aquilo que expressa simplesmente egoísmo, ganância, corrupção, defesa dos próprios interesses, em contraposição aos dos nossos semelhantes. Aqui, tudo fica muito claro e não se pode esconder nada de ninguém. Assim, quando os pacientes receberam visitas, é porque os visitantes estavam vibrando em ondas de amor e luz. Se eles conseguiram chegar até aqui, é porque têm condições mentais, morais e espirituais, aquelas que vocês ainda não adquiriram.*

O cavalheiro, que se preparava para retrucar, calou-se, surpreendido, baixando a cabeça, envergonhado, com a certeza de que aquele homem sabia a verdade a seu respeito. Não saberia explicar, mas sentira que ele lia em seu íntimo como num livro aberto, não ignorando como agia em relação aos negócios, aos casos que atendia, e mesmo como tratava a família.

O orientador, dando por finalizada a reunião, considerou:

– *Creio que todos receberam as informações necessárias por hoje. Para mais esclarecimentos, aconselhamos a participação em grupos de estudo, para os quais serão abertas turmas novas. As adesões serão feitas no fundo da sala, onde temos servidores que os atenderão. Que Jesus os abençoe!*

Desceu os dois degraus que o separavam da assistência, assim como os outros dois componentes da mesa, e foram integrar-se aos participantes, cheios de curiosidade, dúvidas e perplexidade diante de tudo o que ouviram, para conversar com eles e esclarecê-los. Os médicos, enfermeiros e atendentes também se colocaram à disposição daqueles que quisessem mais informações.

Aos poucos, o imenso salão foi se esvaziando, e retornaram todos ao hospital. A animação da chegada fora substituída pela reflexão, que os mantinha calados e pensativos.

Tudo isso era parte importante do tratamento, pela conscientização da nova realidade e preparação para novas etapas.

CAPÍTULO 22

A REALIDADE DE CADA UM

Retornando às enfermarias, os convalescentes mantinham-se calados e introspectivos. Muitos choravam, incapazes de aceitar a nova condição de mortos-vivos. Outros, perplexos ante a novidade da informação, alegraram-se por saber que a vida prosseguia, afastando o fantasma aterrorizante da morte. Outros ainda, que ansiosamente aguardavam o retorno ao lar após a cura, sentiam-se inconformados diante da porta que se lhes cerrara para a vida material, revoltados por não poderem mais voltar ao lar, na mesma condição de antes, nem rever os entes queridos. Ainda outros, apegados às riquezas, aos negócios, aos seus bens, pareciam enlouquecidos: os olhos chamejantes agitavam-se nas órbitas, refletindo sobre tudo o que foram obrigados a deixar na Terra.

Na enfermaria onde estavam Afonso e seus companheiros, quando o médico veio para a visita rotineira, crivaram-no de perguntas, incapazes de conter a ansiedade. Um deles, particularmente, suplicou:

– *Doutor Henrique! Peço que fale com seus superiores em relação ao meu caso, em especial. Não sabia que me estava destinado rumo diferente, por isso não tomei as devidas providências para ausentar-me. Tenho muitos bens, negócios a zelar, uma grande empresa que depende de minha orientação. Não posso ficar aqui, alheio ao que está acontecendo "lá". Minha esposa é excelente mulher, porém nada sabe de gerência de negócios e, portanto, não conseguirá levar adiante meus compromissos. Necessito, pelo menos, de tempo para dar algumas orientações básicas, imprescindíveis à gerência dos nossos bens. Preciso voltar imediatamente! Sei que pode conseguir isso para mim!*

O médico deixou que ele falasse sem interromper. Depois, cheio de piedade e com muita paciência, respondeu:

— *Ambrósio, antes de tudo, como médico, devo zelar pela sua saúde. Peço que mantenha a calma para não piorar seu estado tão promissor. Depois, preciso dizer que talvez não tenha entendido a situação: ninguém pode mudar a sua realidade. Meu irmão, você já transpôs os portais da morte física e encontra-se em recuperação em um hospital do mundo espiritual. Durante a existência, teve o tempo necessário para preparar alguém que o substituísse. Por várias vezes, recebeu alertas da bondade divina, por intermédio de problemas de saúde, cuja função era levá-lo a refletir na precariedade da vida orgânica. No entanto, o irmão não lhes deu atenção, ignorando a possibilidade da morte física. Preferiu interpretá-los à sua maneira, como um aviso para trabalhar mais, aproveitar melhor o tempo.*

Enquanto o médico falava, Ambrósio voltava ao passado, revendo a existência, as dores fortes no peito e os conselhos de parentes e amigos, que tentavam convencê-lo a mudar de vida. Disseram-lhe que deveria se cuidar. Deixasse um pouco o trabalho, preparando o filho para substituí-lo; usasse o tempo para ter melhor qualidade de vida, dedicando algumas horas para exercícios físicos e para a família; e, especialmente, deixasse a bebida e os companheiros de copo, que apenas lhe complicavam a existência. O próprio médico da família, certa ocasião, o alertara para a conveniência de parar com as bebidas alcoólicas, se quisesse continuar vivendo, pois estava sujeito a vários problemas de saúde.

O paciente torcia as mãos nervosamente, reconhecendo que todas as advertências eram verdadeiras, mas, à época, só via o interesse de todos em apropriar-se da empresa. Enquanto ele revia as cenas da sua vida, o olhar enlouquecido fixava-se em um ponto indefinido.

– *Por piedade, ajude-me! Preciso voltar para casa! Não posso permanecer aqui contra minha vontade. Sei que poderia ter agido diferente, mas somente agora reconheço essa realidade. Então, dê-me outra oportunidade, doutor! Não entende que vão acabar com tudo o que me pertence? Levei a vida inteira para construir um patrimônio e agora vou deixar que o roubem, dilapidando tudo o que tenho? Não, não permitirei!*

Henrique fitou penalizado o enfermo à sua frente, incapaz de aceitar a realidade que se lhe impunha, e reconheceu a inutilidade de continuar tentando convencê-lo. Afonso e os demais internos observavam a conversa, assustados com a reação de Ambrósio.

O médico apertou discretamente a campainha e, em questão de segundos, dois enfermeiros entraram. Henrique mansamente se aproximou de Ambrósio, colocando-lhe a mão sobre a cabeça e o envolvendo em vibrações consoladoras. Quando o paciente se acalmou, fechando os olhos e caindo em sono profundo, os enfermeiros o colocaram em uma padiola, retirando-o do quarto. O médico olhou para os demais e os tranquilizou:

– Não se preocupem. Ele ficará bem.

– O que houve, doutor? – indagou Afonso.

– O pensamento é tudo, e nosso amigo está excessivamente preocupado com as coisas da Terra, a ponto de perder o pouco equilíbrio tão duramente conquistado.

– O que acontecerá com ele? – perguntou Celestino.

– Terá o tratamento que precisa.

– Por que Ambrósio foi retirado daqui? – quis saber Pedro.

– Nas condições em que ele está, necessita de local mais condizente com seu problema. Não se inquietem. Ele ficará bem, e quem sabe poderá voltar para o convívio de vocês?

Depois, desejando mudar o clima da enfermaria, sorriu e passou para outro leito:

– Bem. Continuemos. Como está se sentindo, Antônio?

– Estou bem, doutor, embora preocupado com as informações que tivemos.

Os demais concordaram unanimemente. Diante da reação geral, Henrique considerou:

– Não existe razão para isso! Vejamos. Prefeririam que não houvesse a continuidade da vida? Que estivessem realmente mortos?

Os pacientes a um só tempo responderam:

– Não!

– Isso mesmo. Claro que não! Essa realidade mostra a grandeza, a justiça, a misericórdia e a bondade de Deus para conosco, seus filhos. Caminharemos sempre para a evolução, por meio de vidas sucessivas, que nos tornarão melhores moral e intelectualmente. A verdadeira vida é espiritual. Dela partimos para a existência física e para ela retornaremos invariavelmente. Assim, temos amigos tanto na Terra quanto no plano espiritual. Quando encarnados, os que nos amam e *estão no Além poderão nos ajudar. Depois, a situação se inverte, e somos nós os protetores. Vocês, quando se adaptarem ao mundo espiritual e estiverem em melhores condições de elevação e aprendizado, poderão auxiliar suas famílias!*

No olhar daqueles pacientes, ele viu brilhar uma luz diferente.

— *Viram como tudo na verdade tem sua importância e beleza? Por isso, é imprescindível que se matriculem no curso oferecido, para obterem mais informações.*

— *Interessante! Olhando por esse ângulo, fica fácil de entender e de aceitar* — comentou Pedro.

— *Sem dúvida!* — concordou Afonso, prosseguindo — *Henrique, é por essa razão que, às vezes, encontramos pessoas pela primeira vez e elas nos parecem conhecidas?*

— *Sim. Quando encontramos alguém e sentimos simpatia ou antipatia, podemos estar certos de que não estamos nos encontrando pela primeira vez e que já estabelecemos laços de afeto ou de desafeto com aquela pessoa. Não existe acaso na Criação. Tudo tem uma razão de ser. Se não a conhecemos nesta vida, é porque a solução está no passado, próximo ou remoto. Não é bom saber que encontraremos aqueles que amamos e teremos oportunidade de reparar os erros cometidos contra outras pessoas?*

Todos concordaram, enxergando com mais amplitude os problemas da vida e sua dimensão no tempo e no espaço.

Os internos estavam mais tranquilos e desejavam continuar perguntando, mas Henrique se despediu para continuar seu trabalho.

— *Estarei à disposição de vocês para esclarecimentos sempre que quiserem. Agora, porém, meu tempo é curto. Até mais tarde!*

Com o passar dos dias, a vida adquiriu outro colorido. Vez por outra, recebiam visitas de familiares e amigos habitantes do Além. Não raro, a presença de um familiar querido encarnado que, rompendo as barreiras espirituais, vinha estar com eles, passar algumas horas durante o repouso do corpo físico. Eles, porém, apesar da ansiedade, ainda não tinham tido permissão para voltar ao lar terreno.

Faziam cursos para compreender melhor a vida no Além e participavam de reuniões em que o estudo do Evangelho era ministrado para despertar-lhes o senso moral e a conscientização dos erros, próprios ou de outros.

O tempo foi passando. Nunca mais viram Ambrósio. Quando buscavam informações, asseguravam que ele estava bem, mas precisava de mais algum tempo para voltar ao convívio dos amigos.

∼

Três anos se passaram...

Afonso se esmerava no aprendizado e no serviço de socorro aos recém-chegados e estava confiante. Os benfeitores lhe asseguraram que, se continuasse se esforçando por melhorar, receberia a oportunidade de voltar à Terra e visitar a família.

Estimulado, dedicou-se ainda com mais afinco à execução de suas tarefas. Morava com os companheiros da enfermaria, em um quarto fora do hospital, exercitando o livre-arbítrio e a responsabilidade.

Alguns meses depois, ficou sabendo que um grupo, do qual fazia parte um amigo seu, partiria em visita ao plano físico.

Inconformado, queria uma justificativa para o fato de não ter sido convidado. O responsável pelo grupo de estudos do qual ele participava o chamou para uma conversa particular.

Afonso, que agora transitava com familiaridade em todos os espaços, conhecendo bem o departamento a que tivera acesso, levantou-se cedo e dirigiu-se ao gabinete do orientador, que o esperava. Introduzido na sala, cumprimentou Vicente, que o convidou a sentar-se.

Incapaz de se conter, Afonso foi logo questionando:

— *Estou sabendo da caravana que irá à Terra dentro de uns dias. Quero ir junto, irmão Vicente.*

Observando a ansiedade do recém-chegado, Vicente explicou, sereno:

— *Afonso, é verdade que, em uma semana, vamos em uma caravana para o plano físico. Infelizmente, desta vez, você ainda não poderá ir conosco.*

— *Por que não, irmão Vicente? Creio que tenho correspondido à expectativa de meus superiores* — afirmou ele, coração aos saltos.

— *Estou ciente de seus esforços, Afonso. Todavia, temos dúvidas quanto à sua reação diante da realidade. Você não ignora que tem ligações fortes com o vício e não podemos submetê-lo a uma situação de perigo. Quando estiver melhor, mais consciente, não tenha dúvidas de que o levaremos para uma visita ao seu lar.*

Afonso tentou de todas as maneiras, usou de todos os recursos, sem obter sucesso. Para finalizar, suplicou ainda uma vez:

— *Tenho certeza de que posso me sair bem, caro irmão Vicente. Se permitir minha ida, ficarei eternamente agradecido pela oportunidade e tudo farei para não decepcioná-lo.*

– Lamento, Afonso. Não depende de mim. A decisão é tomada por um grupo que, baseando-se no prontuário de cada um, escolhe quem tem mais probabilidades de sucesso.

– Então, por misericórdia, submeta o meu pedido formal.

– Não posso fazer isso. Aceite essa decisão.

– Por favor, Vicente! Pelo menos me diga quem faz parte desse grupo. Eu mesmo posso falar com eles!

Diante das súplicas de Afonso, que se mostrava inflexível e determinado na vontade de rever os familiares, e em vista de tanta insistência, Vicente acabou cedendo.

– Está bem. Falarei com eles. Mas, lembre-se, você ficará responsável por qualquer coisa que venha a acontecer.

– Aceito.

– Muito bem. Quando tiver a resposta, virei avisá-lo.

– Obrigado! Obrigado! Não se arrependerá, irmão Vicente. Minha conduta será irrepreensível! – exclamou Afonso, eufórico, saindo da sala.

Na tarde daquele dia, Vicente o procurou:

– Seu pedido foi aceito, com reservas. Assim, nesses dias que antecedem a caravana, você receberá orientações de como se comportar. Aqui, o ambiente preservado é favorável à recuperação. Lá, em meio às tempestades vibratórias, como você estudou, será bem mais difícil. Todavia, estaremos juntos, ajudando nessa adaptação e fortalecendo você em caso de necessidade.

Afonso agradeceu ao orientador e saiu como se estivesse planando no ar. Atravessou praças, jardins e conjuntos de prédios com o coração a bater descompassado. Alguém perceberia sua presença? Poderia mandar algum recado? Como encontraria tudo? Sua mente estava a mil!

É PRECISO RECOMEÇAR

Em sua tela mental, revia a casa: os filhos pequenos levantando-se para ir à escola, Laura fazendo o café da manhã, ele saindo para o trabalho. O desejo de abraçar a todos era muito grande. Vezes sem conta, revia-se chegando e sendo recebido com o maior carinho, ante o olhar de surpresa dos entes queridos.

Dirigiu-se ao setor de preparação, encontrando a maioria dos integrantes da caravana, composta de desconhecidos, com exceção de Luciano, que fazia parte do seu grupo de estudos. Mendes, Álvaro e ele, todos eram estreantes. Cada um falou um pouco de si mesmo, para que se conhecessem melhor, o que era fundamental para criar afinidade entre eles. Na equipe espiritual, seguiam Galeno, Vicente, César Augusto e eu, Eduardo.

No dia marcado, era bem cedo quando os componentes da caravana se reuniram no local combinado: diante do Grande Templo da Paz. Após a chegada de todos, dirigiram-se ao interior do templo, onde oraram, suplicando as bênçãos divinas para as atividades que realizariam.

Em seguida, saíram. Uma grande condução, semelhante a um ônibus, com a particularidade de não ter janelas, já os esperava. Afonso pensou, questionando intimamente, qual a razão de um ônibus tão grande se eles eram poucos. Todavia, os grupos começaram a sair do templo, e cada um tomou assento. Dentro em pouco, o veículo estava lotado.

Chegada a hora da partida, a ansiedade era geral. Mendes, de descendência hispano-americana, demonstrava muito medo. Álvaro e Luciano, embora tensos, mantinham silêncio; Afonso, ansioso. Em poucas horas, o nosso "ônibus espacial", como os novatos passaram a chamá-lo, descia suavemente. Logo a porta foi aberta e nos deparamos com um lindo dia de sol.

CAPÍTULO 23

UM DIA DIFERENTE

Depois de vários dias de chuva, vento e frio, a natureza mostrava-se radiante. Os dias nevoentos do inverno foram substituídos pela aproximação da primavera. As árvores sem folhas enfeitavam-se com brotos novos, as flores desabrochavam, e as pessoas, a exemplo da natureza, sentiam-se mais bem-humoradas e alegres.

Naquele sábado, especialmente, nossos amigos encarnados combinaram de fazer um passeio em belo parque da cidade. Levariam um lanche e passariam o dia ao ar livre, aproveitando a temperatura amena.

Bem cedo, Carlos e os filhos, Mariana e Miguel, chegaram à casa de Laura. Vestidos com roupas esportivas, risonhos e animados.

– Bom dia! Como estão todos? Espero que os garotos já estejam de pé! – disse Carlos, cumprimentando carinhosamente a dona da casa.

– Eles não apenas estão acordados, mas arrumados! Acha que perderiam tempo para um passeio?

Miguel e Mariana foram até o quarto dos meninos, onde eles colocavam em uma mochila os apetrechos esportivos: raquetes e bola de frescobol, bola de futebol, corda e tudo o mais que lhes pudesse ser útil.

Logo estavam todos na sala, ansiosos para a saída. Gertrudes e Lurdinha, que preparavam lanches na cozinha, apareceram com a cesta de quitutes.

– A julgar pela cesta, vamos alimentar um batalhão! – brincou o médico.

– O senhor não sabe como esse povo come, doutor! Não há o que chegue para eles! – brincou Lurdinha, apontando para as crianças já reunidas na varanda.

Em seguida, chegaram Marlene e Mateus, integrando-se ao grupo.

– Bem, como já estão todos aqui, vamos embora! Não podemos perder tempo! – disse Laura em voz alta.

Distribuíram-se nos carros de Carlos e Marlene e partiram, entusiasmados. Em vinte minutos chegaram ao parque. Retiraram os apetrechos e, após escolherem um lugar agradável, se acomodaram em um lindo e extenso gramado, uns cinquenta metros das margens do lago, debaixo de frondosas árvores. Os garotos maiores pegaram a bola de futebol e começaram a jogar. Os menores, as raquetes e a bola de frescobol. Marlene levara seu cãozinho Pipo, e a pequena Mariana, encantada, ficou brincando e correndo com ele pelo gramado.

Os adultos, sentados na grama, observavam tudo. Gertrudes, Marlene e Lurdinha resolveram caminhar, e Carlos ficou fazendo companhia à Laura.

É PRECISO RECOMEÇAR

Apreciando aquele momento de paz, alegria e descontração, Laura suspirou. Carlos, deitado a seu lado, pegou um talozinho de grama e, passando-o de leve pelo braço dela, murmurou suavemente:

— Está tão distante! Em que está pensando?

Ela virou-se para ele, sorridente e emocionada:

— Você imaginaria que, após quatro anos de tantos problemas e sofrimentos, poderíamos estar aqui, aproveitando este dia fantástico, serenos e contentes?

Ele meneou a cabeça negativamente.

— Não. Pensei que nunca mais eu e meus filhos pudéssemos ser felizes. A partida de Natália tirou-nos o chão. Especialmente o das crianças.

— Eu também pensei assim. Naquela época em que Afonso estava no hospital, e minha rotina era de casa para lá e de lá para casa, olhava meus filhos e pensava: o que será da nossa vida? Eu não via perspectivas! Tudo para mim era escuro, nebuloso.

— No entanto, tudo mudou. Graças à Doutrina Espírita, que entrou em nossas vidas, hoje enxergamos de forma diferente: temos mais consciência, responsabilidade e entendemos várias coisas que não entendíamos antes – disse ele, fitando o lago.

— Exatamente – concordou Laura, pensativa.

Ele sentou-se ao lado dela e, timidamente, sugeriu:

— Acho que até podemos começar a pensar em nós mesmos. Não me olhe com essa cara de espanto! Você sabe o que sinto por você, Laura. E sei que não lhe sou indiferente. Por que não começarmos uma vida juntos, unindo nossas famílias? Somos duas famílias capengas: uma pela falta de um pai, outra pela falta da mãe. Aposto que as crianças vão gostar!

— Não sei não, Carlos. Precisamos pensar bem... – disse, reticente.

— E será que já não pensamos o suficiente? Eu, pelo menos, confesso que tenho refletido bastante sobre este assunto. O que nos impede? Você é viúva e eu também. Desde que ficamos sabendo do acidente fatal ocorrido com Natália, desvendou-se o mistério. As crianças sofreram muito, mas agora estão bem.

— Você tem razão. Nada nos impede. No entanto, preocupo-me com a situação de Afonso do "lado de lá". Será que ele está bem, completamente recuperado? Aceitará nossa união?

— Se é assim, também devo pensar o mesmo de Natália. Ela aceitará nosso casamento?

— É diferente, Carlos. Natália abandonou você e os filhos, que não é o caso de Afonso.

— Realmente, não. Todavia, Afonso, se não os abandonou fisicamente, o fez moralmente, ao entregar-se à bebida de tal modo que se afastou da família, mesmo encarnado; pelos seus excessos, comprometeu a saúde orgânica, acabou morrendo e deixando a família ao abandono – concluiu o médico, pensativo.

— Ai, meu Deus! Por que estamos falando disso agora? Senti um arrepio gelado a essa lembrança. Vamos tomar alguma coisa? – disse ela, estremecendo.

— Vamos. Acho que estamos precisando. O que você deseja? Tem uma barraquinha logo ali em cima, à esquerda.

— Quero um suco, se tiver.

Carlos levantou-se, limpando a roupa e correu até a barraca. Voltou trazendo dois copos de suco de laranja. De repente, as crianças começaram a chegar esfomeadas. Laura abriu uma grande toalha xadrez na grama e foram colocando os lanches que cada um tinha trazido: sanduíches, bolos, tortas salgadas, pães de queijo, biscoitos, além de garrafas térmicas contendo leite com chocolate e café, frutas e muito mais. Para acompanhar, compraram sucos e refrigerantes. Gertrudes, Marlene e Lurdinha voltavam da caminhada. Sentaram-se todos em torno da toalha e comeram bastante. Brincaram, riram e se divertiram à vontade.

Depois do lanche, alguns estavam cansados e se deitaram. Outros foram passear no trenzinho, que fazia uma grande volta turística pelo parque. Carlos, Laura e Mariana foram juntos. Adoraram o passeio!

O dia passou entre brincadeiras, jogos, passeios, conversas e leituras. Todos se sentiam felizes como nunca.

Quando o sol iniciou sua descida no horizonte, lá pelas cinco da tarde, eles começaram a recolher as coisas, preparando-se para retornar. Eram quase seis horas quando conseguiram reunir o grupo todo e deixar o parque. Despediram-se, pois alguns iam direto para casa, como Marlene e Mateus; com eles, Lurdinha. Carlos, cujo carro era maior, levaria seus filhos, Laura e família e Gertrudes, sua vizinha.

Chegando à casa de Laura, Carlos despediu-se de Gertrudes e dos meninos. Depois, baixinho, sussurrou no ouvido de Laura:

— Pense em tudo o que conversamos.

— Pensarei. Obrigada pela carona, Carlos. Um beijo, crianças!

Aguardou que o carro partisse para entrar em casa. Estava cansada, mas satisfeita.

— Para o banheiro, meninos! Tomem um bom banho que eu vou ver o que temos para comer.

— Comer? De novo? — reclamou Bruninho. — Já comi demais, mamãe!

Os outros concordaram, e Laura desistiu de preparar o jantar. Da sala, podia ouvir as risadas deles, comentando as brincadeiras, os tombos, os gols e tudo o que ocorrera durante o dia.

Chegando ao seu quarto, sentiu um ambiente estranho, enquanto arrepios gelados lhe percorriam o corpo.

"O que está acontecendo? Tivemos um dia ótimo, tranquilo, e tudo correu bem".

Banhou-se, vestiu a camisola e preparou-se para assistir à televisão e ler um pouco. Fez um chá de hortelã e sentou-se no sofá da sala.

No entanto, não conseguia concentrar-se no telejornal. Seu pensamento estava confuso. A imagem do falecido marido, insistentemente, aparecia em sua tela mental, mas não com a calma que ela esperava. Ele parecia irritado, nervoso, lembrando o Afonso dos últimos tempos que passara em casa.

Novamente, se perguntou baixinho: "O que está acontecendo?"

Começou a ficar com medo. De repente, o telefone tocou, e ela deu um pulo, assustada. Trêmula, tirou o fone do gancho.

— Alô?

— Laura, estou telefonando para desejar uma boa noite de sono.

Ela ouviu a voz carinhosa e suave de Carlos e, em um primeiro momento, ficou contente, depois reagiu como se estivesse fazendo algo errado:

— Não posso falar com você.

— Mas por quê?
— Amanhã conversaremos.

Desligou sem ouvir o que ele dizia:

— Boa noite, querida. Tenha lindos sonhos!

Do outro lado, Carlos escutou o barulho do telefone desligado e ficou perplexo. Por que essa reação dela? Despediram-se e parecia tudo bem! Não, ele não poderia aceitar isso. Alguma coisa acontecera. Laura estava assustada, tinha certeza. Notara isso pela sua voz.

Carlos colocou as crianças na cama e deu-lhes um beijo de boa noite.

— Preciso dar uma ligeira saída. Pedirei à dona Virgínia que fique um pouco com vocês, está bem?

— Pode ir, papai. Ficaremos bem.

— Voltarei logo. Durmam bem! — e levou a mão aos lábios, mandando-lhes um último beijo.

Pegou as chaves do carro, saiu do apartamento e tocou a campainha da porta ao lado.

— Boa noite, dona Virgínia. Perdoe-me incomodá-la, mas preciso dar uma saída. Por gentileza, a senhora pode olhar as crianças para mim?

Simpática, a senhora sorriu e o tranquilizou:

— Vá em paz, doutor Carlos. Não vou sair e ficarei com eles o tempo que precisar.

Ele agradeceu e entregou uma cópia da chave a ela, como sempre fazia.

Chamou o elevador, que o levou direto à garagem. Rapidamente estava na rua. Alguns minutos depois, tocou a campainha da casa de Laura.

Como não esperava ninguém, ela estranhou. Abriu a porta e deu de cara com o médico.

— Carlos! O que faz aqui?

— Laura, desculpe-me, mas fiquei preocupado com você. Não me pareceu bem, como se estivesse com medo. Aconteceu alguma coisa?

Ela desculpou-se por estar de camisola.

— Com licença. Vou me arrumar melhor. Aceita um chá de hortelã, ou qualquer outro?

— Aceito. De hortelã está ótimo.

Ela foi até o quarto e apanhou o penhoar. Em seguida, dirigiu-se à cozinha e voltou com o chá, fumegante. Ele pegou a xícara e sentou-se perto dela.

— E então?

— Então o quê?

— O que tem para me dizer, Laura?

Ela respirou fundo e ficou calada por alguns instantes. Ele aguardou pacientemente. Afinal, disse baixinho:

— Não sei o que está acontecendo comigo, Carlos.

— Por que está falando tão baixo? Vejo que você não está bem mesmo! Discutiu com os garotos?

— Não. Está tudo bem com eles.

— Então, foi algo que alguém disse? Talvez o que eu tenha dito?

— Não, Carlos.

— Algo que você viu na televisão? Hoje os programas só mostram violência e tragédia! Não me admira...

— Por favor! Não! Nada disso.

— Então, seja sincera comigo Laura. Você não quer saber de mim?

— Pelo amor de Deus, Carlos, pare de me fazer perguntas! Não é nada disso. Ouça! Eu mesma não sei o que é. Quando entrei em casa, senti um ambiente diferente. Fiquei toda arrepiada. Tomei banho, fiz o chá e sentei-me aqui para assistir ao jornal, mas pensamentos estranhos começaram a invadir minha cabeça. Como se meu falecido marido estivesse aqui, nervoso e irritado com tudo. Depois, parece que ele ficou mais calmo. Era como se eu o ouvisse falar, mas não entendesse o que ele dizia.

Ela olhou para o homem à sua frente, e seus olhos se encheram de lágrimas.

— E foi assim que a paz e o equilíbrio, tão duramente conseguidos, foram por água abaixo, Carlos. Não entendo... não entendo...

A fisionomia dele abrandou-se e, achegando-se a ela, abraçou-a com imenso carinho, murmurando:

— Calma, minha querida, calma! Serene seu coração! Você não ignora a existência do mundo espiritual e sua interferência em nossas vidas. Isso não é nada.

Como se só naquele momento ela tivesse se lembrado dessa realidade, balbuciou:

— É verdade! Como não pensei nisso antes?

— Então, vamos fazer uma prece e pedir a bênção de Deus para quem estiver aqui.

Ela fechou os olhos, e Carlos, elevando o pensamento, rogou ao Senhor que abençoasse aquela casa, a família e quem mais estivesse ali. Se alguém precisasse de socorro, que pudesse ser encaminhado para a casa espírita, onde receberia o atendimento necessário.

Quando ele terminou a oração, Laura estava bem melhor.

– Carlos, sinto que é o Afonso que está aqui conosco.

– Também penso a mesma coisa.

– Então, por que ele estava bravo, nervoso?

Carlos refletiu um pouco e respondeu:

– Talvez por não ter encontrado tudo do jeito que deixou, Laura.

– Acha mesmo isso?

– Acho. Estive pensando. Lembra-se de que, enquanto estávamos conversando sozinhos lá no parque, você sentiu um arrepio estranho?

Ela levantou a cabeça, que estava apoiada no peito dele.

– É verdade! Será que ele escutou nosso diálogo?

– É possível. Também percebi algo estranho.

– Meu Deus! Não queria magoá-lo.

– Eu sei, querida, mas você tem o direito de reconstruir sua vida.

– E agora? – indagou, temerosa.

– Agora nada. Tudo continua do mesmo jeito.

Vendo que ela já se mostrava bem, ele olhou para o relógio:

– Preciso ir, Laura. Dona Virgínia está tomando conta dos meninos e não posso abusar da boa vontade dela.

– Pode ir tranquilo, Carlos. Estou bem. Obrigada.

– Se sentir algo, me avise. Virei correndo.

– Não, estou bem. O chá me deu sono. Vou deitar e dormir. Boa noite e obrigada por tudo.

– Boa noite, Laura. Amanhã nos veremos.

Ela fechou a porta e, encaminhando-se para o quarto, verificou que os meninos estavam calados, sinal de que haviam dormido. Entrou em seus aposentos, deitou-se e ainda tentou ler uma página do Evangelho, mas não conseguiu.

Mergulhou em sono profundo.

CAPÍTULO 24

Visitando o lar terreno

Ao descer do "ônibus espacial", como carinhosamente passaram a chamá-lo, vimo-nos diante do prédio onde funcionava um centro espírita. Fomos recebidos com imenso carinho pelos trabalhadores espirituais da casa.

Galeno informou que ali seria nosso abrigo e ponto de encontro. Após visitarmos a instituição, conhecendo suas inúmeras atividades, os anfitriões nos deixaram a sós para que pudéssemos conversar e estabelecer as diretrizes para as atividades do dia.

O responsável pela nossa caravana explicou aos tutelados:

– *Eduardo, César Augusto, Vicente e eu temos tarefas específicas a realizar. Quanto a vocês, terão oportunidade de visitar as famílias terrenas. Cada um será levado até o próprio lar e deixado por algumas horas em visita aos entes queridos. Reitero, todavia, as orientações fornecidas: mantenham o próprio controle e conservem o equilíbrio, seja qual for a situação com que se deparem. Lembrem-se de que os encarnados raramente percebem a presença dos desencarnados. Assim, não fiquem tristes nem decepcionados se não puderem ser notados. Qualquer problema que surja, entrem em contato vibratório conosco, por meio do pensamento, da oração, que imediatamente os socorreremos.*

Galeno fez uma pausa e, fitando cada um, indagou:

– *Alguma dúvida?*

– *Durante quanto tempo ficaremos sozinhos?* – quis saber Álvaro.

– *Sozinhos, nunca estarão, repito. Porém, ficarão durante todo o dia no lar terreno. Se tudo correr bem, somente à noite passaremos para vê-los.*

– *O prazo é curto! Por que não podemos ficar mais tempo?* – perguntou Afonso.

– *Conforme tiverem se saído neste primeiro dia de experiência, o tempo poderá ser aumentado. Depende de cada um. Entenderam? Mais alguma dúvida?*

Como todos movessem a cabeça negativamente, Galeno disse:

– *Ótimo. Então, façamos uma prece e vamos.*

O generoso benfeitor fechou os olhos e proferiu bela oração, pedindo ao Senhor da Vida bênçãos a nossas tarefas, para que todos os assistidos fossem vencedores desta primeira prova a qual eram submetidos.

Em seguida, partimos. Amparados por Galeno, Vicente, César Augusto e por mim, erguemo-nos no espaço, para encantamento dos principiantes de volitação. Como ainda lhes faltasse experiência e elevação, seus corpos espirituais, ainda mais densos, não lhes permitiam planar no espaço sem amparo, o que fizemos segurando a mão de cada um. Assim, de mãos dadas, vencemos rapidamente a distância.

A primeira parada foi na casa de Luciano, localizada em cidade próxima. Descemos suavemente em uma rua tranquila e paramos diante de uma casa pequena, pintada de azul-claro. O jardinzinho tinha flores desabrochando, e a janela, cortinas claras que esvoaçavam à brisa da manhã. Despedimo-nos do companheiro, desejando-lhe uma feliz estada no lar. Esperamos que ele abrisse a porta e, antes de entrar, Luciano ainda voltou-se para nós como que a pedir forças.

— *Tudo correrá bem, Luciano! Não tenha medo. Aproveite!* — animou-o Galeno.

Ele sorriu e entrou, respirando fundo.

Depois, foi a vez de Mendes. Novamente planando no espaço, tomamos o rumo de uma cidade grande, nas imediações. Sobrevoamos os prédios, as praças, o belo lago e nos dirigimos a um bairro paupérrimo, com alta densidade populacional. Mendes, natural de um país sul-americano, entrara ilegalmente no país tentando reconstruir sua vida, ameaçada no país de origem por sua postura política. Após a chegada, seus recursos rapidamente se esgotaram, por falta de uma ocupação que sustentasse as necessidades da família; alguns meses depois, os familiares vieram juntar-se a ele no Brasil. Desse modo, sem dinheiro, acabara nesse bairro miserável, sujeito a toda sorte de perigos e de abusos. Como acontecia a outros que falavam o mesmo idioma, passou a ser utilizado por gangues que os exploravam, ameaçando denunciá-los pela situação de ilegalidade no país e obrigando-os a obedecer-lhes e a fazer qualquer coisa para que se mantivessem calados. Assim, inconformado e inseguro, nosso irmão começara a beber, acabando por ser atingido por um tiro supostamente endereçado a outra pessoa.

Mendes, de olhos úmidos, encaminhou-se com o coração aos saltos para a casinha miserável, quase arruinada, que era seu lar aqui no Brasil.

O próximo a chegar foi Álvaro. A situação ali era bem diferente. Um bairro de classe alta, elegante, bem cuidado e tranquilo, com frondosas árvores enfeitando as calçadas e belos jardins nas residências. Passamos por ruas amplas e limpas e paramos diante de luxuoso prédio, onde Álvaro se despediu de nós, abraçando a cada um. Estava feliz e animado.

O último a ser encaminhado foi Afonso. Chegando à grande cidade onde nascera, esperava ver a casa simples, porém confortável, na qual morara por tantos anos. Para sua surpresa, foi levado a outro lado da cidade.

– *Para onde vamos?* – perguntou, inquieto.

– *Você verá. Estamos quase chegando!* – disse Vicente.

De longe, Afonso viu as árvores de um grande parque, seu velho conhecido. Descemos suavemente, e o companheiro tinha os olhos arregalados de espanto.

– *Afonso, você foi trazido para cá porque sua família passará o dia aqui, neste agradável recanto. Como combinado, nos veremos à noite em sua residência.*

Deixamos o amigo à entrada do parque e nos despedimos dele, acenando. Eu, particularmente, trazia o coração apertado por dúvidas atrozes. Conseguiria Afonso resistir ao impacto de rever a família?

Caminhando pelo parque com alegria, Afonso respirava a longos suspiros. Sentia-se vivo e transbordante de amor. Logo divisou alguns garotos que jogavam bola e aproximou-se ansioso. Olhando para eles, reconheceu Junior e Zezé, bastante crescidos, porém com as mesmas carinhas que ele tão bem conhecia. Quis abraçá-los, mas não conseguiu. Preocupados com o jogo, eles não paravam um segundo.

Resolveu deixar para outra hora a aproximação com os filhos e caminhou pelo gramado procurando a esposa e o filho caçula. Mais alguns passos, e ele viu Laura sentada ali perto. Não pôde deixar de perceber como ela estava linda, mais linda do que antes! Seus cabelos longos e escuros, presos molemente na nuca, deixavam mais à mostra o rosto claro, de pele perfeita e boca adorável. Sentiu o coração expandir-se de amor e correu ao seu encontro para abraçá-la, sem lembrar-se de que agora não pertencia mais ao mundo terreno.

De súbito, deitado bem próximo dela, notou um homem cujo rosto não conseguira ver. O coração disparou! Quem seria? Chegando mais perto, o reconheceu, perplexo:

– *Doutor Carlos? O que faz aqui, ao lado de minha mulher?*

Cego de ciúme, pediu explicações.

– *Laura! O que está acontecendo aqui? Perdeu toda a compostura? O que faz junto desse homem, por quem sempre nutri carinho e gratidão, mas agora percebo ter abusado do nosso convívio?*

Tenso, a respiração arfava pelo impacto do choque. Fez uma pausa para respirar e aguardar explicações, porém eles pareciam não vê-lo nem ouvi-lo.

Nesse exato momento, certamente pela presença do marido, que não enxergava com os olhos materiais, mas cujas emanações vibratórias reconhecia na acústica da alma, Laura ficou pensativa, lembrando-se do tempo em que Afonso fora internado no hospital. As imagens surgiam-lhe na mente como se estivessem acontecendo naquele instante, o mesmo em que o amigo iniciava o diálogo sobre a possibilidade de unirem as famílias.

Ouvindo aquele diálogo, Afonso sentia o sangue ferver em suas veias. Desesperado, reconheceu-se traído por aquela que sempre julgara amá-lo. Acompanhando a conversa entre eles, cada vez mais irritado, cobrou da esposa:

— Então, enquanto eu estava doente, você aproveitava minha situação para aceitar as cantadas desse conquistador barato! Quanto devem ter rido de mim, o ingênuo marido traído!

Como se confirmasse suas suspeitas, nesse exato momento o médico sentou-se e sugeriu o casamento.

— Nunca! Jamais! Você é minha esposa e continuará sendo. Não permitirei que se una a outro homem! — gritava Afonso, enraivecido pela "petulância" dos dois.

Mas Carlos prosseguia, completamente indiferente à sua dor de marido traído.

Ouvindo as palavras do médico, Afonso, perplexo, olhou para ele, ao mesmo tempo que analisava o que havia dito: "Afonso, se não os abandonou fisicamente, o fez moralmente, ao entregar-se à bebida, de tal modo que se afastou da família, mesmo encarnado; pelos seus excessos, comprometeu a saúde orgânica e acabou morrendo."

Atingido por aquelas palavras, abalado intimamente, embora sem querer, Afonso reconhecia a verdade do que o médico dissera. "Mas eu não tive a intenção de abandonar a família! Eu não queria morrer. Nunca! Nunca!"

No entanto, a consciência respondia, bem lá no fundo: "Não teve a intenção, mas provocou as consequências, o que o torna responsável perante a lei divina".

Era o que aprendera no mundo espiritual. Nesse instante, lembrou-se das orientações que tivera, entre outras: "mantenham o próprio controle e conservem o equilíbrio, seja qual for a situação com que se deparem".

Deixando-se dominar pela consciência de culpa, Afonso passou a sentir-se como uma folha ao vento. Desejava explicar muita coisa, mas sabia que eles não podiam vê-lo. Então, afastou-se para alguns metros acima, sentou-se no gramado e ficou observando. Viu quando Carlos levantou-se e foi buscar os sucos.

Logo em seguida, observou que os filhos e outros garotos chegavam com fome. Laura abriu uma toalha e foram colocando os lanches sobre ela. Riam, conversavam, comiam e se divertiam. Só ele fora excluído dessa festa em família.

O que fazer? Desanimado, inseguro para aproximar-se dos filhos, ficou ouvindo a distância, enquanto uma tristeza imensa o envolvia.

Viu quando seu pequeno Bruno, agora um garotão de nove anos, chegou perto da mãe e sentou-se. Laura percebeu que ele estava calado, o que não era do seu feitio.

— O que houve, Bruninho? Parece que você está triste.

Com os olhos úmidos, ele abraçou a mãe e respondeu:

— Mamãe! Não sei por que, mas eu estou lembrando muito do papai hoje.

— Deve ser porque ele é parte da nossa família e não está aqui conosco, meu filho.

Afonso comoveu-se com a lembrança do filho e seu coração encheu-se de ternura. Logo Mariana veio buscar Bruninho para brincar, e ele acompanhou-a, correndo pelo gramado.

Ao entardecer, o grupo resolveu ir embora, e Afonso entrou no carro junto com eles. Ao chegar em seu lar, tinha certeza de que voltaria a sentir-se bem, animado e seguro de si mesmo. No entanto, não foi assim que aconteceu.

Tentou aproximar-se de Laura que, sentada na sala, assistia à televisão. A presença dela o enchia de amor, lembrando-se dos anos em que estiveram casados. Tinha falta de carinho, de amor, ansiava beijá-la como antes. Contudo, foi rejeitado. Era como se ela quisesse mantê-lo distante, não lhe dando a mínima atenção, o que o fez irritado e nervoso. Não era aquela a situação que esperara encontrar. Pôs-se a caminhar de um lado para o outro da sala, fazendo mil conjecturas.

O telefone tocou e ela atendeu. Afonso piorou ainda mais, percebendo que era seu antigo médico, hoje rival. Aproximou-se, ciumento.

Laura, que, por meio de sua sensibilidade psíquica, percebia a presença do marido, não quis falar com Carlos, constrangida, como se estivesse fazendo algo errado, e desligou, afirmando que no dia seguinte conversariam.

Afonso, mais tranquilo, ao ver que ela não quisera falar com o "outro", sentou-se no sofá, preparando-se para conversar com a esposa, explicando o que estava acontecendo. Enquanto ela tomava lentamente seu chá, saboreando-o, ele começou a falar:

– *Laura! Sou eu, Afonso, estou aqui! Quero dizer que a morte não existe, minha querida! É pura ilusão! Tanto é que hoje estou aqui, em nossa casa, junto da nossa família, pela primeira vez depois de algum tempo de ausência. Nossos filhos estão lindos e bastante crescidos. Agora estou bem, recuperado, e quero dizer que moro num lugar muito bonito, onde temos oportunidade de estudar e de aprender. Lembra-se de como eu não gostava de estudar? Pois é! Nesse lugar, não tem jeito. Todos precisam aprender. Num primeiro momento, para entender que estamos em outra dimensão e como são as coisas por lá. Depois, para progredir, crescer como espírito.*

Ele continuou falando e falando, enquanto Laura tomava seu chá. Explicava como era a vida nesse "outro lado"; falava a respeito do hospital, sobre sua recuperação e muito mais. De repente, lembrando-se da maneira como se comportara nos últimos tempos, prosseguiu:

– *Lamento o que aconteceu, a maneira como agi com você e com os nossos filhos... Mas eu sou o mesmo e continuo amando você. Não tenha medo de mim!*

A campainha da porta soou, tirando-o das suas reminiscências. Olhou para Laura. Estaria ela esperando alguém? Não, ela também estranhara. Quem seria? Ao abrir, Laura deparou-se com o médico.

Novamente irritado com a intromissão do seu antigo médico, Afonso foi para um canto da sala. Sentia-se excluído da conversa. De lá, ficou observando os dois, cheio de mágoa. Após muita insistência do médico, Laura acabou relatando as últimas sensações.

– *Então, ela percebeu minha presença? Ouviu minha voz? Nem tudo está perdido* – desabafou Afonso, mais esperançoso.

Nesse instante, muito surpreso, ele escutou Carlos, que falava com Laura, alertando-a sobre a interferência do mundo espiritual e, em seguida, sugerindo uma prece.

Após a oração, os encarnados continuaram conversando. Afonso, surpreso, somente então notou a presença dos seus orientadores, que, um pouco atrás, chegaram e acompanhavam a cena.

CAPÍTULO 25

Novas experiências

Diante da nossa equipe, Afonso sentiu-se como que desnudado intimamente. Ao nos ver, especialmente Galeno e Vicente, levou um susto, percebendo que fizera tudo errado e sentindo-se como um menino inseguro e envergonhado.

Galeno adiantou-se e, colocando a mão em seu ombro, ofereceu consolo:

— *Não se preocupe tanto, Afonso. Sabíamos que a sua visita ao lar seria difícil. Normalmente, os desencarnados esperam muito desse primeiro retorno para ver a família, mas acabam se frustrando. A vida seguiu seu curso, meu amigo, o tempo passou para você e para eles!*

— *Eu sei, Galeno. Todavia, aprendemos muito no plano espiritual, mas, na hora da aplicação prática, tudo fica diferente!*

— *Sem dúvida. Porque entram as emoções, os sentimentos e, muitas vezes, não estamos preparados para enfrentar as mudanças que ocorreram durante nossa ausência.*

Afonso concordou, baixando a cabeça.

— *Tem razão, Galeno. E agora?*

— *Você retornará conosco.*

Ao perceber que tinha perdido a grande oportunidade em virtude de seu comportamento, Afonso reagiu, arregalando os olhos:

– Não!

– *É a atitude mais indicada, meu amigo. Não ignora que forçou a situação para vir conosco, embora não estivesse devidamente preparado* – ponderou Vicente.

O assistido, em lágrimas, ajoelhou-se no piso, suplicando:

– *Por piedade! Deixem-me mais um dia aqui em casa. Prometo que vou fazer o melhor, não vou criar problemas. Deem-me mais uma oportunidade. Ainda nem consegui aproximar-me de meus filhos! Não me neguem este pedido, por misericórdia!*

Trocamos um olhar de entendimento. Não podíamos impedi-lo de exercer seu livre-arbítrio.

Galeno, o responsável pela equipe, olhou para Afonso, sereno, embora preocupado, e explicou:

– *Afonso, o livre-arbítrio é uma conquista do espírito, que devemos respeitar. Cada espírito tem o direito de fazer suas escolhas, mas será responsabilizado pelas consequências dos seus atos, na justa aplicação da Lei de Causa e Efeito, que vigora em todo o universo. Desse modo, vamos permitir que permaneça mais um dia junto dos familiares. Assim, não se esqueça: você será o responsável por tudo o que vier a acontecer daqui em diante.*

Com largo sorriso, Afonso garantiu:

– *Nada acontecerá, bondoso benfeitor. Prometo!*

– *Muito bem. Se precisar de ajuda, não hesite em solicitar. Diante de uma situação difícil, lembre-se de que a oração é nosso recurso maior, mantendo-nos ligados às esferas superiores. Voltaremos na próxima noite. Fique com Deus!*

Despedimos-nos dele e partimos para verificar a situação dos outros tutelados.

Afonso, agora sozinho, dirigiu-se ao quarto dos filhos. Queria falar com eles, saber como estavam. Junior e Zezé, desprendidos do corpo material, haviam saído. Somente Bruno, por ter demorado a dormir, ainda permanecia no quarto. Sentado no leito, pensava no pai. De repente, ao vê-lo ali, sorridente, o menino gritou:

— Papai! Eu sabia que você estava por aqui! Eu senti sua presença!

— *Ah! Meu filho! Que saudade eu sinto de você, dos seus irmãos, da sua mãe!*

Jogaram-se nos braços um do outro, em lágrimas. Depois, curioso, Bruninho quis saber:

— Papai, você ainda está naquele hospital bonito que eu visitei?

— *Não, meu filho. Agora estou recuperado, deixei o hospital e moro com alguns amigos.*

— Ah! E o vaso de flores que a mamãe mandou?

— *As hortênsias continuam lindas, e comigo. E você, como vai? E a escola?*

— Tudo bem, papai. Agora já estou na terceira série e estudo bastante!

Sentiam-se felizes por estarem juntos, aproveitando aquele momento tão raro. O menino crivava o pai de perguntas, querendo saber tudo sobre a vida dele no mundo espiritual, e Afonso descrevia o lugar onde morava, os prédios, os jardins, os parques. Mas o que mais o impressionou foi o conhecimento que um menino tão pequeno tinha sobre tudo aquilo que ele, encarnado, ignorava: imortalidade da alma, reencarnação, comunicação entre os dois mundos e muito mais.

— Você é muito sabido, Bruninho! Onde você aprendeu todas essas coisas?

— No Centro que frequentamos, papai. Na escola de educação espírita.

Afonso balançou a cabeça, pensando: *"Tudo por aqui está muito mudado mesmo! Agora vão até o centro espírita, coisa que antes nunca cogitamos!"*

Com o pequeno no colo, Afonso se pôs a refletir que teria sido muito bom se ele houvesse tido a oportunidade de conhecer o Espiritismo enquanto encarnado. Hoje, talvez tudo fosse diferente e ainda estivesse com sua família.

Pouco depois, apareceu uma entidade que vinha buscar Bruno para sair. Era uma moça linda e simpática.

— Olá! Você deve ser o pai de Bruno, não é? Muito prazer! Sou Júlia, uma amiga dele, e venho todas as noites buscá-lo para aproveitar as horas de sono físico.

— Como pai, eu agradeço, Júlia, pelo que faz por meu filho. Bom passeio, Bruninho!

Despediram-se com um grande e carinhoso abraço, e o garoto afastou-se, acenando sorridente.

Vendo-se sozinho, Afonso dirigiu-se ao quarto de Laura. Entrando, lembrou-se dos tempos em que também dormia ali, naquele leito, lembrou-se do relacionamento com a esposa e sentiu saudade. De repente, notou que ela se desprendia em espírito, enquanto o corpo material permanecia em repouso. Ansioso por falar com ela, caminhou ao seu encontro de braços abertos. Laura, porém, ao vê-lo, assustou-se, retornando rápido ao corpo. Afonso ainda tentou falar com ela, mas não conseguiu. A esposa permanecia apavorada, trêmula, e não queria mais dormir, permanecendo acordada.

Frustrado, Afonso resolveu deixá-la sozinha. Lembrou-se dos pais, e esse pensamento o deixou mais animado. Afastou-se dali, tomando o rumo da casa onde nascera. Lá chegando, tarde da noite, encontrou-os retornando de uma festa. Notou que tanto o pai quanto a mãe estavam diferentes. Seu pai estava sóbrio, o que não era normal. Acompanhou-os com carinho até o quarto, onde eles fizeram uma oração em conjunto para dormir. Percebeu, pela conversa, que também eles, agora, tinham noções de espiritualidade, e ficou feliz. Tentou falar com os pais, fazê-los sentir sua presença, mas tudo em vão. Suspirou, pensando na dificuldade que os desencarnados têm para se comunicar com os que ficaram na Terra.

Esgotado, desejava descansar um pouco. O hábito fez com que se encaminhasse ao seu antigo quarto. Notou, satisfeito, que permanecia do mesmo jeito de quando ele era solteiro. Deitou-se e dormiu.

～

NA MANHÃ SEGUINTE, os pais ainda não haviam acordado quando Afonso retornou a seu antigo lar. Ao chegar, notou que o carro do médico já estacionara na frente da casa. Apesar das promessas feitas a Galeno, deixou-se dominar pela irritação. Entrou na sala e viu os dois sentados, a conversar. Tentando se controlar, pôs-se a ouvir o que diziam.

Carlos, com voz carinhosa, explicava a Laura qual a razão de estar ali:

— Desculpe-me, Laura, por vir tão cedo, mas realmente fiquei preocupado com você. Como passou a noite?

Pálida e desfeita, ela respondeu:

— Não dormi nada, Carlos. Após sua saída, fui para meu quarto, li um pouco e, com sono, apaguei a luz. De repente, sonhei que me levantava e vi Afonso ali, perto de mim, estendendo-me os braços. Tive uma sensação horrível! Fiquei apavorada e acordei! Depois disso, não consegui mais conciliar o sono. Temia dormir e voltar a vê-lo! Só consegui cochilar um pouco quando amanhecia.

Trêmula, diante dessas lembranças, Laura começou a chorar, e Carlos, penalizado, envolveu-a em seus braços.

— Minha querida! Não fique assim. Afonso talvez ainda precise de ajuda!

— Tenho medo, Carlos. A imagem dele era tão real que parecia estar ali, no quarto! Esta casa está me deixando aterrorizada.

— Nada tema! Estou aqui com você, minha querida! Talvez Afonso esteja realmente aqui, visitando a família.

— É verdade. Ontem à noite, após voltar do passeio, eu percebi a presença dele, lembra?

— Sim. E então? Não há o que temer, Laura. Além disso, eu a amo e quero ficar com você, protegê-la com muito amor.

Com a cabeça apoiada no peito dele, ouvindo-lhe as batidas do coração, ela foi tomada de grande emoção. Ergueu os olhos e confessou:

— Eu também amo você, Carlos. Como nunca amei ninguém antes. Quando me casei com Afonso, eu era muito jovem e não tinha maturidade para saber o que fazia. Deixei-me envolver pela paixão, fiquei grávida e nos casamos. Agora, o amor que sinto por você é diferente, mais maduro, me deixa mais segura e confiante.

O médico apertou-a mais de encontro ao peito e eles se beijaram com amor.

Ali perto, acompanhando a cena, Afonso ficou enlouquecido de ciúme. O sangue lhe subiu à cabeça ao ouvi-la falar daquela maneira sobre eles, enquanto uma fúria sem precedentes o dominou. Cheio de ódio pelo médico, que lhe roubara a esposa, jogou-se sobre o rival com um urro terrível, aos socos e pontapés. Carlos, de súbito, acusou forte abalo íntimo, porém, como se mantinha em padrão mental mais elevado, sentiu impacto bem menor do que o desejado por Afonso. Ainda assim, o ataque resultou em intensa dor de cabeça.

Depois de uma enxurrada de ofensas e ameaças, Afonso, cansado, acabou parando com as agressões, visto que não conseguia derrubar seu rival. Então, fervendo de ódio, alucinado, antes de abandonar a casa, gritou:

— *Vocês me pagam por essa traição! Vou me vingar de vocês, malditos!*

Após destilar todo o seu veneno, saiu para a rua sem saber o que fazer, ou que destino tomar. Depois de muito caminhar a esmo, chegou perto do bar onde costumava se encontrar com os amigos no fim da tarde, após fechar a oficina. Imediatamente, um imenso desejo de beber o dominou.

Atraídos pelos seus pensamentos, duas sombras escuras à espreita ali perto se aproximaram dele, envolvendo-o num abraço.

— *Afonso, quanto tempo! Seja bem-vindo, cara! Estávamos sentindo sua falta* — disse Valtinho.

— *Esse bar sem você já não era o mesmo!* — concordou Geraldo.

A consciência, ainda que tênue, aflorou de repente, fazendo Afonso pensar que não deveria beber. Afinal, tinha morrido em virtude do vício. Todavia, ladeado pelos antigos amigos de copo, já entrara no estabelecimento. O cheiro de bebida no ar fez que esquecesse suas boas disposições, tudo o que tinha aprendido nos últimos anos, e mergulhou novamente no desejo incontrolável de beber.

Ali perto, nós, seus amigos espirituais — que desde a cena do desequilíbrio no lar tentávamos ajudá-lo —, tudo fazíamos para lembrá-lo das suas responsabilidades, inutilmente. Afonso, fechado em si mesmo, mergulhara em faixas inferiores da razão e da vontade, baixara de tal maneira sua vibração que não conseguia ouvir os apelos, muito menos perceber nossa presença.

Sentado no bar, cercado de entidades viciosas de baixíssima condição, ele tentou pegar um copo na mesa, para beber. Frustrado, percebeu que não conseguia. Sua mão passava por ele sem poder segurá-lo.

As entidades mais experientes caíram na gargalhada e ensinaram como se satisfazer aspirando emanações do álcool que exalavam dos copos e dos encarnados ali presentes. Afonso, alucinado de desejo, passou a envolvê-los, conseguindo seu intento. Não demorou muito, Afonso estava bêbado, com olhos vítreos, expressão chapada e aparência dos viciados.

A essa altura, desolados, nada mais tendo a fazer ali, fomos obrigados a deixá-lo entregue a si mesmo. Agora que reencontrara o prazer da bebida, mergulhando em sensações inferiores, precisaríamos retornar sem ele.

Por longo tempo nosso amigo permaneceria naquele estado, até que surgisse nova oportunidade de socorro.

O vício da bebida, como qualquer outro, requer muito tempo e esforço para ser vencido. Em um momento de invigilância, pode se pôr tudo a perder.

Vendo nossa frustração e tristeza diante do fracasso de Afonso, Galeno considerou:

— *Não se sintam culpados. Sabíamos que não seria fácil para ele. Contudo, Afonso assumiu a responsabilidade pelas consequências que pudessem advir de suas ações, quando insistiu tanto para conseguir uma vaga em nossa equipe e vir à Terra. Fora alertado sobre os perigos de uma visita inoportuna ao antigo lar. Todavia, ele se julgava preparado para enfrentar qualquer situação, o que provou não ser verdadeiro. Subestimou as dificuldades da tentativa e colherá os resultados da sua teimosia e imprevidência. Prossigamos nosso trabalho, com as bênçãos de Deus.*

Concordamos com ele, e Vicente ponderou:

— *Infelizmente, terminadas as tarefas programadas para a semana, voltaremos à nossa Colônia sem o amigo Afonso. No entanto, sabemos que essa é uma situação temporária, pois ele se cansará dos excessos, sentirá falta de tudo o que perdeu e acabará pedindo ajuda.*

Galeno, mostrando na face venerável a dor que lhe causava esse fato, tornou confiante:

— *Sem dúvida, tudo tem uma razão de ser, e esse momento que Afonso está vivendo agora lhe será útil mais tarde, pois o sofrimento o fortalecerá, tornando-o mais responsável e ponderado nas decisões.*

Aprenderá a aceitar nossas orientações, sabendo que só desejamos o seu bem. Enquanto isso, continuaremos orando por ele, amparando-o e assistindo-o em suas dificuldades.

Após esse episódio, prosseguimos em nossas tarefas, e toda noite voltávamos às casas de Mendes, Álvaro e Luciano para ver como se saíam nessa primeira visita ao lar.

No último dia, fazendo o caminho inverso, fomos buscar nossos tutelados, a começar por Álvaro, depois Mendes e, por último, Luciano. Os companheiros estavam ansiosos para saber notícias dos demais, e cada um contou suas experiências. Mendes foi o primeiro a falar:

— Ao chegar, eu fiquei preocupado. Não sabia o que havia acontecido com minha esposa e com os filhinhos. No entanto, fiquei feliz. A polícia prendeu os traficantes que nos ameaçavam e tudo está mais tranquilo. Minha esposa regularizou sua situação no país e trabalha em uma fábrica, e meus filhos frequentam uma instituição que criaram na comunidade e oferece atendimento durante todo o dia para crianças e adolescentes, com aulas de reforço escolar, além de artes, esportes e informática. Com isso, os jovens podem se profissionalizar e conseguir um emprego decente. Enfim, estou muito feliz! Nesse momento, mais sereno, por ver a família que tanto amo bem melhor do que antes. Agradeço a Deus, que foi muito bom conosco!

Depois, foi a vez de Luciano falar:

— Eu também estava bastante preocupado com a situação da minha família. Deixei a esposa com dois filhinhos pequenos, sem condição de trabalhar. Mas Deus a amparou, permitindo que encontrasse uma senhora espírita que muito a tem ajudado. Primeiro, essa nova amiga a orientou a colocar as crianças numa creche, para que tivesse tempo de *procurar emprego. Assim, ela conseguiu trabalho em um escritório e leva uma vida simples, porém com dignidade. Como ela começou a frequentar um centro espírita, tem adquirido conhecimentos que faltavam sobre a vida após a morte. Áurea parece muito bem e me sinto mais perto de minha querida esposa. É isso! Volto mais tranquilo e feliz, sabendo que tudo corre bem, com a graça de Deus!*

Após receber cumprimentos dos demais, que se alegraram com ele, foi a vez de Álvaro falar. Tímido e emocionado, assim começou:

— *A volta ao lar é sempre uma bênção para quem já não vive na Terra. No entanto, apesar do prazer de estar com os entes queridos, senti tristeza por notar que não pensam em mim em momento algum. Minha esposa está sempre preocupada com coisas supérfluas, correndo atrás de tratamentos para a pele, massagens para o corpo, reuniões com as amigas e passeios. Meus filhos estão crescidos e têm de tudo. Percebo que lhes falta, porém, o essencial: a fé religiosa. No entanto, não posso culpá-los por isso, quando eu mesmo, enquanto encarnado, achava que religião não fazia falta ao ser humano. Eu acreditava que o importante mesmo eram as aquisições materiais, a produtividade da fazenda, os lucros, os carros, as viagens.*

Fez uma pausa e prosseguiu:

— *O que poderia esperar deles? Nada! Hoje, penso de forma diferente, mas não posso culpá-los por serem tão materialistas. Quem sabe no futuro eu possa ajudá-los?* – concluiu amargurado, baixando a cabeça e enxugando os olhos.

Galeno, apiedado da condição do amigo, observou:

— *Realmente, nada podemos cobrar de ninguém, quando nada semeamos. Contudo, somos espíritos e temos o tempo à nossa disposição.*

Melhore-se a cada dia, Álvaro, e no futuro poderá ajudar os entes queridos mais de perto. Quem sabe? Tudo muda! Confiemos em Jesus, o Celeste Amigo.

Álvaro agradeceu as palavras do benfeitor espiritual, levantando a cabeça e ensaiando um sorriso.

Galeno explicou aos demais que Afonso, infelizmente, tivera uma recaída e não poderia voltar com o grupo, o que os deixou bastante entristecidos. Ainda assim, consoante nossa programação, passamos na casa de Afonso, para ver como estava sua família. Chegamos exatamente no momento em que Carlos e Laura comunicavam aos filhos a decisão de se casarem. Tanto os filhos de Laura quanto os de Carlos ficaram contentes com a novidade. Eram amigos, se estimavam, e agora passariam a morar juntos.

Em meio à alegria geral, fizemos uma oração, pedindo a Jesus que abençoasse a todos eles e, quanto a Afonso, que fosse amparado onde estivesse.

Depois de nos despedirmos dos amigos da casa espírita, rogando-lhes que cuidassem de Afonso, partimos em retorno a Céu Azul.

CAPÍTULO 26

Recaída

Novamente mergulhado no vício, Afonso passava o tempo bebendo e jogando conversa fora com os companheiros.

Estranhou sobremaneira que, ao tentar entrar em sua casa, não conseguiu. Revoltado, bateu na porta com modos grosseiros, deu pontapés, gritando palavrões e chamando por Laura. Todavia, as defesas magnéticas do lar – em virtude da proteção vibratória gerada pela vida digna, pelas preces e pelo estudo do Evangelho no lar – vedavam o acesso a entidades perturbadoras e viciosas, como era o caso de Afonso. Cada vez mais furioso, ele continuava berrando:

– *Abram esta porta, quero entrar! Laura, eu preciso ver meus filhos, e você não pode me impedir. Como pai, tenho o direito de ver meus filhos! Junior! Zezé! Bruninho! Abram a porta para o papai! Laura, se você não abrir imediatamente essa porta, vai ver o que acontece! Vou matar você de tanta pancada!*

No entanto, por mais que ele esbravejasse, ordenando e ameaçando, o acesso ao lar continuava vedado, nem mesmo pedindo e implorando. Exausto e completamente embriagado, acabou por sentar no meio-fio a falar sozinho, soltando impropérios e reclamando da vida.

Os amigos, que nunca o abandonavam, permaneceram nas imediações, aguardando o resultado das tentativas de Afonso, sem interferir. Ao vê-lo derrotado, se aproximaram.

— E daí, Afonso? Não conseguiu? — indagou Valtinho.

— Não. Mas Laura me paga! — respondeu ele com expressão ameaçadora. — Ela vai ver o que vou fazer com ela. Como pode impedir que um pai veja seus filhos? Afinal, tenho meus direitos!

Dando-lhe tapinha nas costas, Geraldo sugeriu:

— Não adianta, Afonso. Ela é uma "protegida". Aqui, deste "outro lado", quando não conseguimos alguma coisa, precisamos tentar outros caminhos. Quer um conselho de amigo? Procure ver seus filhos fora de casa. Na rua é mais fácil!

Afonso arregalou os olhos a essa ideia.

— Não tinha pensado nisso! Obrigado, amigo. Tem toda razão. Se Laura quer me impedir de ver os garotos em casa, vou vê-los na rua, quando forem à escola ou a qualquer outro lugar.

— Isso mesmo! Está vendo como não é difícil? Basta pensar um pouco e a gente encontra uma saída. Agora, vamos tomar uma branquinha? Estou com a boca seca! — sugeriu Valtinho.

— Eu também! — apoiou Geraldo, dando uma gargalhada.

Afonso levantou-se e acompanhou os dois.

— Também estou necessitado de uma dose. Há horas não bebo nada.

No dia seguinte, Afonso foi esperar os filhos à porta da escola. Junior foi o primeiro a sair e ficou esperando os irmãos. Um colega se aproximou dele, convidando a uma reunião com os amigos.

— Por mim eu topo, cara. Só não sei se minha mãe vai permitir.

É PRECISO RECOMEÇAR

— Deixe de ser bobo, Junior. Arrume uma desculpa. Diga que vai estudar! Mãe nunca resiste a esse argumento. Afinal, já está na hora de se desgrudar da saia da mamãe, não é?

— Vou ver. Se puder, eu irei. Aonde vão se encontrar?

— Na minha casa. Depois decidiremos o que fazer. Topa?

— Legal, Renato. Preciso ir. Meus irmãos já estão esperando.

Junior, Zezé e Bruninho tomaram o rumo de casa. Afonso seguia-os de perto, ouvindo o filho caçula tagarelar, contando tudo que havia acontecido na classe. Zezé mantinha-se calado, pensando que fora mal na prova de português e teria que contar para a mãe. Junior não ouvia o que Bruno dizia, preocupado com o encontro com os colegas e a mentira que teria de dizer à mãe, contra seus hábitos.

Afonso, por mais que tentasse, não conseguia se aproximar mais dos meninos. Como ouvira a conversa de Junior com o colega, sabia que se encontrariam à noite, e resolveu ir junto.

Ao anoitecer, Afonso já havia se postado nas imediações do seu antigo lar. Pouco depois, viu Junior sair com a mochila nas costas. Acompanhou o filho. Ao chegar à casa de Renato, Junior tocou a campainha e, em seguida, atenderam. Era o colega, todo animado.

— Você veio, Junior! Valeu cara! Entre, vamos tomar alguma coisa. Meus pais não estão em casa. Foram viajar e só voltarão amanhã. Hoje estamos livres!

— Oi, Renato! E os outros?

— Estão chegando. Por que trouxe a mochila?

— Disse à minha mãe que iríamos estudar.

— Ah! É verdade! Vamos estudar pra caramba! — concordou, rindo ironicamente. — Largue a mochila em algum lugar e fique à vontade.

Ao ouvir essas palavras, Afonso aproximou-se mais e notou que, ao contrário do que acontecia na própria casa, ali podia entrar sem problemas.

Ficou admirado com o luxo da residência. A casa era enorme, uma verdadeira mansão. Mais alguns minutos, e a sala ficou cheia de garotos que se mostraram familiarizados com o ambiente, como se já habituados a essas festinhas. O dono da casa, ao ver que Junior sentara um canto, isolado, perguntou:

– O que quer tomar, cara?

– Um refrigerante – respondeu Junior.

Dando uma gargalhada, Renato chamou a atenção dos demais:

– Ouviram? O babaca aqui quer tomar um refrigerante! – e continuou rindo, acompanhado pelos demais. – Aqui só tem bebida de homem, cara. Bebida da pesada.

Afonso, ao ver o filho ridicularizado perante todos, aproximou-se dele e disse:

– *Tome alguma coisa, filho. Eu, com a sua idade, já tomava uma loirinha. Aproveite!*

Junior, porém, não ouvia as palavras do pai, mas intuitivamente recebia o "recado" e sentiu medo. Lembrava-se do quanto tinham sofrido com o vício do pai. Em sua mente, surgiu a imagem da mãe, aconselhando-o a se afastar de qualquer bebida alcoólica. Vinham-lhe também à cabeça as aulas de educação espírita e as orientações e advertências aos alunos sobre os malefícios do álcool e de outras drogas. No entanto, Junior viu-se acuado pelos colegas, que o cercaram, oferecendo um gole de bebida.

– Prove! Você vai gostar!

Ele resistia, mas a insistência era tanta que, para que o deixassem em paz, acabou tomando um gole. Imediatamente, um calorzinho gostoso se espalhou pelo seu corpo e uma sensação de euforia, de alegria. Já não se sentia isolado, fazia parte do grupo. Resolveu tomar mais um gole. Afinal, não poderia fazer tanto mal assim. Seria só aquela noite. Nunca mais voltaria a beber, prometeu a si mesmo.

Horas depois, Junior estava completamente bêbado. Com um resto de consciência, olhou o relógio e viu que era tarde. Meu Deus! Onze e meia! Preciso ir embora, mas como? Minha mãe me mata se souber que bebi.

Aproveitando um momento em que os demais estavam distraídos, saiu da casa e caminhou apressado. Nunca ficara até tão tarde na rua. E se sua mãe estivesse acordada? Por sorte, tinha a chave da porta. De repente, sentiu o estômago embrulhado e inclinou-se, vomitando ali mesmo na calçada. Envergonhado, olhou em torno. Ainda bem que não havia pessoa alguma por perto.

Ao chegar, abriu a porta sem fazer ruído e foi até seu quarto em silêncio. Novamente, sentiu-se mal. Correu até o banheiro e jogou para fora o que ainda restava em seu estômago. Depois, deitou-se com cuidado. Felizmente, os irmãos também não tinham acordado!

A manhã seguinte, por sorte, era sábado. Não teria aula, e a mãe os deixava dormir até mais tarde. Quando Junior acordou, os irmãos estavam de pé havia horas, e a mãe tinha saído. Aliviado, correu ao banheiro e tomou um banho. Depois, ingeriu uma xícara de café forte, embora não fizesse parte de seus hábitos. Sabia disso porque a mãe cansara de usar esse recurso quando o pai vivia com eles. Comeu um sanduíche e voltou para a cama.

Quando Laura retornou, após as compras, os meninos contaram que Júnior ainda estava dormindo. Estranhando, ela foi até o quarto. Com delicadeza, tirou-lhe uma mecha de cabelos da testa. Ele se mexeu, abrindo os olhos.

— Meu filho, o que você tem? Está doente? — indagou com carinho, levando a mão à testa dele para ver se tinha febre.

— Não sei o que comi na casa do Renato que me fez mal. Até vomitei, mamãe — respondeu ele, virando-se para a parede, com medo de que ela percebesse que mentia.

— Vou buscar umas gotas que vão ajudá-lo a melhorar.

Alguns minutos depois, Laura voltou ao quarto com uma pequena xícara que deu ao filho.

— Beba meu filho. Vai fazer bem.

Ele ingeriu o líquido fazendo careta. Em seguida, virou-se para o outro lado e voltou a dormir. Estava fraco e sonolento. A mãe saiu, deixando o aposento na penumbra.

Preocupada, Laura foi para a cozinha preparar o almoço. Algo não cheirava bem nessa história do filho. Com a experiência adquirida, poderia jurar que Junior tinha bebido. Sentira cheiro de bebida alcoólica no ar, na pele dele. Seria possível? Depois de tudo o que tinham passado com o pai, teria ele se atrevido a beber, apesar de todas as suas recomendações? No entanto, precisava esperar que ele melhorasse para tocar no assunto, longe dos filhos menores. Preparou o almoço e chamou Zezé e Bruninho para comer.

— Mamãe, Junior disse que não vem almoçar.

Laura fez um prato e, colocando-o numa bandeja, avisou aos pequenos:

— Vou só levar o almoço para o Junior e logo estarei de volta. Comam direitinho!

Entrou no quarto e abriu a janela, deixando a claridade entrar.

– Meu filho, sente-se. Você precisa comer alguma coisa. Está um dia lindo!

Junior sentou-se no leito, e Laura colocou a bandeja em seu colo. Enquanto ele comia, sem grande vontade, ela tentou conversar:

– E então? O que fizeram ontem?

– Estudamos até tarde, mamãe – respondeu ele, envergonhado por estar mentindo, coisa que não costumava fazer.

A mãe notou que ele ficara vermelho.

"Aí tem coisa!", pensou.

– E os pais do Renato, são simpáticos?

– Eles não estavam em casa, mamãe. Tinham saído.

– Ah! Estou achando você estranho, Júnior, e te conheço muito bem. Deseja me contar alguma coisa, meu filho?

O rapazinho começou a chorar, envergonhado e temeroso da reação da mãe.

– A verdade, mamãe, é que me obrigaram a tomar um gole de bebida. Foi um gole só. Porém, como não estou acostumado, passei muito mal. Fugi de lá sem que me vissem, para não ser obrigado a beber mais. Foi só isso o que aconteceu! Eu juro, mãe! Sinto muito. Perdoe-me, isso nunca mais se repetirá.

A mãe respirou fundo e, com ternura, considerou:

– Espero que esse episódio tenha lhe servido de lição, meu filho. Ainda bem que você me contou, porque eu senti cheiro de bebida em sua boca, em sua pele. Por isso, não pense que me engana. Você sabe que sou escolada! Neste assunto, sou formada e doutorada!

— Eu sei, mamãe. Não me passou pela cabeça esconder nada. Apenas não tinha surgido o momento certo para conversarmos, só isso.

— Está bem, meu filho. Eu confio em você! Agora, coma, senão sua comida vai esfriar. Vou almoçar com os meninos, está bem? Depois virei buscar a bandeja.

Laura deu um abraço no filho e deixou o quarto.

Junior sentiu-se aliviado. Recostou a cabeça no travesseiro e pensou: "Graças a Deus! O pior já passou!"

Laura sentou-se com os pequenos. Sozinhos, os dois tinham aproveitado para fazer a maior bagunça, e não tinham comido nada. Com a mãe presente e alegres por estarem juntos, eles almoçaram, conversaram e riram muito das histórias do Bruninho.

— Mamãe, depois nós podemos visitar o vovô e a vovó? – perguntou Zezé.

— Não sei, meu filho. Só se o seu irmão melhorar e quiser ir junto. Não quero deixá-lo sozinho aqui em casa.

— Mamãe, dê um passe nele. Garanto que ele melhora! – sugeriu Bruninho.

Laura sorriu ante a lembrança do pequeno.

— Tem razão, querido. O passe pode ajudá-lo a ficar bem.

Nesse momento, apareceu Junior com a bandeja nas mãos. Após tomar outro banho, sua aparência era bem melhor.

— Já estou bem, Bruninho. Sinto-me ótimo. Mas por que está tão preocupado comigo?

— Desejamos passear na casa do vovô, e a mamãe disse que só iria se você estivesse bem! – explicou Zezé.

— Pois podemos ir, sem problemas.

Os pequenos bateram palmas, animados. O dia estava lindo, e o sol, forte. Poderiam nadar e brincar bastante a tarde toda.

Laura acalmou os filhos:

– Calma pessoal! Antes de fazer planos, precisamos saber se Alberto e Marita não vão sair, está bem?

Pegando o telefone, ela falou com Marita, que ficou contente com a ideia:

– Que bom, minha querida! Não, não vamos sair, Laura. Podem vir sim, com o maior prazer! Por que não convidam Carlos e as crianças? Aí, os meus netos terão companhia!

– Obrigada, Marita! Então, vou falar com Carlos. Até logo!

Ouvindo a conversa, as crianças perceberam que a avó tinha convidado também Carlos e os filhos e deram pulos de alegria. Em pouco tempo, tudo arranjado.

Vinte minutos depois, Carlos chegou para buscá-los. Abraçou Laura com carinho, enquanto Mariana e Miguel conversavam com Zezé, Bruninho e Junior.

Logo chegaram à mansão de Alberto, e a alegria era geral. As crianças foram para o vestiário e voltaram pouco depois com as roupas de banho.

– Brinquem no gramado, por enquanto. Vocês acabaram de almoçar. Piscina só mais tarde – alertou Laura.

Enquanto os menores corriam com o cachorro, Junior, Zezé e Miguel jogavam bola. Os adultos, na agradável varanda, conversavam. De repente, Alberto comentou:

– Há alguns dias fiquei preocupado. Senti a presença de Afonsinho aqui em casa e, não sei por quê, achei que ele não estava bem. Será verdade? Será que realmente percebi a presença de nosso filho?

Laura e Carlos trocaram um olhar, que não passou despercebido ao dono da casa. O médico considerou:

– Creio que tem razão, Alberto. Laura e eu tivemos a mesma sensação. Como se Afonso estivesse lá, na antiga casa dele. Mas concordo com você, meu amigo. A presença dele trazia vibrações não muito agradáveis.

Calaram-se, pensativos. Depois de alguns minutos em que só se ouvia a algazarra das crianças correndo pelo gramado, Alberto disse:

– Será que existe uma razão para o estado dele? Desculpem-me, meus amigos, mas notei que vocês trocaram um olhar de entendimento quando falávamos sobre Afonsinho. Na verdade, sinto que desejam nos falar alguma coisa.

Novamente, Carlos e Laura se olharam, e o médico acabou por revelar:

– Existe, sim, algo que desejamos repartir com vocês, Marita e Alberto. Durante esses anos, após o retorno de Afonso à verdadeira vida, Laura e eu descobrimos muitas afinidades e nos apaixonamos um pelo outro. Esperávamos apenas uma oportunidade para contar-lhes.

Marita arregalou os olhos:

– Eu percebi que vocês acabariam por ficar juntos! Senti algo no ar no olhar de vocês.

– Tem razão, Marita – concordou Laura. – Mas, na verdade, só descobrimos esse sentimento que nos une há cerca de quinze dias. Então, vamos nos casar.

A surpresa tomou conta dos donos da casa. Carlos explicou:

– Achamos que é o melhor a fazer. Vocês sabem, tanto eu quanto Laura somos viúvos, e é uma maneira de dar uma família de verdade aos nossos filhos. Miguel e Mariana se ressentem da falta da mãe. Junior, Zezé e Bruninho precisam de um pai. Conversamos com nossos filhos, e eles adoraram a ideia.

Alberto levantou-se para abraçar Carlos.

– Parabéns, meu amigo! Creio que vocês têm razão. As crianças vão entrar em uma fase em que precisam da figura paterna. E, por outro lado, os seus precisam de uma mãe. Tenho certeza de que Laura será a melhor mãe do mundo.

Depois, abraçou Laura, desejando-lhe felicidades, sendo acompanhado por Marita, que perguntou:

– E para quando é o casamento?

– Para breve. Não desejamos perder mais tempo.

– Concordo com vocês – considerou Marita. – A vida é muito curta para ser desperdiçada.

– Isso merece um brinde. Com suco, já que bebida não entra mais nesta casa – sugeriu Alberto.

Pediu à criada que trouxesse mais suco. Chamando as crianças, disse:

– Venham! Todos com seu copo na mão. Vamos brindar ao casamento de Laura e Carlos. Felicidades aos noivos!

As crianças acharam a maior graça e aplaudiram, cheias de alegria.

CAPÍTULO 27

Decisão importante

Era noite. Após a saída das visitas, acomodados em sala íntima, Marita e Alberto conversavam, ainda sob as emanações de alegria e bem-estar em razão da tarde agradabilíssima que passaram na companhia de pessoas queridas. Alberto gostava de estar com Carlos, cuja conversa era sempre instigante. Marita lembrava as reações engraçadas das crianças, as brincadeiras e os fatos interessantes, quando o marido, pensativo, repentinamente considerou:

– Marita, como nossa vida mudou! Há alguns anos o nosso querido Afonsinho se foi, sofremos muitíssimo com a doença dele, a começar pelo tempo em que permaneceu no hospital, em tratamento, e, especialmente, quando ele partiu em definitivo, deixando nosso convívio.

Ele parou de falar por alguns instantes, tirando discretamente o lenço do bolso da calça, para enxugar os olhos, e prosseguiu:

– Sem dúvida, se soubéssemos que nosso filho partiria tão cedo, teríamos aproveitado melhor a vida ao lado dele. Quantas discussões sem proveito! Quanta briga por coisas pequenas, sem a menor importância! E, o que é pior, quanta imprudência da minha parte ao iniciar nosso filho na bebida! São coisas pelas quais não me perdoo, Marita. Se eu tivesse agido de forma diferente, com mais consciência e equilíbrio, quem sabe nosso filho ainda pudesse estar aqui conosco? Se eu tivesse dado mais apoio a ele, à sua família, talvez Afonsinho não enveredasse por esse caminho tão tortuoso.

Enxugando novamente os olhos, Alberto olhou para a esposa:

— Você percebeu como agora nossa ligação com Laura e nossos netos é bem maior? Não poderíamos, àquela época, ter dado mais assistência ao nosso filho? No entanto, eu achava que deveria ser duro com ele, torná-lo um homem responsável e capaz de se sustentar, sem perceber que ele ainda era apenas um garoto grande, inexperiente. A verdade é que nunca aceitamos realmente esse casamento, que considerávamos socialmente desigual. Se tivéssemos tratado Laura melhor, tudo poderia ter sido diferente. Hoje, reconheço o valor da nossa nora, o quanto ela sempre lutou para manter a família bem, inclusive nosso filho! Quanto nós erramos esse tempo todo...

Marita, que ouvia as reflexões do marido, sentia um aperto no coração e, de cabeça baixa, chorava baixinho. Reconhecendo a verdade das ponderações, levantou os olhos e soltou um suspiro dolorido:

— Você tem toda a razão, Alberto. Erramos muito, e eu, intimamente, tenho me cobrado bastante por sempre ter tratado Laura tão mal. Ela era a mulher que nosso filho escolheu, e nos cabia aceitá-la sem restrições. Com a convivência, vejo que mulher extraordinária ela é, como educa bem nossos netos, que são uns amores. Ah, Alberto! Se pudéssemos voltar atrás, com certeza faríamos tudo diferente!

Afonso, atraído vibratoriamente pela conversa dos pais, permaneceu escutando, sem interferir, mas abalado pela precisão das considerações do pai.

De repente, o dono da casa, lembrando-se da notícia sobre o casamento de Laura e Carlos, comentou:

— A verdade, querida, é que tudo já passou e somos outras pessoas agora. Aprendemos muito com as nossas novas convicções religiosas e sabemos que o importante é olhar para frente, uma vez que não podemos mudar o passado. Então, que nosso futuro seja melhor e possamos retificar os erros cometidos. Sabemos, hoje, que Deus sempre nos concederá novas oportunidades, nas quais teremos ocasião de reparar esses erros. Então, confiemos no futuro.

Alberto parou de falar por alguns segundos, como se analisando a situação, então prosseguiu:

— Marita! Veja, por exemplo, a união de Laura e Carlos. Beneficiará a todos! Confesso que senti uma pontinha de ciúme ao saber que a esposa de Afonsinho vai se casar com outro homem, que nossos netos terão outro pai. Mas os vínculos matrimoniais se estendem apenas no transcurso desta existência, enquanto as lembranças e os sentimentos são eternos. Nosso filho não voltará mais para a vida que deixou. Isso é definitivo. Então, que o novo casal possa ser feliz como merece! Ambos são jovens ainda, estão sozinhos, lutando bravamente para criar e educar os filhos. Acho justo que desejem refazer a vida e ser felizes.

Ao ouvir tais palavras saídas da boca do seu pai, Afonso sentiu-se extremamente indignado e, aproximando-se colérico, gritou:

– Como? Meus próprios pais são a favor desse absurdo? Aceitar esse conluio que já se estende desde a época em que eu estava no hospital, enfermo e incapaz de me defender? Vocês não percebem que eles traíram a "minha" confiança? Que traíram a "nossa" confiança? Que são amantes desde aquela época e só pretendem oficializar a situação? Aliás, pensando bem, será que esse médico não fez alguma coisa para que eu morresse e, assim, livre da minha presença, pudesse mais facilmente roubar minha mulher?

A presença de Afonso, no atual estágio, era profundamente nefasta para qualquer pessoa de quem ele se aproximasse. Envolvendo os pais em vibrações pesadas, gerou terrível mal-estar para ambos.

Em poucos minutos, as lembranças felizes daquela tarde se dissiparam, substituídas por pensamentos de desconfiança, de dúvida quanto ao proceder do novo casal. Justamente eles que, pouco antes, culpavam-se pelos males causados durante o passado, reconhecendo as qualidades da nora, começaram a mudar. Os sentimentos bons e edificantes, os propósitos de transformação moral, foram cedendo terreno às sugestões do filho revoltado. As imagens de traição lançadas pela mente enferma de Afonso ganharam corpo e consistência no íntimo de cada um.

Alberto, envolto em vibrações escuras e pesadas, permanecia calado e ensimesmado. De repente ponderou, como se observasse novos ângulos da questão:

– Marita, pensando bem, será que o relacionamento entre Laura e Carlos começou realmente há pouco tempo, conforme ela nos contou? Ou será que a história vem de mais longe? É caso para se pensar!

A senhora, que trazia a mente obscurecida e o peito oprimido, balançando a cabeça, respondeu, também em dúvida:

– Não sei, querido. Mas confesso que, na época em que Afonsinho estava no hospital, cheguei a pensar se não havia alguma coisa entre o médico e Laura. Não sei precisar, mas lembro-me de ter notado uma troca de olhares, certa cumplicidade entre ambos, entende? Apenas evitei comentar para não causar mais problemas além daqueles que já tínhamos.

– É, pode ser. E depois, quando eu o encontrei no centro espírita, quem sabe se não foi Laura que o convidou? Àquela época, Carlos ainda era casado.

Sentindo-se muito mal, Alberto teve a sensação de perceber a imagem de alguém que falava sem parar e cujo estado era terrível: cabelos desgrenhados, barba grande e suja, roupas em frangalhos, enquanto o ambiente da sala ficava irrespirável pelo cheiro de bebida.

Alberto, como se naquele momento tivesse tomado uma resolução, asseverou:

– Sei o que fazer. Amanhã mesmo tomarei uma atitude. Não ficarei de braços cruzados.

Naquele instante, de outro plano, sentíamos preocupação com o que poderia acontecer aos nossos amigos, que até aquele momento vinham melhorando de forma promissora e mostrando grande mudança nas atitudes, incentivados pela frequência regular nas reuniões da casa espírita. Detectando o problema, nos deslocamos rapidamente à residência do casal. Cheio de piedade, Galeno considerou:

– *Vejam, meus amigos. A influência prejudicial do nosso infeliz Afonso é tão nefasta que conseguiu contaminar Alberto e Marita. Os encarnados ainda precisam aprender que a lição do "vigiai e orai" é para uso permanente, e não apenas para determinadas horas do dia. Bastaria que eles tivessem se lembrado de elevar o pensamento em oração, para que o ambiente familiar fosse preservado. Auxiliariam poderosamente a si mesmos e ao desventurado filho.*

— E agora, o que faremos? — perguntei.

— *Com nossas vibrações, Eduardo, podemos socorrer com uma prece os irmãos encarnados invigilantes, evitando que Afonso permaneça aqui no recinto do lar, instilando veneno, gerando dúvidas e desafetos com suas sugestões mentais.*

Fizemos um pequeno círculo, buscando em pensamento altas esferas. Galeno elevou a nobre fronte, acompanhado por Vicente e por mim, e orou de forma simples e direta, mas intensa e comovedora, suplicando amparo para todos no ambiente, inclusive os companheiros de Afonso, que aguardavam fora da residência.

À medida que Galeno orava, notei vibrações diáfanas e azuladas a envolver todo o recinto, dissolvendo as nuvens insalubres e propiciando paz e serenidade. Dentro em pouco, o ambiente estava tranquilo novamente. Ao mesmo tempo, percebi que Afonso saiu de casa e não voltou mais, se afastando com os colegas de copo.

Fitei Galeno, desejoso de aprender sempre mais. Ele percebeu a minha dúvida e respondeu, generoso:

— *Por ora, Eduardo, fizemos o melhor dentro das circunstâncias, saneando o ambiente psíquico da casa. No entanto, não podemos impedir que, com seus pensamentos, Alberto e Marita voltem a atrair a presença de Afonso. Vai depender deles a manutenção da psicosfera familiar em níveis aceitáveis. Quanto a Afonso, nada podemos fazer por ele neste instante. É necessário esperar que ele se torne mais maleável a nossa ação, aceitando a ajuda.*

Resolvido o problema mais urgente, deixamos os amigos e retornamos para nossas atividades. Antes de sair, ainda ouvimos Alberto, que dizia à esposa:

– Marita, melhor nos recolhermos. Não sei o que aconteceu, mas essa última parte da nossa conversa não me fez bem. Vamos subir e ler alguma coisa que nos ajude a ter um sono tranquilo.

– Tem razão, Alberto. Também me senti muito mal. Um aperto no peito e o coração batendo disparado, como se algo ruim estivesse por acontecer. Pensei que fosse ter um ataque cardíaco. Muito estranho.

Subiram as escadarias enquanto Alberto pensava: "Amanhã é outro dia".

~

Retornando para casa, após a tarde tão agradável na mansão, Laura sentia-se feliz como nunca. Olhava para Carlos, atento à direção do carro, e refletia em como amava aquele homem, sereno, delicado, atencioso, gentil, amoroso e muito apaixonado. No banco traseiro, as crianças falavam o tempo todo, brincando, rindo e, às vezes, discutindo. Tudo isso era normal e não os incomodava.

Ao notar o olhar dela, ele virou-se e sorriu:

– O que está passando pela cabecinha da mulher mais linda do mundo?

– Que jamais pensei que viesse a amar alguém como amo você – respondeu em voz baixa.

– Ah! Esta é uma declaração de amor?

– Com certeza.

– Pois é a declaração de amor mais linda que alguém já me dirigiu – comentou, fingindo seriedade.

– É mesmo? E já recebeu muitas?

– Uma infinidade!

– Mentiroso!

– Você sabe, lá no hospital, todas as mulheres se apaixonam por mim.

– Convencido!

– Mas eu só amo você, minha querida! Se não estivesse dirigindo, eu lhe daria um beijo.

Laura fitou-o com amor, como se dissesse: "Tudo bem. Eu posso esperar".

Em poucos minutos, o carro parou em frente à casa dela.

– Vamos levar as crianças ao cinema amanhã? Está passando um filme ótimo! – perguntou Carlos.

– Boa ideia! Claro, vamos sim!

As crianças adoraram. Laura e os filhos desceram do carro, despediram-se, e ele foi embora, pois Mariana e Miguel estavam com muito sono.

CAPÍTULO 28

Explicações necessárias

No dia seguinte, Carlos preparava o café da manhã quando tocou o telefone. Ele enxugou as mãos e atendeu.

– Bom dia, Carlos!

Imediatamente identificou a voz:

– Alberto! Bom dia, que prazer ouvi-lo logo cedo!

– Eu o acordei? Afinal, hoje é domingo e ontem você comentou que não teria plantão.

– É verdade, mas estou tão acostumado a levantar cedo que não consigo ficar na cama. Aproveito para agradecer pela tarde tão agradável que nos proporcionou ontem. Obrigado, amigo!

– Não me agradeça. O prazer foi nosso. Marita e eu ficamos muito solitários nesta casa imensa. Vocês nos trouxeram vida e alegria, e somos gratos. Mas... liguei porque preciso conversar com você.

– Claro, estou sempre à sua disposição. Quando?

– Pode ser hoje... agora cedo?

– Venha! As crianças costumam levantar tarde no domingo. Acabei de passar um café e o tomaremos juntos.

Despediram-se. Quinze minutos depois, Alberto tocou a campainha do apartamento, e Carlos abriu a porta com enorme sorriso:

— Entre, Alberto! Vamos direto para a cozinha. Espero que aprecie o meu café.

— Embora já tenha tomado em casa, uma xícara de café é sempre bem-vinda.

Sentaram-se, e Carlos serviu o amigo. Enquanto Alberto mexia o café, Carlos o olhava discretamente, hábito adquirido na profissão. Como o visitante se mantivesse calado, o médico perguntou:

— O que está acontecendo? Algum problema em casa?

Respirando fundo, Alberto tomou um gole de café e, colocando a xícara no pires, respondeu:

— Não propriamente em casa. Tem a ver com o que conversamos ontem.

— Tem a ver com a notícia do meu casamento com Laura, imagino. Olhe, Alberto, sei que devo explicações. Afinal, o médico casar-se com a viúva de um paciente pode gerar fofocas, mal-entendidos, interpretações distorcidas e um monte de outras coisas, inclusive, questionamentos sobre o meu caráter, impressão de que eu talvez seja aproveitador, sem moral, etc. No entanto, asseguro que não houve intenção de criar um problema, nem da minha parte nem da parte de Laura.

Carlos parou de falar por alguns instantes e, olhando nos olhos de Alberto, prosseguiu:

— Durante todo o tratamento de Afonso, agi de maneira estritamente profissional. Posteriormente, ao nos encontrarmos no centro espírita, por mero acaso, nos aproximamos mais, até em razão da sua insistência. Lembra-se? Partiu de você a ideia de convidar-me para a primeira reunião de Evangelho no lar na casa de Laura. Eu nunca entrara naquela casa. Considero que foi muito boa a aproximação com a família de Laura, porque meus filhos se afeiçoaram aos filhos dela. Nossa vida estava muito confusa, com problemas e, exatamente por isso, procurei a casa espírita. Natália tinha nos abandonado e foi um período bastante tenso, especialmente para Mariana e Miguel, que choravam muito sentindo a falta da mãe, o que me obrigava a desdobrar-me entre a profissão e o atendimento a eles. Foi um período muito difícil! Enfim... Quando recebemos a notícia de que Natália havia morrido, foi terrível, mas, de certo modo, definiu a situação. Meus filhos sofreram bastante, mas já não exigiam que eu procurasse pela mãe o tempo todo, na esperança de que a encontrasse e a trouxesse de volta para casa.

Alberto escutava em silêncio, percebendo na fisionomia de Carlos o quanto ele sofrera. Só o fato de relembrar tudo o que tinha acontecido fez que seus olhos mostrassem o desespero, a dor, o sofrimento, a preocupação e a angústia que enfrentara na ocasião. Sem conter as lágrimas, concluiu:

— Laura é uma pessoa excelente, muito amorosa e prestativa, e nos ajudou bastante nessa fase, o que nos levou a nos aproximarmos ainda mais dela e dos meninos. Sabendo que meu tempo era escasso, generosa, ela sempre convidava meus filhos a passarem o dia na casa dela. Quando saía a passear com os garotos, levava Mariana e Miguel, e, assim, sempre estava presente em nossa vida. Desse modo, fui me apegando cada vez mais a ela e aos meninos.

A admiração e o respeito transformaram-se em carinho e amor. Quando notei que ela também me olhava diferente, declarei-me, e ela confessou que também gostava de mim. E o resto, você já sabe. Resolvemos nos casar!

Alberto também sentia-se emocionado. Nunca pensava no relacionamento deles por esse ângulo. Podia entender melhor como tudo acontecera. Então, fitando o amigo, que esperava suas considerações sobre o que fora dito, afirmou:

— Carlos, desde que nos aproximamos mais, em virtude das ligações com o centro, sinto uma grande admiração por você, pelo seu trabalho, pelo seu caráter, pela sua conduta, enfim, por tudo o que você é. Quando nos deu a notícia do casamento de vocês, confesso que senti uma pontinha de ciúme. Afinal, Laura era a esposa de meu filho. Agora, viúva. Todavia, entendi perfeitamente que a união de vocês foi uma decisão perfeita para ambas as famílias. Sim, sei da amizade e do carinho que meus netos, Junior, Zezé e Bruninho têm por seus filhos, Mariana e Miguel. Notei até que Junior e Zezé agem como irmãos mais velhos dos menores. Além disso, concordo que é uma maneira de fazer as famílias mais inteiras, completas.

Alberto tomou mais um gole de café e prosseguiu:

— No entanto, ontem, após a saída de vocês, Marita e eu permanecemos ali na sala conversando, trocando ideias, e falamos sobre tudo isso. Estávamos satisfeitos. Sentíamos serenidade, bem-estar e alegria. De repente, não sei por qual razão, o ambiente mudou. Passamos a ficar tensos, angustiados. Marita sentia a cabeça atordoada, um forte aperto no peito e o coração batendo acelerado. Confesso que vieram à mente ideias completamente diferentes daquelas que eu tivera até há pouco, acontecendo o mesmo com minha esposa.

Alberto parou de falar, como que procurando explicar direito o que sentira, e acrescentou:

— Em terrível desequilíbrio íntimo, nem sei como aconteceu, mas tive a sensação de que alguém me repassava emoções desencontradas. A princípio, pensei que fosse nosso filho, mas a aparência dele era horrível! Não poderia ser Afonsinho. No entanto, eu sentia como se as ideias fossem dele! Dá para entender?

— Você viu o espírito?

— Não posso dizer que "vi". Era como se eu enxergasse com o pensamento, com a alma, entende? Mas eu tive a nítida certeza de que ali havia conosco alguém.

— De acordo com essa sensação, como era a entidade?

— Era um homem muito sujo, roupas esfarrapadas, cabelos emaranhados e barba grande. Ah! O estranho é que me recordo agora de ter sentido cheiro de bebida! É possível?

— Sim! Do mesmo jeito que teve percepção da aparência, teve também percepção olfativa. E o que ele dizia?

— Falava-me coisas horríveis. Enfim, que você e Laura tinham tramado tudo para ficarem juntos e muito mais.

— E você acreditou?

— Naquele momento, fiquei em dúvida, sim. Ele nos envolvia de um jeito que não conseguíamos nem pensar direito.

— Imagino. E depois, pelo menos se lembraram de fazer uma prece?

— A princípio não. O mal-estar era tão intenso que não conseguíamos pensar em nada. Mas, de repente, senti como se uma brisa fresca invadisse a sala. Acho que eram amigos espirituais, porque o ambiente mudou. Então, convidei Marita ao recolhimento e sugeri uma oração, para que tivéssemos um sono tranquilo.

– Fizeram muito bem – concordou Carlos.

Alberto balançou a cabeça, fitando o amigo:

– Reconheço como somos vulneráveis, espiritualmente falando. Felizmente, tudo está melhor. Acordei bem e tenho certeza de que Marita, que deixei dormindo, também despertará bem. Agradeço, Carlos, pelas explicações que me deu sobre seu relacionamento com Laura. Eu precisava disso.

– Eu deveria ter falado com você antes. No entanto, aproveitando o momento, em um impulso, comunicamos a decisão de nos casarmos, sem que houvesse oportunidade de maiores explicações. Na hora, eu senti que você levou um choque, embora rápido. Depois, reagiu bem e nos cumprimentou.

– É verdade, meu amigo. E quanto à entidade, quem pode ser? Por que será que achei que era Afonsinho, em um primeiro momento, e depois me horrorizei com a aparência dele, como se fosse um espírito obsessor?

Carlos respirou fundo, olhando para o amigo e procurando as palavras:

– Alberto, não é importante saber quem é a entidade. Importa, isto sim, saber como nos comportamos diante da situação. Se alguém deseja nos insuflar ideias negativas, devemos reagir com elevação do pensamento. Certamente era alguém que pretendia gerar animosidade, mal-estar e desunião entre nós. Precisamos ajudá-lo com nossas preces. Quanto a Afonso, deve estar em aprendizado. Continuemos orando também por ele.

Alberto agradeceu a Carlos pela paciência com que o tinha recebido e despediu-se, alegando que era tarde e Marita já deveria ter acordado.

Logo após a saída dele, Mariana e Miguel entraram na cozinha, ainda esfregando os olhos de sono. O pai abraçou os filhos com um bom dia e os convidou para a primeira refeição.

Carlos também se sentia mais leve. No entanto, preocupava-se com Afonso. Evitara fazer comentários sobre o assunto para que Alberto não ficasse aflito, e porque não tinha certeza, mas entendeu ser realmente Afonso quem estivera colocando ideias negativas na cabeça dos pais. A aparência ruim era consequência do seu estado vibratório. Talvez tivesse mesmo voltado a beber, quem sabe? No mundo espiritual, se o desencarnado não mantém a elevação de pensamentos e, consequentemente, o equilíbrio, pode ter uma recaída. E não faltarão oportunidades, uma vez que atrairá para perto de si espíritos no mesmo nível, o que facilitará ofertas constantes para que o viciado retorne ao vício, pela ação de companhias eventuais ou ligadas ao seu passado.

"Que Deus o ajude!", pensou, enviando uma vibração fraterna a seu antigo paciente.

Mais tarde, reunindo as famílias, almoçaram juntos e foram ao cinema. Aliás, já não conseguiam mais pensar em duas famílias separadas, mas em uma só. Assim, passaram o dia todo passeando e se divertindo. À noite, foram à casa de Laura e, enquanto as crianças brincavam no quarto ou assitiam à televisão, o casal sentou-se na sala para conversar.

Aproveitando o momento, Carlos contou a ela sobre a visita que Alberto fizera pela manhã e o que eles conversaram. Laura, preocupada, quis saber:

— Você acha mesmo que as vibrações nocivas eram de Afonso?

— Tenho quase certeza, minha querida, pelas sugestões que a entidade tentou colocar na cabeça de Alberto e Marita.

Laura pensou um pouco e concordou:

— Acho que você tem razão, querido. Lembra quando eu senti a presença dele aqui em casa, nesta mesma sala? Realmente, me senti muito mal.

— Mais preocupante, no meu modo de ver, é que Alberto sentiu cheiro de bebida.

Laura afastou-se um pouco dele para fitá-lo nos olhos:

— Você acha que ele voltou a beber, depois de tudo?

Carlos balançou a cabeça afirmativamente.

— Querida, "do outro lado" as oportunidades são infinitamente maiores! O que não falta é gente para incentivar. E não me refiro apenas à bebida, mas aos vícios em geral, como jogo, sexo, cigarro e todas as drogas, permitidas ou não.

Laura estava assustada.

— Então, temos de orar muito pelo Afonso. Na próxima reunião no centro, vamos conversar e pedir para fazerem uma vibração por ele.

— Com certeza. Bem, agora preciso ir embora. Amanhã, logo cedo, tenho plantão no hospital.

— Que pena! Mas está bem. Vamos chamar as crianças.

Elas reclamaram um pouco, mas entenderam. Afinal, o dia seguinte era uma segunda-feira e precisariam ir à escola.

Despediram-se e, após a saída de Carlos com os filhos, também foram dormir.

Na terça-feira, de tardezinha, após o atendimento no hospital e antes de voltar para casa, Carlos passou na residência de uma cliente que lhe telefonara dizendo não passar bem. Era uma senhora bem idosa, que morava sozinha. Sempre que possível, ele facilitava as coisas, fazendo-lhe uma visita domiciliar. Atendeu-a rapidamente, mais tranquilo por saber que ela não tinha nenhum problema, apenas um pouco de carência. Quando retomava o trajeto normal, viu um grupo de rapazes dando risada e conversando alto em uma mesa de calçada, na frente de um barzinho. Teria passado por ele sem maiores problemas, não fosse a nítida impressão de que um deles era seu conhecido.

"Junior! Será ele? Não, não é possível. Bobagem! Devo ter me enganado".

Com pressa, pois o horário da empregada terminara e as crianças não podiam ficar sozinhas, não parou, prosseguindo no rumo de casa, complicado pelo horário.

Parado em um engarrafamento, o médico aproveitou e ligou para a empregada, pedindo que tivesse um pouco mais de paciência, porque ele estava preso no trânsito.

– Não se preocupe, doutor. Se eu precisar ir embora, a vizinha do lado prontificou-se a ficar com Mariana e Miguel.

– Ah! Ótimo! Então, se isso acontecer, explique à dona Virgínia que chegarei o mais rápido possível.

Resolvido esse problema, ligou para Laura.

– Olá, querida! Como vão as coisas hoje?

– Oi, Carlos! Tudo bem! Está em casa? As crianças estão bem?

— Elas estão bem sim. Quanto a estar em casa, quem me dera! Escuta as buzinas? Estou num engarrafamento. E os meninos?

— Bem e em casa. Só Junior, que foi estudar na casa de um colega, ainda não voltou. Mas, pelo horário, deve estar chegando.

— Agora preciso desligar, querida. A fila começou a andar. Um beijo.

Preocupado, Carlos lamentou não ter atendido ao seu impulso de parar. Sim, aquele rapazinho parecia-se bastante com o Junior. E agora? Estava preso no trânsito e não podia retroceder. A fila andava alguns metros, parava, tornava a andar, parava de novo. Desse jeito, ele não chegaria nunca!

Carlos procurou manter a calma, sabendo que não adiantava se irritar. Além disso, seus filhos estavam em segurança. Mas, e o Junior? Não queria preocupar Laura, falando de algo que não tinha certeza. No entanto, a imagem daquele garoto não lhe saía da cabeça.

Duas horas depois, conseguiu chegar ao apartamento. Mesmo exausto, abriu a porta com um sorriso, e as crianças vieram abraçá-lo, alegres, contando as experiências do dia. Ele agradeceu à dona Virgínia, que retornou ao apartamento, após despedir-se das crianças.

— Você demorou muito hoje, papai! — reclamou Mariana.

— Eu sei, papai, porque você demorou. Ficou preso no trânsito! — falou Miguel.

— Isso mesmo, meu filho. Ah! Preciso descansar. Vocês já jantaram?

— Sim, papai — responderam ao mesmo tempo.

— Então, vão se preparar para dormir. Papai vai dar boa noite a vocês daqui a pouco.

Como sempre, a auxiliar tinha deixado a mesa arrumada. Carlos pegou o prato na mesa e abriu o forno, onde ela deixava as comidas. Serviu-se e voltou para a mesa, acomodando-se. Faminto, comeu com vontade. Em seguida, foi até o quarto beijar os filhos.

Voltando à sala, ligou a televisão para ouvir o noticiário. Sentou-se no sofá e, cansado, acabou adormecendo. Acordou assustado e olhou o relógio: uma hora da manhã! Queria telefonar para Laura, mas tinha dormido, e agora era tarde demais. Com certeza ela já estaria dormindo. Ficou na dúvida entre ligar e não ligar. Depois pensou: e se Junior ainda não voltou e ela estiver acordada e desesperada?

Ligou. Após três toques, ela atendeu.

– Alô?

– Laura, querida, desculpe o horário, mas desejava falar com você mais uma vez. Tudo bem por aí? Eu a acordei?

– Está tudo bem, sim. Todos nós estávamos dormindo. Mas sempre é bom ouvir sua voz, meu bem.

– Ótimo! Então, vamos dormir também, querida. Só queria desejar uma boa noite!

– Então, boa noite, querido. Durma bem.

Carlos desligou o telefone aliviado. Deitou-se e, antes de pegar no sono de novo, pensou que precisaria conversar com Junior.

CAPÍTULO 29

Influência espiritual

Na manhã seguinte, Carlos acordou com o firme propósito de conversar com Junior. Como ainda fosse cedo, ligou para a casa de Laura, trocou algumas palavras afetuosas com a noiva, depois pediu para falar com o filho dela, dando uma desculpa:

— Laura, querida, gostaria que o Junior me ajudasse a comprar um presente para o filho de um amigo que tem mais ou menos o tamanho dele.

— Não tem problema, querido. Mas não bastaria saber o tamanho que o Júnior usa?

— Tem razão, porém fico indeciso. Sabe como é, os jovens têm gostos diferentes dos mais velhos e quero comprar algo que o filho do meu amigo realmente goste e use, entende?

— Claro, Carlos. Não tem problema. A que horas você passaria aqui?

— Hoje meu dia vai ser bem corrido. Terei que aproveitar o horário do almoço. Poderia pegar seus filhos na escola, deixar os menores em sua casa e sair com o Junior. O que acha?

— Tudo bem. Então, fica combinado assim.

— Obrigado, querida. Um beijo. Eu te amo!
— Eu também te amo! Até mais tarde.

Carlos desligou satisfeito. Pelo menos tinha resolvido a primeira parte do problema: ficar a sós com Junior.

Atendeu clientes durante a manhã inteira. Quinze minutos antes do meio-dia, dirigiu-se à escola e aguardou a saída dos alunos. Os primeiros a sair foram Bruninho e Zezé, que ele chamou para o carro. Cinco minutos depois, Junior passou pelo portão. Carlos levantava a mão para acenar, de modo que o adolescente o visse, mas parou. Junior conversava com alguns colegas que não lhe inspiraram confiança. Eram estranhos, na aparência e no comportamento. Aproximou-se lentamente e notou que marcavam um encontro para logo mais, à noite, e ficou alerta. Ao vê-lo, Junior fez um sinal para que esperasse um pouco.

— Quem é esse cara de branco? — indagou um deles.
— É o noivo de minha mãe. Bem, então está combinado. Até mais tarde!

Em seguida, Junior despediu-se do bando e caminhou até o carro.

— Tudo em cima, Carlos?
— Claro! Tudo em cima.

No entanto, Afonso também esperava pela saída do filho. Ao ver Carlos, encolerizou-se, tentando expulsá-lo das imediações da escola, mas o médico, em outra faixa vibratória, não percebeu.

Acomodaram-se no carro, e Afonso seguiu com eles. Precisava saber o que estava acontecendo. Aquele encontro entre o rival e seu filho lhe parecia muito suspeito.

Carlos levou Zezé e Bruninho para casa e notou que eles mostravam uma carinha triste. O médico percebeu que eles não entendiam porque só Junior ia passear e eles não. Dando um abraço neles, explicou:

— Garotos, agora não tenho tempo de passear com vocês. Só vou comprar um presente para o filho de um amigo, e o Junior vai me ajudar a escolher. Em seguida, volto rapidinho para o hospital. Prometo, porém, que no sábado passearemos todos juntos e ficaremos o tempo que vocês quiserem. Está bem?

Os pequenos concordaram, satisfeitos. Despediram-se, e Carlos tomou o rumo do centro da cidade.

— Para onde vamos? — perguntou Junior.

— Pensei em irmos a um *shopping*. Podemos almoçar e depois percorrer as lojas, o que você acha?

— Legal!

Em silêncio, dirigiram-se à região onde havia um grande *shopping center* com muitas opções. Estacionando o carro, encaminharam-se para a área de restaurantes e lanchonetes. Em virtude do horário, o movimento ainda era pequeno. Escolheram uma mesa, e Carlos perguntou:

— O que você deseja comer, Junior?

— Se não se opõe, prefiro um sanduíche.

Carlos sorriu, bem-humorado.

— Eu deveria ter imaginado. Em outras circunstâncias, não concordaria, e sua mãe também não permitiria. Mas hoje é um dia especial. Então, tome este dinheiro e compre o que quiser.

Junior levantou-se e foi comprar seu lanche. Quando voltou, Carlos acabava de sentar-se. Escolhera um peixe grelhado, com arroz e salada, e um suco de laranja. Junior optara por um hambúrguer com tudo o que tinha direito, batatas fritas e refrigerante.

Começaram a comer, e Carlos, tranquilamente, perguntou ao rapazinho:

— Aqueles rapazes são seus amigos?

— São. Por quê?

— Por nada. Achei a cara deles muito estranha. São seus colegas de classe?

— Não. Só o Renato. Os outros são de uma turma mais avançada. Algum problema?

— Ah! Não, problema nenhum. Só para puxar assunto. Como está na escola?

Junior respondeu que tinha dificuldade em algumas matérias, mas daria para passar de ano. Conversaram por algum tempo, Carlos contou suas dificuldades como estudante, depois falou de problemas que enfrentava no hospital. Em determinado momento, ele comentou a visita domiciliar que fizera a uma paciente, referindo-se ao engarrafamento da tarde anterior, explicando direitinho o trajeto que fizera. Ao falar do instante em que virou na esquina de um barzinho bastante movimentado, em certo bairro, Junior empalideceu, e seu olhar passou a mostrar medo e preocupação.

— Olhe, Junior, o médico não tem hora para atender! Depois dessa visita, fiquei duas horas no trânsito! Mas não reclamo, pois se fosse de madrugada seria bem pior!

Junior, tenso, concordou com ele. Carlos fingiu que não percebeu e continuou comendo. Após outra garfada, levou o guardanapo à boca e comentou:

— Veja que coincidência! Ao passar por aquele bar, olhei de relance e vi um rapaz parecido com você, dá para acreditar?

Junior, que levara um bocado de sanduíche à boca, arregalou os olhos, assustado, e quase engasgou. Tomou apressadamente um gole de refrigerante, e Carlos notou que suas mãos tremiam.

Bastava-lhe isso para confirmar suas suspeitas. Era o futuro enteado que estava no bar, mas manteve-se calado.

Ao terminar a refeição, Carlos perguntou se o garoto queria uma sobremesa, talvez um doce, um pedaço de torta ou um sorvete. Junior apenas meneou a cabeça, recusando. Então, o médico achou que era o momento de abordar o assunto.

— Junior, sabe que gosto muito de você, e sei que também gosta de mim. Daqui a alguns meses, estarei casado com sua mãe, seremos uma família só, e sinto-me muito feliz. Espero que possamos confiar um no outro e viver em harmonia.

— Eu também espero, Carlos. Todos nós gostamos muito de você.

— Quero que entenda, Junior, que não pretendo ocupar o lugar do seu pai. Afonso é seu verdadeiro pai e sempre será. No entanto, mais do que um padrasto, como um amigo que pretendo ser, precisarei cuidar de vocês todos, como sua mãe cuidará de Mariana e Miguel.

— Eu sei.

Carlos fez uma pausa e perguntou:

— Então, diga-me, por que estava naquele barzinho ontem? Eu o reconheci. Não se preocupe, eu nada disse à sua mãe. É um assunto entre nós.

Afonso, que acompanhava a cena, colocou as mãos na cintura, nervoso e agressivo, e gritou:

— Quem é você, cara, que pensa poder dar ordens a meu filho, interrogá-lo sobre sua vida? Ele faz o que quiser! Eu sou o pai dele e só a mim ele deverá prestar contas, entendeu?

Junior, que não percebera a presença do pai desencarnado, baixou a cabeça, envergonhado, sabendo que fora descoberto. Pensou em mentir, mas aquela situação pesava-lhe demasiadamente.

— Carlos, eu juro que nunca antes menti para minha mãe. Vou contar...

— Nada disso, meu filho. Não precisa contar nada a esse cara. Você não lhe deve satisfação! Mande-o plantar batatas! — gritava Afonso, do plano espiritual.

Mas Junior prosseguiu, contando seu envolvimento com o grupo de Renato, sobre a primeira vez que bebera, como eles começaram a atraí-lo para coisas mais pesadas. Inclusive, na tarde anterior, como se já não bastasse bebida, queriam que ele usasse droga.

Carlos ouvia o rapazinho falar, já sentindo o peso do ambiente. A cabeça começou a doer terrivelmente. O movimento do *shopping* aumentara bastante, então achou melhor convidar Junior para continuarem a conversa em lugar mais sossegado, nada comentando sobre a presença de entidades de baixo padrão vibratório. Queria evitar que algo acontecesse ali, onde havia tanta gente.

Deixando o *shopping*, dirigiram-se a uma praça e acomodaram-se em um banco. Afonso, que não arredava pé, como não conseguia nada com Carlos, tentou influenciar o filho, aproximando-se bastante dele. Nesse momento, outros espíritos, ligados a Afonso e tão viciados quanto ele, foram atraídos ao local.

— Junior, meu filho, não deixe que esse cara lhe diga o que deve fazer. Ele não é nada seu. É apenas o namorado de sua mãe! Eu sou seu pai e você só deve obediência a mim.

Envolvido dessa forma pelo pai e diante das vibrações pesadas e insalubres dos desencarnados, ele começou a reagir. Sentia a cabeça tonta, uma opressão no peito que quase lhe tirava o fôlego e o coração acelerado. Mal podendo abrir os olhos, viu Carlos à sua frente e interrogou, irritado, como porta-voz de Afonso:

— Mas, afinal, por que se preocupa tanto comigo? Não lhe devo nada, Carlos. Tome conta dos seus filhos, que você abandonou sozinhos enquanto passeia comigo, e já faz o bastante. Não quero ouvi-lo mais. Vou embora!

E o rapazinho, levantando-se do banco, ameaçou se afastar, no que foi impedido por Carlos. Ao perceber perfeitamente a alteração no comportamento do garoto, elevou o pensamento a Jesus pedindo a ajuda dos espíritos amigos. Com brandura, disse:

— Calma, Junior! Quero apenas ajudá-lo! Desculpe-me se fui intrometido. Vou levá-lo para casa, venha.

Carlos pegou o carro, que estava a poucos metros dali, e Junior entrou contra a vontade. Durante o resto do trajeto, ambos permaneceram calados. O médico notou, porém, pela expressão do rapaz, que ele ainda estava influenciado, e continuou fazendo preces.

Em virtude da mudança de ambiente, propiciada pela oração, Junior entrou em casa mais sereno. A mãe, ao vê-los, sorriu contente:

— Oi, meu filho! Que bom que chegaram! Conseguiu comprar o presente, Carlos?

O médico trocou um olhar com o rapazinho e respondeu:

— Infelizmente, não achamos nada interessante.
— Ah, que pena! Mas pelo menos passearam bastante, imagino.
— Sem dúvida. Foi muito bom. Agora preciso ir. Obrigado pela força, Junior. Valeu!

Carlos despediu-se de Laura e de Júnior e foi embora. Laura percebeu um ambiente estranho entre seu noivo e o filho, mas nada perguntou. À noite, conversaria com Carlos. Era dia de ir ao centro, e ele certamente estaria lá.

~

Preocupados, nós, do mundo espiritual, também estávamos presentes. Sugerimos a Carlos que aproveitasse o local reservado da casa espírita, enquanto as crianças permaneciam na sala de aula, para conversar com Laura. Ele acatou nossa sugestão: escolheu uma das salas, vazia àquele horário, e sentaram-se. Laura estranhou a decisão de Carlos, pois eles não perdiam nenhuma palestra.

— O que houve, querido? — indagou aflita.

Escolhendo as palavras, para não preocupá-la além do necessário, contou-lhe o que andava acontecendo, concluindo:

— Laura, é de suma importância que você não deixe Junior perceber que eu lhe contei tudo. Ele não deve saber, caso contrário perderá a confiança em mim, e não poderemos mais contar com esse vínculo.

— Então, você acha que Afonso está envolvido nessa história?

— Tenho quase certeza, pelas reações do Junior. O que sei é que precisamos pedir ajuda aos responsáveis por esta casa. A situação do seu filho é grave, em virtude das companhias dele. Lembra-se de quando eu disse que Afonso talvez houvesse voltado para o vício? Então, pude confirmar isso hoje. Lá, na pracinha para onde levei Junior, senti cheiro de bebida. Notei também outras entidades no mesmo padrão vibratório, que devem ser amigos de Afonso.

Laura permaneceu pensativa por alguns segundos, depois retrucou:

— Carlos, recuso-me a acreditar que o Afonso levaria o filho para a bebida! Afinal, ele é pai e não faria isso!

Carlos, fitando-a com expressão grave, alegou:

— Querida, Afonso não está em seu estado normal. Ele está precisando de ajuda e não tem noção de limites. Pelo envolvimento com a bebida, ainda que não incentive o filho, só a presença dele já representa um grande perigo. Ele transpira álcool, e suas vibrações pesadas irão atingir todas as pessoas que conviverem com ele. Algumas, como nós, podemos estar protegidos à contaminação. Outras, porém, com tendência ao vício, serão levadas a ele pelo mesmo processo das doenças!

— E quanto às drogas mais pesadas das quais Junior falou? Você acha que também nisso o Afonso está envolvido?

O médico mostrou-se reticente:

— Quanto a isso, não sei. Creio que pode ser um problema à parte, gerado pela turma com que o Junior está saindo. Confesso que, ao ver os rapazes na saída da escola, fiquei muito preocupado. Como médico, notei alguns sinais inequívocos de envolvimento com drogas: palidez da pele, olhos estranhos e vermelhos, atitudes, palavras.

Laura levou as mãos à cabeça e começou a chorar:

— Você está me assustando, Carlos!

Tomando-a nos braços, ele procurou acalmá-la.

— Fique tranquila, meu bem. Eu não disse que o seu filho está envolvido, disse que notei sintomas em seus colegas. Creio que o Junior esteja fora disso, mas precisamos cuidar para afastá-lo desses rapazes. Para tanto, é necessário que você se mantenha firme e serena. Entendeu?

— Entendi. Então, o que faremos? — perguntou Laura, parando de chorar e enxugando os olhos.

— Bem. Encerrada a reunião, vamos falar com o Eurico, responsável pela parte mediúnica, e pediremos ajuda do Alto. Veja bem, Laura, isso não quer dizer que estejamos desamparados. Temos sentido a presença de amigos espirituais, que nos assistem e ajudam sempre, não é?

— É verdade. Especialmente em casa, no dia do estudo do Evangelho no lar, sinto a presença deles. Porém você tem razão, Carlos. Talvez seja necessária uma ação mais direta, por intermédio da mediunidade, para enfrentarmos esse problema.

— Exato. Agora, a palestra deve estar quase terminando. Vamos descer e participar dos passes.

Satisfeitos com a conversa que tiveram, nós também deixamos a sala rumo ao salão, onde ajudaríamos a equipe de sustentação na aplicação de passes e da água magnetizada.

Após a reunião, enquanto os demais conversavam no pátio, Laura pediu aos sogros que avisassem aos netos que ela e Carlos falariam com um amigo e logo estariam de volta. Em seguida, foram procurar Eurico, antigo trabalhador da casa espírita.

— Olá! Como estão, amigos? Prazer em vê-los!

— Poderíamos falar com você? Precisamos de orientação. É importante e urgente.

Com expressão mais séria, Eurico encaminhou os dois até uma sala vazia, onde se acomodaram.

– Qual é o problema?

Carlos passou a narrar os fatos, sem omitir nada. O servidor da casa ouviu sem interromper. Depois, baixou a cabeça, concentrando-se por alguns instantes. Em seguida, respirou fundo e explicou:

– Realmente, o problema é sério e tem implicações de natureza espiritual. Várias entidades estão envolvidas, em virtude da ligação do rapaz com certos amigos, mas percebo também outro grupo, do qual o pai desencarnado faz parte.

Laura trocou um olhar com Carlos e perguntou:

– E o que precisamos fazer, Eurico?

– Quando existe contaminação por influência espiritual, é necessário o máximo de cuidado, pelas implicações que provoca. Imprescindível lembrar sempre do "orai e vigiai", segundo recomendação de Jesus. Mantenham o pensamento elevado e orem com frequência. Sei que fazem o estudo do Evangelho no lar. Como o rapaz é aluno de nossas escolas de educação espírita e toma passes regularmente, está sob o amparo do plano maior. Mas vamos trabalhar também na área mediúnica, fazendo vibrações especiais para essas entidades. Amanhã temos reunião e vamos ver o que acontece. Confiem em Deus! E fiquem tranquilos, conheço Junior, e ele não tem aspecto de quem está envolvido com coisas mais graves. Manteremos contato.

Mais serenos, eles agradeceram a Eurico e se afastaram, indo encontrar os filhos e amigos, que se entretinham a conversar.

CAPÍTULO 30

EM BUSCA DE AJUDA

N a residência de Laura, nossa equipe espiritual aguardava a chegada de Eulália, benfeitora ligada ao grupo, mais especificamente à dona da casa.

Os moradores dormiam. Melina, Irineu, César Augusto e eu, preocupados com a situação, trocávamos ideias na sala, quando nossa amiga chegou. Após cumprimentos carinhosos, ela abordou o motivo de sua presença na residência de Laura àquela noite.

— *Queridos amigos! Precisamos estar atentos, pois os companheiros das trevas programam ação que poderá complicar demais a situação de nossos protegidos.*

Como responsável pela equipe de jovens, indaguei, apreensivo:

— *Estamos à sua disposição, cara Eulália. O que se passa?*

Voltando o olhar calmo sobre nós, ela explicou que os infelizes e ardilosos irmãos pretendiam envolver ainda mais o Junior. Que nos mantivéssemos atentos, pois todo cuidado era pouco.

Ouvindo-a, inquietos, imediatamente nos dirigimos ao quarto do rapaz. Laura construíra mais um cômodo, para que o primogênito tivesse mais privacidade, separando-o de Zezé e Bruninho. Verificamos que os dois menores dormiam, mas Junior, ainda acordado, debatia-se entre o desejo de sair de casa e a consciência, que o alertava a ficar.

Chegando perto dele, tentamos sugerir pensamentos benéficos, mostrando que lá fora morava o perigo e que só na intimidade do lar poderia desfrutar de segurança e paz verdadeiras.

No entanto, Junior estava interessado numa garota da sua turma e desejava sair para se encontrar com ela. De tal maneira se envolvera com o desejo de vê-la que não conseguia ouvir nossos apelos.

Podíamos ouvir seus pensamentos. Ele refletia sobre os meios de sair de casa. Não queria usar a porta da frente, com medo de fazer barulho. Então, sorriu satisfeito. Como não pensara nisso antes? Tomara uma decisão.

Ainda tentamos despertar Laura e os garotos, sem sucesso.

Sem poder impedi-lo, vimos quando abriu a janela do quarto e pulou, saindo pelo pequeno corredor que o levaria à rua. Em poucos minutos, caminhando rápido, ele já estava longe. Tomou um ônibus, e nós o seguimos. Contando com a facilidade do trânsito tranquilo àquela hora, em vinte minutos ele chegou ao local do encontro. O mesmo bar no qual Carlos o vira dias antes.

Cumprimentou os colegas e as garotas ali presentes. A menina pela qual se interessava sorriu ao vê-lo. Animado, puxou uma cadeira e sentou-se, contente pela oportunidade de estar juntinho da garota. Apesar de serem da mesma sala, ela era muito tímida e quase não conversavam.

Todos bebiam. Junior pensou em pedir um refrigerante, mas os colegas se adiantaram e perguntaram o que ele beberia. Para não fazer má figura, ainda mais com a presença de Gabriela, pediu uma cerveja.

Perto dela, sentindo seu perfume, parecia enlevado, o coração batendo forte. Conversaram um pouco, porém, rapidamente, os amigos o chamaram, desejando que ele bebesse algo mais forte. Astuciosos, inventaram um jogo: aquele que demorasse a responder à pergunta feita, ou não soubesse a resposta, seria obrigado a tomar uma dose de conhaque de uma só vez. Através de palitinhos, escolhiam os participantes. Aquele que perdia respondia à questão proposta pelo outro. Assim, divertiram-se bastante, rindo das respostas erradas e das trapalhadas dos amigos. Renato havia manipulado para cair junto com Junior, que precisaria responder à sua questão. Ardiloso, fugindo completamente às perguntas corriqueiras, ele conseguiu que Junior não desse a resposta certa.

Foi uma festa! Os demais, já embalados pela bebida, arranjaram o copo e passaram ao colega, que estranhou, pois não era uma dose, mas o copo cheio. Não obstante, por não desejar mostrar fraqueza diante da garota, acuado e sem opção, respirou fundo e ingeriu tudo de uma só vez.

Nós, da equipe espiritual, tentamos impedir o grupo, conscientizá-lo a parar com a atitude bárbara e obrigar os amigos a beber contra a vontade. Tudo em vão, porém. Cercamos Junior, orando e procurando desfazer as emanações deletérias da bebida, ao mesmo tempo que o envolvíamos em energias benéficas, buscando minimizar os efeitos danosos da ação.

Junior começou a sentir-se mal. Seus olhos, a princípio, ficaram arregalados, enquanto ele levava a mão ao peito. Depois se fecharam, e ele caiu desacordado. Foi tudo muito rápido. Assustados, sem saber o que acontecia e com medo das consequências, os demais fugiram, abandonando o amigo em crise.

O dono do bar, preocupado com a repercussão do caso, deu ordem aos dois atendentes para tirá-lo do seu estabelecimento e jogá-lo em uma ruazinha próxima, sem saída.

— E não comentem com ninguém o que aconteceu aqui — ordenou.

— Mas muita gente viu, patrão! — retrucou um dos rapazes.

— Não falarão. Todos estão no mesmo barco.

Junior permaneceu jogado na calçada de um beco imundo, onde existiam quatro ou cinco estabelecimentos comerciais, todos fechados àquela hora. Enquanto Eulália envolvia com amor o rapaz, César Augusto, Irineu, Melina e eu fomos buscar socorro. Sabíamos que não seria fácil. Cada um de nós tomou um rumo diferente. Melina tentaria falar com Alberto e Marita; Irineu foi atrás de Laura e, pela proximidade, de Gertrudes; César Augusto procuraria estimular a intuição de Carlos, e eu fui à casa de Marlene.

No entanto, para nós, de outro plano, sugerir algo aos encarnados não é fácil. Envolvidos com os próprios problemas, geralmente não nos ouvem. Melina regressou pouco depois, desanimada: Alberto e Marita estavam em uma festa, fechados a qualquer sugestão mental. Tentou, ainda, ver se outra pessoa daquele ambiente poderia ouvi-la, sem resultado.

Irineu, ao entrar na casa de Laura, encontrou-a adormecida, mas presente em espírito. Mais animado, tentou explicar os últimos acontecimentos:

— Laura, seu filho, Junior, está precisando de ajuda! Venha comigo, vou mostrar onde ele está!

Pegou-a pela mão e, num segundo, levou-a até a viela. Desesperada, ela debruçou-se sobre o filho. Eulália a amparou, orientando:

— Laura, minha filha, agora nós precisamos que volte para seu lar e acorde, tomando providências. Entendeu? Acorde e tome providências!

Laura balançou a cabeça, em sinal de assentimento. Em seguida, rapidamente, Irineu a levou de volta para casa e a despertou. Acordando em seu leito, assustada, imediatamente lembrou-se do sonho:

— Meu Deus! Que pesadelo horrível eu tive! Parece que o Junior não passava bem. Que horror! Ainda bem que foi só um sonho.

Ao seu lado, Irineu repetia:

— Laura, chame a polícia! Chame sua vizinha Gertrudes! Vamos! Levante-se! Levante-se!

Incapaz de ouvi-lo, ela acendeu a luz e, pegando a jarra de água, colocou um pouco no copo e bebeu. Depois, deitou-se novamente, preparando-se para dormir.

Desanimado, Irineu ainda permaneceu mais algum tempo no quarto, mas Laura tinha medo de adormecer e voltar a ter o pesadelo. Ele, então, sugeriu:

— Laura, vá até o quarto do Junior! Vamos, levante-se!

Mas Laura estava tão passada de medo pelas imagens que tinha visto que não conseguia pensar em outra coisa, julgando que fosse apenas um pesadelo. Então, Irineu foi ao quarto dos garotos, na tentativa de que pudessem ajudar, mas Zezé e Bruninho, desprendidos do corpo físico, não estavam. Rapidamente, foi à casa de Gertrudes. Viu que ela se preparava para dormir e aproximou-se, sugerindo que fosse até a casa de Laura ou telefonasse. Ela entendeu e sentiu vontade de ver a amiga. No entanto, olhando o relógio, achou que era muito tarde. "E se eu ligar?", em seguida desistiu: "não, com certeza Laura deve estar dormindo. Amanhã, logo cedo, eu ligo para ela". E se despreocupou do assunto, fechando os canais da intuição.

Desse modo, Irineu retornou à viela sem obter resultados. No local, encontrou Melina, que informou pesarosa:

— *Com Alberto e Marita, nada. Estavam numa festa.*

César Augusto, que acabara de chegar, também deu conta dos seus esforços aos presentes:

— *Carlos é bastante intuitivo, e eu acreditava que conseguiria fazer que ouvisse as sugestões. Todavia, ele foi chamado pelo hospital para atender uma emergência, e toda a sua atenção estava centrada no paciente. Pelo jeito, a situação era grave, e o atendimento não poderia demorar. Então, nada feito!*

Dirigindo-me à residência de Marlene, encontrei-a preocupada, a fazer operações em uma calculadora: eram contas e mais contas. Os negócios não iam bem. Muitos fregueses não pagavam regularmente, e ela raciocinava procurando uma solução. Porque, se continuasse daquele jeito, precisaria fechar a banca, de onde tirava os recursos para manter a casa.

Eu conseguia detectar seus pensamentos, anotando as preocupações. Acerquei-me dela, procurando envolvê-la em pensamentos mais elevados:

— Minha amiga, confie em Deus. Tenha esperança, tudo muda. Continue trabalhando, certa de que o Senhor não deixará de atender suas rogativas.

Ao mesmo tempo, aplicava energias balsamizantes para acalmá-la e predispô-la a ouvir-me.

— Neste momento, Laura precisa de você. Telefone para ela. A situação é grave e contamos com sua ajuda!

Mais calma, ela até entendeu a sugestão, mas achou que era bobagem. Pensou um pouco e resolveu:

— Amanhã vou telefonar para Laura. Será que está acontecendo alguma coisa com ela? Bem, agora preciso acabar minhas anotações. Amanhã é outro dia e verei o que posso fazer.

Com essas palavras, mergulhou novamente nos cálculos e isolou-se da minha atuação. Então, dispunha-me a ir embora quando me lembrei do filho dela. Mais animado, fui até o quarto do garoto.

Mateus estudava àquela hora. Terminando de fazer os deveres da escola, fechou o caderno, aliviado. Foi à cozinha e preparou um copo de leite com café e um sanduíche de queijo. Sentou-se para comer o lanche. Sentei-me na cadeira próxima e, inclinando-me sobre ele, disse:

— Mateus, nós precisamos de você. Seu amigo Junior está em perigo! Telefone para Laura! Telefone agora!

O garoto parou de comer e ficou quieto, escutando. Ah, bom! Ele ouvira minhas palavras! Repeti o que havia dito, de novo, de novo e de novo.

Vi o menino levantar-se com o copo em uma das mãos e o sanduíche em outra e entrar na sala onde a mãe estava.

— Mamãe, nós precisamos telefonar para Laura.

— O que é isso, menino? Já é tarde!

— Agora, mamãe! É urgente. Ouvi alguém dizer que o Junior corre perigo!

Marlene ficou lívida. Então, ela também ouvira! Sim, pois tivera a sensação de que alguém lhe pedia para telefonar para Laura.

Imediatamente fez a ligação. Laura ainda estava acordada. Ao ouvir a voz de Marlene, gelou.

— Laura, desculpe-me ligar a essa hora, mas você está bem? Como está o Junior?

Laura levou um choque. Junior! Ela tivera um pesadelo com o filho, que parecia caído em um lugar escuro, sem dar sinal de vida.

— Alô! Alô! Laura, você está me ouvindo?

— Estou sim, Marlene. Ai, meu Deus! Será que vai acontecer algo com meu filho? Junior deitou-se há horas!

De repente, surgiu a dúvida. Largando o fone, ela correu ao quarto do filho e viu que estava vazio. Voltou como louca para o telefone, gritando e chorando:

— Marlene! Ele não está em casa! E agora? E agora? Ai, Meu Deus!

Do outro lado da linha, a amiga tentou orientá-la:

— Laura, calma! Procure manter a calma! Estou indo aí.

Antes de sair, Marlene ligou para Gertrudes, pedindo-lhe para dar apoio a Laura, que precisava.

Enquanto esperava, Laura ligou para Carlos, que atendeu sereno, como sempre:

— Oi, minha querida, é você? Que bom ouvir sua voz. O quê? Fale mais devagar, não estou entendendo nada!

— Carlos, o Junior não está em casa! Estou desesperada!

— Calma! Acabei de sair do hospital e vou direto para aí.

Marlene, Mateus e Carlos chegaram à casa de Laura, além de Gertrudes, que já estava lá, aflita.

Abraçando a noiva, Carlos quis saber detalhes.

— Eu sabia que algo não ia bem! Deitei-me cedo e acordei assustada. Tive um pesadelo horrível. Sonhei que alguém me levava até um lugar escuro, onde vi meu filho jogado no chão, como morto! Acordei e não consegui dormir mais.

— Como somos incrédulos ainda! Eu tive a impressão de que Laura poderia precisar de ajuda, mas achei que era tarde para telefonar — justificou Gertrudes.

— Comigo aconteceu a mesma coisa — afirmou Marlene. — Só me convenci quando Mateus apareceu na sala dizendo que alguém pedira que ligasse para Laura, pois algo tinha acontecido com o Junior! Se não fosse ele...

O médico ouviu tudo, pensativo. Depois, virou-se para o menino e perguntou:

— Foi exatamente isso o que você ouviu, Mateus?

— Sim, e também vi um lugar escuro, parecia uma rua sem saída, muito suja.

— Notou algo mais... ali por perto? Uma loja, oficina, qualquer coisa?

O garoto pensou e disse:

— Parece-me que tinha um bar, desses com mesinhas na calçada.

Na mesma hora, Carlos lembrou:

– Eu sei onde é esse lugar. Vou lá. Esperem-me aqui.

– De jeito nenhum! Vou também! – decidiu Laura, categoricamente.

Então, Gertrudes ficou para cuidar dos meninos que dormiam, e os demais foram para o carro. Ao ver o bar, Mateus reconheceu o lugar. Chegar até a viela, foi coisa de segundos.

Laura ficou estática. Viu um corpo caído do jeito que vira no sonho.

– Junior! Meu filho!

Jogou-se sobre ele, enquanto Carlos tentava acalmá-la. Sereno e profissional, afastou-a, pedindo:

– Laura, deixe-me examiná-lo, por favor!

Em seguida, verificou os olhos, a pulsação e auscultou o coração. Vendo a gravidade, rapidamente ligou ao hospital, pedindo uma ambulância com urgência.

Diante dos encarnados que chegaram trazendo socorro, nós, do Além, relaxamos um pouco, agradecendo à Providência Divina, que nunca deixa de nos atender nas horas de necessidade.

– *Ainda bem!* – comentou Melina. – *Cansamos de procurar, sem resultado, alguém que, passando pela rua, visse o rapaz caído e nos ajudasse, pedindo socorro.*

– *É verdade. E para onde será que foram os companheiros espirituais de Junior? Não os vi por aqui* – perguntou Irineu.

Eulália, com a delicadeza dos espíritos elevados, respondeu:

– *Meu filho, os nossos irmãos menos felizes estão juntos enquanto tudo corre bem. Ao surgir o menor problema, eles se apavoram. Assustados ante a responsabilidade que assumiram com as próprias atitudes, eles se escondem, desnorteados. Merecem nossa piedade e nosso respeito. Nesses momentos, torna-se mais fácil chegar até seus corações, pois estão aterrorizados pelo que fizeram, sentindo-se culpados. Que Jesus os abençoe!*

A ambulância chegou, e Junior foi cuidadosamente colocado em seu interior. Em poucas palavras, Carlos explicou a situação aos paramédicos. Laura seguiria junto. Antes de fechar a ambulância, ele informou:

— Querida, não posso ir com você porque preciso levar meu carro. Marlene e Mateus vão comigo. Seguirei para o hospital, onde já estão aguardando o Junior. Passei as instruções e logo estarei lá, está bem?

Laura balançou a cabeça, concordando. Pareceu lembrar-se de algo:

— E seus filhos, onde estão?

— Não se preocupe, querida. Tive uma emergência, e eles estão dormindo na casa da dona Virgínia.

Chegando ao Hospital Santa Lúcia, imediatamente o paciente foi levado ao atendimento. Pouco depois, Carlos entrou no saguão, onde Laura esperava notícias. Vendo-a, disse apressado:

— Vou ver o Junior. Assim que puder, darei notícias.

Toda a movimentação, desde que o rapaz começou a sentir-se mal no bar, até nossa busca por socorro com os encarnados e a chegada da ambulância, não durou mais do que trinta minutos.

Enquanto as providências eram tomadas no hospital; no plano espiritual, nós nos reuníamos para estabelecer diretrizes de ação na casa espírita, local mais adequado às atividades desse gênero. Nós – a equipe de jovens ali presentes – estávamos preocupados com a situação do garoto. Tínhamos na memória o triste episódio da desencarnação de Afonso e temíamos que algo tão grave pudesse acontecer de novo.

Galeno entrou no local, trazendo satisfação e acalmando nossa equipe, que sentia falta da sua presença amiga e confortadora. Após cumprimentar a todos, acomodou-se ao lado de Eulália. Tomando a palavra, a nobre benfeitora nos tranquilizou, asseverando com suave entonação, à qual não faltava firmeza:

– *Meus amigos! Este é um momento muito importante para todos os envolvidos neste caso. Não raro julgamos que nossa atividade de socorro seja direcionada àqueles que nos parecem mais merecedores das bênçãos do Criador. Todavia, é imprescindível analisarmos a situação de um ponto de vista mais amplo, ou seja, todos os espíritos merecem igualmente o amparo divino, como filhos do Pai Maior e nossos irmãos em Humanidade.*

A benfeitora parou de falar por alguns segundos, como se buscasse na memória as informações exatas, e prosseguiu:

– *O grupo que ora atendemos é constituído por espíritos ligados há longo tempo. Laura, minha filha em várias encarnações no passado, errou muito. Em uma delas, durante a escravidão no Brasil, nasceu em outra família. Gerou compromissos graves com Afonso – meu filho, nessa oportunidade –, a quem empurrou para o crime como forma de conseguir vantagens pessoais. Com eles, Júnior, a quem Laura amava, porém usava para complicar a situação de Afonso, jogando um contra o outro, aumentando ainda mais a inimizade entre ambos. Nessa existência, Alberto era meu esposo e pai de Afonso. Ligados a eles pelo vício da bebida também havia Geraldo e Valtinho, os quais ainda atuam entre essas pessoas como entidades obsessoras. Mas existem outros irmãos implicados no "caso Afonso".*

Fitando o grupo, respirou fundo e prosseguiu:

— *Agora, Junior está em segurança no hospital, providência imprescindível para resolver a situação dele, que poderia se tornar gravíssima, não fosse o mal-estar que o acometeu e que assustou seus companheiros de irresponsabilidade. Estamos serenos porque no hospital trabalham médicos do nosso plano, ajudando com suas habilidades. Agora, urge auxiliarmos entidades necessitadas vinculadas ao caso, para facilitar a questão em relação ao futuro.*

Eulália parou de falar, lançou o olhar em torno e comunicou:

— *Começaremos procurando nosso desventurado Afonso.*

CAPÍTULO 31

Ajuda do Além

Naquela noite, Afonso acompanhara o filho, que se dirigia ao encontro dos amigos no bar. Ao chegar, eufórico por ver a mesa cheia de bebidas, ele ficou com a boca seca e os olhos ávidos, brilhando. Tinha urgência de beber. Na ânsia que o tomava de assalto ao sentir o cheiro dos alcoólicos, imediatamente se aproximou de um dos rapazes e, colando-se a ele, passou a aspirar emanações etílicas.

    Acalmadas as necessidades íntimas por breves momentos, pois o desejo de beber nunca fora saciado plenamente, brincou e riu bastante. Acompanhou os diálogos, sentado à mesa e comportando-se como um dos jovens. Ofereceram uma bebida ao filho, e Afonso insistiu para que tomasse uma cerveja, de modo que não se considerasse diminuído perante o grupo. Quando iniciaram o malfadado jogo, ele aprovou, participando e bebendo junto. A brincadeira avançava quando Júnior respondeu errado à pergunta que lhe fora feita por Renato, e Afonso deu uma gargalhada. No ambiente, tudo era alegria e descontração.

    Todos nós, ali presentes com o objetivo de proteger Junior, acompanhávamos com preocupação os acontecimentos. Além dos espíritos que sugeriram o encontro, várias entidades de aspecto perturbador acercavam-se, atraídas pelas sugestões mentais direcionadas ao vício, igualmente unindo-se aos bebedores. Diante do copo cheio de bebida dado a Junior, ficamos extremamente apreensivos. Tentamos interferir, impedir o ato, mas ninguém naquela mesa tinha condições de nos ouvir. Vimos que Junior ainda titubeou, preocupado, mas não querendo se mostrar um fraco diante dos companheiros e, especialmente, perante Gabriela, respirou fundo e tomou tudo de uma só vez. Os demais davam gargalhadas, incentivando, inclusive o pai.

– Vira, vira, vira! Vira, vira, vira, virou!

Nossa benfeitora, Eulália, notou nossas expressões de susto e medo e, dirigindo ao grupo um olhar sereno, recomendou:

– *Mantenham a elevação de pensamentos.*

Cercamos Junior, orando e procurando desfazer as emanações insalubres da bebida, ao mesmo tempo que o envolvíamos em energias benéficas para diminuir os efeitos do álcool em seu organismo. De repente, Afonso gritou, assustado, uma vez que o filho parecia passar mal. Enquanto Eulália amparava Júnior, nós o vimos, de repente, tombar o corpo e cair da cadeira, inconsciente.

Todos os presentes ficaram apavorados. E do susto à ação foi tudo muito rápido: em um instante todos desapareceram como ratos em fuga diante de um perigo. O dono do bar, que apreciava o movimento e a renda em seu bolso, mas não desejava confusão, ficou preocupado. Ao ver o estado do rapaz, antes que alguém pedisse socorro e a polícia aparecesse, ordenou aos garçons que o jogassem em uma viela ali perto.

A essa altura dos acontecimentos, Afonso estava desesperado. Olhou ao redor, procurando seus companheiros, Geraldo e

Valtinho, que nunca se apartavam dele e sempre tinham uma solução para tudo, porém eles também sumiram. Sem saber o que fazer, ficou ali, junto do filho, no local escuro e isolado, chorando e se lastimando. Como o rapaz não dava sinal de vida, achou que o filho morrera. Então, acovardado, afastou-se, ficando acocorado em um canto, a tremer de medo e de culpa, julgando-se responsável pelo acontecido.

A faixa vibratória de Afonso era tão baixa que ele não teve condição de perceber a ajuda espiritual que nosso grupo realizava em benefício de seu filho. Menos ainda a presença da nobre dama que, sentada no chão, em meio à imundície, colocara a cabeça de Junior em seu regaço e orava por ele, socorrendo o jovem naquele momento gravíssimo, evitando danos maiores ao organismo do rapaz. Todo o corpo energético de Eulália exteriorizava branda claridade. Do peito e da cabeça saíam jatos de safirina luz que, em súplica comovente, buscavam as alturas, estabelecendo uma ponte entre o Céu e a Terra, enquanto em seu rosto resplandecia peregrina beleza.

Não obstante, o infortunado nada percebia, a não ser a escuridão da noite sem lua e a solidão em que se sentia mergulhado. Afonso ainda passou os olhos para ver se notava alguma luz nas imediações, mas aquela ruazinha estava deserta. Ali, só havia algumas casas comerciais que, em virtude do horário, estavam fechadas. Quando ouviu movimento de pessoas que chegavam, ergueu-se. Parou de chorar ao reconhecer Laura e o médico, e ficou mais aliviado, porém continuou no mesmo lugar. Não demorou muito, e a ambulância chegou. Junior foi levado para o veículo. Afonso tentou se aproximar para acompanhar o filho, mas não conseguiu. Sua presença foi barrada. Por alguma razão, não pôde chegar perto. Então, como ficara sozinho e nada mais tinha a fazer ali, afastou-se, andando a esmo por algum tempo, e assim permaneceu, inconsolável e sofredor diante da situação do filho querido.

∼

Enquanto Junior, levado ao hospital, recebia atendimento médico, nossa equipe, junto com Eulália e Galeno, foi à procura de Afonso. Seguindo as orientações da querida benfeitora, fomos ao lugar onde ele se refugiara para fugir de si mesmo.

Andávamos rápido, procurando não fazer ruído. A região era escura e destituída de qualquer beleza, refletindo emanações mentais dos seus ocupantes. A vegetação era rala. Vez por outra, surgiam arbustos raquíticos e poças de lama, onde criaturas se revolviam em busca de água. Não raro, o ar era cortado por gritos lancinantes que nos tocavam a alma. Notando nossas penosas impressões, Galeno explicou, em voz baixa, que nada podíamos fazer por eles naquele momento, e aqueles infelizes irmãos seriam socorridos no momento certo pela misericórdia divina.

Após caminhar mais alguns minutos, vimos alguém sentado na gramínea, apoiado em um tronco ressequido. Era Afonso. Chegamos perto, em silêncio. Eulália, espírito de maior ligação com Afonso, elevou a nobre fronte, pedindo o amparo do Alto, e principiou a falar:

– *Afonso, ouve-me!*

O infeliz ergueu a cabeça, atendendo à ordem:

– *Quem me chama? Quem me busca neste inferno?*

— Afonso, filho meu, à mercê da infinita misericórdia de Deus, estamos aqui hoje para ajudá-lo. Pare enquanto é tempo. Após tantas loucuras, procure reagir, busque dentro de si as forças necessárias para que possa receber ajuda. Após seu retorno à verdadeira vida e o consequente socorro de amigos espirituais, foi concedida excelente oportunidade de reajuste, que lhe permitiu conquistar maior dose de entendimento dos elevados objetivos da vida maior. No entanto, dilapidou essa oportunidade por orgulho e egoísmo, e novamente se deixou envolver nas malhas do ciúme, caindo no fosso das emoções inferiores e mergulhando no abismo das paixões dissolventes. O vício, que sempre foi seu maior problema, voltou a ganhar força, afastando seus abnegados e verdadeiros amigos e impedindo que o socorro do Alto o alcançasse em meio às loucuras com que passaste a conviver. No entanto, meu filho, sempre surge uma nova chance. Deus, que é Pai Misericordioso e Bom, não deixa de atender aos seus filhos.

Eulália fez uma pausa para avaliar o efeito de suas palavras, e Afonso aproveitou para se lamentar, entre lágrimas:

— Para mim, tudo acabou. Nada mais é possível ao infame sem compaixão. Sou o responsável pela morte de meu querido filho e para mim não existe perdão.

A voz queixosa falava entre soluços de cortar o coração, mas a nobre entidade, colocando a mão sobre sua cabeça, afirmou:

— Sempre há esperança, filho meu. Deus é o Senhor da vida! Não lamente pelo passado. O presente é a bênção de poder agir e de mudar. Deus sempre tem oportunidades para nos oferecer, se nos mostramos dignos delas. Ouça! Errou muito, é verdade, mas seu filho Junior não deixou o organismo físico. Está internado em um hospital, e Carlos, o médico que cuidou de você, está cuidando dele com a mesma dedicação.

Nesse momento, a expressão do infeliz modificou-se. Entre surpreso e maravilhado, pôs-se de joelhos com as mãos postas.

– *Graças, meu Deus! Graças! Bendito sejas, meu Pai! Meu filho não morreu! Ele vive! Ele vive! Perdoa-me, Senhor! Perdoa-me!*

– *Sim, Afonso. Teu filho Junior continua na carne. E nós viemos até você para convidá-lo a sair dessa situação em que se encontra. Aceite esta nova oportunidade que o Senhor lhe concede e segue conosco. Terá de passar pelas mesmas etapas, recomeçar o esforço de ascensão a partir do ponto em que o interrompeu, e mostrar que pode e quer vencer.*

– *Sim, eu quero vencer! Arrependo-me das atitudes inconsequentes que tomei. Ajude-me, senhora!*

Envolvendo-o em seus braços com infinito afeto, Eulália afirmou:

– *Venha, meu filho! Venha conosco. Uma nova vida lhe aguarda.*

Estávamos todos emocionados ante o diálogo que ouvíamos e a decisão que ele tomara, cansado de sofrer e de vagar sem rumo. Então, elevamos nosso pensamento, acompanhando a prece de Eulália, feita em agradecimento pelo sucesso da operação. Erguendo a nobre fronte, as palavras saíram-lhe do recesso da alma, e percebíamos alívio e alegria pela vitória ardentemente desejada.

Envolvido por emanações de amor, Afonso, exausto, entregou-se ao sono benéfico. Servidores do bem que nos acompanhavam trouxeram uma padiola e transportaram-no para a instituição socorrista localizada nas imediações, de onde Afonso seria, posteriormente, levado à nossa Colônia.

Retornamos satisfeitos e gratos pelo socorro realizado.

~

Enquanto isso, Laura aguardava notícias no Hospital Santa Lúcia, para onde Junior fora levado. Em uma sala de espera do terceiro andar, próxima à unidade de terapia intensiva, onde o filho estava, ela andava em grande aflição de um lado para outro, com os olhos vermelhos de tanto chorar.

Como Mateus levantava-se muito cedo e sentia sono, Marlene e o filho foram para a casa de Laura ficar com Zezé e Bruninho, que dormiam sem saber do acontecido. Com isso liberou Gertrudes, que pôde fazer companhia a Laura.

Quase duas horas se passaram sem que tivessem notícias. Gertrudes pedia informações no posto de enfermagem mais próximo, mas a atendente afirmava que precisariam esperar. Quando pudesse, o médico viria comunicar o estado do paciente.

Na UTI do hospital, entregue aos cuidados do doutor Carlos e de uma equipe reunida às pressas, nosso amigo Junior lutava bravamente pela vida. O efeito do álcool ingerido em dose elevada, em um organismo jovem não afeito a esses excessos, foi devastador. No entanto, a ação de Eulália, enquanto aguardava o socorro do plano terreno, fora fundamental para mantê-lo ligado ao corpo físico.

Ao dar entrada no hospital, o paciente encontrava-se em coma alcoólico. Foi administrada glicose intravenosa, indicada nesses casos. Todavia, o paciente teve uma parada cardíaca, seguida de parada respiratória. Todos os procedimentos foram utilizados para fazer que o músculo cardíaco voltasse a funcionar. Até que, após muito esforço, finalmente conseguiram. Aliviada, a equipe médica pôde respirar também, satisfeita com o sucesso do procedimento.

Carlos dirigiu-se até a sala de espera para dar a notícia a Laura. Ao vê-lo, ela correu ao seu encontro. Estranhou-lhe o aspecto cansado e abatido, e indagou, tensa:

– Como está ele, Carlos? Como está meu filho?

O médico sorriu e, respirando profundamente, afirmou:

– Agora ele está bem. Fique tranquila.

Laura abraçou o noivo, aliviada.

– Por que demorou tanto?

– O cardiologista virá falar com você. Ah, ele está chegando!

Um senhor claro, de cabelos bem grisalhos, com o estetoscópio no pescoço, aproximou-se. Carlos fez as apresentações.

– Laura, este é o doutor Severo, cardiologista. Severo, esta é Laura, mãe do rapaz que acabamos de atender.

O médico, ao ver a expressão aflita, explicou:

– Dona Laura, seu filho tem um probleminha no coração. Alguma vez já falaram sobre isso?

Assustada, Laura olhava para um e para o outro, sem entender.

– Como assim, doutor? Meu filho é bastante saudável e nunca teve problema algum, salvo as doenças normais da infância!

– Bem. Então, dona Laura, precisamos fazer exames mais detalhados. O Junior tem uma pequena disfunção, que ficou patente hoje pela ingestão de bebida. Mas não se preocupe, não é nada sério. Por alguns dias, ele ficará internado. Nesse período faremos todos os exames necessários. Agora, com licença. Tive um dia cheio e preciso descansar. Boa noite.

— Boa noite, doutor. Obrigada.

Após a saída do médico, Carlos e Laura se olharam e caíram nos braços um do outro. Laura estava espantada:

— O cardiologista falou em bebida? O que aconteceu realmente?

— O Junior teve uma parada cardiorrespiratória, em virtude da ingestão de grande dose de álcool, mas agora está bem. Foi complicado. Por enquanto, ele vai ficar na UTI.

— Álcool? Grande dose? Não posso acreditar! – exclamou a mãe, perplexa. – Quero ver meu filho!

Carlos abraçou-a, levando-a até o leito onde o filho estava. Laura ficou impressionada ao vê-lo pálido, tomando soro e monitorado por vários aparelhos.

— Posso falar com ele?

— É inútil, querida. Junior está em coma alcoólico e demorará a voltar. Já foi medicado e precisamos aguardar.

— Mas não pode ir para um quarto? Prometo cuidar bem dele.

— Infelizmente, não é possível, Laura. Júnior precisa ficar em observação constante. Vamos. Você poderá vê-lo novamente amanhã. Aliás, hoje. São quase cinco horas da manhã – disse, olhando o relógio de pulso.

Saíram do hospital. Laura olhou para o céu. As estrelas ainda cintilavam no alto, mas as primeiras claridades da aurora já surgiam no horizonte. Carlos levou Laura e Gertrudes para casa e, ao se despedir, ainda disse:

— Querida, procure relaxar. Junior está bem. Tente dormir um pouco. Mais tarde nos veremos.

Antes de entrar em sua casa, a vizinha perguntou, atenciosa:

— Amiga, quer que eu fique com você?

Laura deu-lhe um abraço apertado e agradeceu:

— Não, querida Gertrudes, já fez muito. Vá descansar agora. Está precisando.

— Então, até mais tarde.

Laura entrou em casa e encontrou Marlene e Mateus dormindo na sala. Eles haviam se acomodado cada qual em um sofá e dormiam a sono solto. Sem fazer barulho, passou por eles e viu que estavam descobertos. Era madrugada fria. Pegou dois cobertores e estendeu sobre eles. Na sequência, foi para seu quarto, arrumou-se e deitou.

No entanto, o sono não vinha. Sozinha, pôs-se a pensar. Aquela visita ao hospital lembrara muito a época em que Afonso estivera internado, e uma sensação de opressão no peito, de coração tenso e descontrolado, não a abandonava.

— Meu Deus! Já perdi meu marido e não quero perder também meu filho. Por piedade, Senhor! Ajude-me! Socorre-me! Não suportarei passar por tudo outra vez!

E ela repetia vezes sem conta a mesma súplica.

Ali presentes, ministramos energias calmantes, e ela, mais serena, acabou por entregar-se a sono benéfico.

CAPÍTULO 32

Tomando Providências

Deixando Laura entregue ao sono, Galeno aplicou energias balsâmicas, de modo que ela pudesse permanecer no corpo, descansando realmente das últimas preocupações, e nos dirigimos para a copa-cozinha, onde poderíamos trocar ideias. Todos nós estávamos mais serenos, e nosso orientador comentou, satisfeito:

— *Graças à ação de nossa irmã Eulália, Júnior está bem e irá se recuperar, para alegria de todos, e prosseguir no planejamento reencarnatório estabelecido ainda no mundo espiritual, que ele aceitou.*

Melina, que ouvira a conversa entre os médicos e Laura, na sala de espera do hospital, mostrava-se preocupada e indagou:

— *Junior tem realmente um problema no coração?*

Eulália, passando o olhar lúcido por todos nós, confirmou:

— *Nosso querido Junior, que no passado também teve o vício da bebida, renasceu trazendo marcada, no corpo espiritual, uma zona enfermiça no coração, resquício de excessos anteriores. Essa pequena disfunção cardíaca somente seria disparada em caso de necessidade, funcionando como sinal de alarme e possibilidade de contenção, para evitar novo mergulho no vício.*

Após ouvir os esclarecimentos da nobre entidade, Galeno completou:

— *Nosso jovem protegido correu o risco de deixar o corpo físico nessa oportunidade, por irresponsabilidade própria e dos demais, haja vista que a excessiva dosagem de álcool ingerida poderia ter sido fatal. Os minutos em que Junior permaneceu naquela viela, sem qualquer socorro material, só não representaram seu retorno à verdadeira vida pela ação decisiva e competente de Eulália, que agiu com presteza, mantendo o adolescente ligado ao corpo físico. Graças a isso, tudo caminha bem no atendimento às necessidades dos envolvidos.*

Estávamos perplexos. Então, a situação tinha sido realmente gravíssima!

Com delicadeza e humildade, próprias de alguém com sua elevação moral, Eulália considerou:

— *O Pai nunca abandona seus filhos, e nosso Junior, pela imaturidade física, mental e emocional, aliada ao assédio de seres menos vinculados a valores éticos e morais, que desejavam enredá-lo nas malhas do vício, mereceu o amparo do Alto. Além disso, a colaboração de todos os companheiros da equipe foi preciosa. Como servidores do bem, devotados à seara de Jesus, não ignoramos que todos os acontecimentos têm um encadeamento lógico, e a bondade do Altíssimo nos facilita a ação, propiciando os recursos para auxiliar na solução dos problemas. Recursos esses que nos chegam sempre diante da necessidade dos envolvidos e de cada situação que, por mais difícil nos pareça, representa sempre divina oportunidade de crescimento moral e espiritual e a consequente libertação das amarras que nos prendem ao passado de sombras.*

Enquanto refletíamos sobre o que fora dito, César Augusto indagou:

— Irmã Eulália, diante de tudo o que aconteceu, Junior tomará mais cuidado no futuro?

— Pela experiência que tenho, acredito que sim. Nosso Junior ficou muito assustado à vista do problema que o acometeu e terá tempo para refletir sobre sua situação, o que já está fazendo. Psicologicamente, a disfunção cardíaca influenciará bastante em suas decisões. Na verdade, ele é um bom rapaz, e a possibilidade de morrer, por irresponsabilidade própria, deixou-o realmente atemorizado. Além disso, Laura, mãe amorosa e vigilante, estará atenta e não vai facilitar. Também ela sentiu o peso do que poderia ter acontecido ao filho, e, diante do conhecimento espírita que a família tem agora, analisarão melhor as consequências de qualquer atitude a ser tomada.

A generosa entidade fez uma pausa e, passando o olhar pelo grupo, sorriu:

— Tudo o que eles enfrentaram hoje foi de grande valor. Só temos a nos alegrar, pois, ante à situação criada, tivemos a oportunidade de ajudar Afonso, que retomará a vida espiritual ciente de seus comprometimentos. Por impositivo da lei de causa e efeito, toda irresponsabilidade tem uma consequência, e toda consequência acarreta sofrimentos e lágrimas, assim como toda ação nobre e edificante gera infinitas bênçãos de alegria, satisfação íntima e paz, traduzidas em elevação espiritual. Então, meus amigos, com o amparo de Jesus, tudo caminha bem!

Galeno concordou, acrescentando:

— Como complemento indispensável no socorro mais amplo a todos os envolvidos, sugerimos mentalmente a Eurico, dirigente encarnado da área mediúnica da casa espírita, que fosse feito algo mais concreto pela família de Laura, necessitada de atendimento urgente, em *virtude de suas ligações com a Instituição, e nosso amigo acatou a ideia. Desse modo, Eurico, interiorizando a sugestão, repassou-a aos demais trabalhadores, que também a aprovaram. Com a antecedência necessária, havíamos exposto o assunto a Godofredo, responsável pelas atividades mediúnicas em nosso plano. Além de julgar oportuno o empreendimento, ele empenhou toda a colaboração necessária. Diante disso, tudo ficou acertado. Na próxima noite, seriam atendidas, na reunião mediúnica dirigida por Eurico, entidades ligadas ao caso Afonso.*

Satisfeitos com programação estabelecida para o dia seguinte, fomos descansar um pouco na instituição espírita, refletindo sobre tudo o que acontecera. Para nossa equipe, eram experiências riquíssimas em conteúdo, lições que nos valeriam para sempre. A oportunidade de participar de casos como esse nos abria os horizontes da mente, proporcionando, em poucas horas conhecimentos que talvez levássemos anos para adquirir.

~

Logo pela manhã, as atividades na casa espírita já eram intensas em nosso plano. Os servidores desencarnados que prestavam concurso na casa preparavam a reunião da noite, e havia muito por fazer.

Eurico acordou bem disposto e, quando tomava o café da manhã, sentiu vontade de convidar Laura e Carlos a participar da atividade mediúnica da noite. Ao seu lado, sorrimos. De novo, bastante intuitivo, ele captara perfeitamente a sugestão de Galeno.

Em seguida, Eurico telefonou para o médico, falou da reunião logo mais à noite e perguntou se ele e Laura gostariam de participar.

– Sem dúvida, Eurico. Seu convite veio mesmo a calhar. Há algum tempo, pelos estudos que venho realizando, sentia vontade de conhecer uma reunião mediúnica. Acredite, estou muito satisfeito. Além disso, existem fatos novos que você ignora e sobre os quais gostaria de falar. Mais tarde conversaremos.

– Sim, e você poderá colocar-me a par da situação. Então, está combinado. Aguardarei vocês para a reunião, que começa pontualmente às vinte horas – concordou, intimamente preocupado pelas palavras do amigo.

– Obrigado, Eurico. Avisarei Laura. Então, até a noite! Tenha um bom dia.

Imediatamente, Carlos ligou para Laura contando a novidade. Ele estava todo animado, e ela também gostou da ideia.

Laura, porém, não pôde pensar muito no assunto, porque tinha algo mais urgente a fazer: contar aos filhos, Zezé e Bruninho, que Junior estava no hospital. Como ela se levantara tarde, e eles já haviam perdido a aula, não os chamou, aguardando que acordassem naturalmente. Lá pelo meio da manhã, eles despertaram e, durante o café, Zezé perguntou:

– Mamãe! Não tínhamos aula hoje? Já é tarde e você não nos acordou!

Evitando mostrar a preocupação e a tristeza que a abalavam desde a noite anterior, ela respondeu:

– Têm razão, meus queridos. Não os chamei, embora vocês tivessem aula hoje. É que tenho...

— Por que, mamãe? Eu gosto da escola! – interrompeu o pequeno Bruno.

Laura pensou um pouco e, esforçando-se para conter as lágrimas, explicou, tentando amenizar a situação:

— É que o Junior não passou muito bem ontem à noite e levei o irmão de vocês ao hospital. Mas não é nada sério.

Antes que ela terminasse de falar, os meninos, muito assustados, falaram ao mesmo tempo, mostrando preocupação:

— Mamãe! Está no hospital? O Junior também vai morar com o papai? – indagou Zezé.

— Mamãe, o Junior vai deixar a gente e ficar com Jesus? – quis saber Bruninho.

Respirando fundo, ela abraçou os filhos, que a fitavam com olhos arregalados e cheios de medo, tranquilizando-os:

— Não, meus amores! Junior está bem! Acho que é só uma gripe. É isso! Parece que ele está com uma gripe forte, e Carlos achou melhor levá-lo ao hospital, para tomar soro, ficar mais forte e sarar logo!

— Ah, mas se eu ficar gripado, eu não quero ir para o hospital! – avisou Bruninho, sério.

— Nem eu! – concordou Zezé.

A mãe sorriu diante do temor deles, explicando que não ficariam internados, e Junior logo estaria em casa novamente. Eles queriam visitar o irmão, porém ela relembrou que os hospitais não deixam entrar crianças, e eles se conformaram. Dentro em pouco, esquecidos do assunto, foram brincar.

Mais calma após conversar com os filhos menores e agilizar as tarefas mais urgentes no lar, Laura dirigiu-se ao hospital com a promessa de abraçar o irmão por eles. Junior ainda não estava consciente. Mesmo assim, ela pôde entrar na UTI e ver o filho por alguns minutos. Em seguida, foi até a sala de Carlos conversar com ele. A secretária, sua conhecida, informou:

— O doutor Carlos está atendendo, Laura. Assim que a paciente sair, você poderá entrar.

Passados alguns minutos, uma senhora deixou a sala e Laura entrou. Ao vê-la, Carlos sorriu e foi ao seu encontro. Abraçaram-se e trocaram um beijo carinhoso.

— Como você está, querida?

Ela deu de ombros, afirmando:

— Diante das circunstâncias, acho que estou bem. Difícil, em casa, foi explicar às crianças que Junior está internado. Fiquei penalizada ao ver o medo deles, pois chegaram a pensar que o irmão também fosse embora, como o pai. Mas acabaram entendendo. Mudando de assunto, fui ver Junior. Ele ainda não acordou, Carlos!

— Eu sei. Também fui à UTI logo que cheguei. Mas não se aflija, querida, é assim mesmo. Logo que Junior voltar à consciência, eu prometo avisá-la imediatamente. Bem, acabei as consultas e agora tenho uma visita domiciliar a fazer. Posso deixá-la em casa, se quiser.

Laura aceitou com satisfação. Carlos passou algumas recomendações à secretária, e eles deixaram o hospital. Chegando à casa da noiva, se despediram, confirmando o compromisso para a noite.

— Então, até mais tarde, querida. Passarei aqui às sete e quinze. Eu te amo!

– Eu também te amo! – exclamou, jogando um beijo.

Durante o resto do dia, Laura não conseguiu desligar-se da tal reunião. Sentia-se um pouco inquieta, tensa. Não sabia o que ia acontecer, e isso a abalava emocionalmente, mas entendia que era para o bem de todos. Então, para acalmar-se, foi conversar com a vizinha. Gertrudes sorriu e contou-lhe que fazia parte dessa reunião e que já fora avisada de que ela e Carlos estariam presentes. A amiga tranquilizou-a, assegurando-lhe que faria muito bem e que iria gostar.

Laura deixou tudo ajeitado para sair de casa à noite. Avisou Zezé e Bruninho de que precisaria ir a uma reunião e solicitou à Lurdinha que ficasse com os garotos, ao que a auxiliar concordou sorridente, afirmando:

– Não se preocupe, Laura. Sabe que adoro os meninos e ficarei com prazer. Além disso, dormir aqui na sua casa é ótimo para mim! Amanhã não precisarei levantar-me tão cedo para vir trabalhar. Vá tranquila. Sempre que precisar de mim, não se acanhe, é só avisar.

Laura agradeceu, dando-lhe um abraço, satisfeita por ver tudo resolvido a contento. Na hora combinada, Carlos veio buscá-la e, com satisfação, levou também Gertrudes. Alguns minutos depois, chegaram à casa espírita. Como era cedo, poucos componentes da reunião haviam chegado. Laura, que imaginava encontrar estranhos, ficou contente, porque conhecia os participantes, das sessões públicas. Cumprimentaram-se, trocando algumas palavras em voz baixa, e depois aguardaram em silêncio, entretidos na leitura da mensagem que, como de hábito, fora deixada sobre a mesa para ser lida pelos integrantes da reunião, como recurso auxiliar na preparação do ambiente.

Enquanto isso, no mundo espiritual, a atividade era intensa. Servidores de nosso plano, ligados à casa, finalizavam os preparativos. Nossa equipe estava a postos. Vários espíritos necessitados aguardavam o início da reunião sob a vigilante assistência dos atendentes. Notamos também duas entidades de condição baixíssima. Trajavam um manto negro cujo capuz, puxado para frente, cobria-lhes a cabeça. Com o rosto em parte oculto, o que era visível assustava os menos habituados a imagens do umbral inferior: carantonhas indescritíveis, expressões atormentadas e cruéis; olhos enormes e vermelhos destilavam ironia, sarcasmo e ódio incontidos; de suas bocas jorravam palavrões e, em virtude disso tudo, eram mantidos amarrados e separados dos demais.

Melina, Irineu, César Augusto e eu trocamos um olhar, perguntando-nos quem seriam aqueles espíritos. Não os conhecíamos, mas certamente estariam ligados a casos a serem atendidos durante a reunião.

O recinto se mostrava bem maior. As paredes materiais da sala acanhada, como se tivessem sido afastadas, aumentavam expressivamente o espaço, permitindo conter a todos, trabalhadores e necessitados. Atendentes se postavam junto das entidades trazidas à reunião, para conter-lhes os ímpetos e manter, tanto quanto possível, a serenidade do ambiente. Ainda assim, havia aqueles que choravam, sem saber a razão de estarem ali, os que gritavam de dor; outros que reclamavam de tudo; outros, ainda, que se mantinham alheios à situação, além dos enfermos e dos acidentados. Com surpresa, pouco antes do início das atividades, vimos Afonso dar entrada no recinto, acompanhado por um servidor do nosso plano, mantido afastado dessa confusão toda.

Em seguida, entrou Godofredo, juntamente com Galeno e Eulália. Após repassar o olhar investigativo pelo recinto, o Coordenador chamou um dos seus assessores e indagou, cortês:

– *Nereu, está tudo pronto?*
– *Tudo, Godofredo. Podemos começar.*

No ambiente físico, grande parte dos trabalhadores se encontrava presente, com exceção de um ou dois retardatários. Na hora marcada, Godofredo acercou-se de Eurico, o dirigente encarnado, que, ao fechar os olhos procurando a elevação mental, notou a presença da entidade amiga. Após aprumar-se, olhou o relógio de parede e convidou os demais ao início da reunião. Pediu a um dos presentes que fizesse a oração, que acompanhamos com os corações e mentes ligados às elevadas finalidades do momento, unindo-nos aos irmãos encarnados na busca do socorro divino. A seguir, foi lido um trecho de O Evangelho segundo o Espiritismo, de Allan Kardec, para reflexão de todos. A página, aberta com a participação de Godofredo, foi "Perdão das ofensas", luminosa orientação de Paulo, apóstolo, recebida em Lião, 1861, e inserida no décimo capítulo, sob o título "Bem-aventurados os misericordiosos".

A prece inicial melhorou bastante o ambiente, acalmando os mais inquietos. Encarnados e desencarnados ouviram em silêncio a leitura, que calou fundo nos corações, mesmo nos mais renitentes no mal, que ficaram abalados com as ideias ali expostas.

Diminuída a luminosidade, após nova oração, deu-se início à parte de intercâmbio entre os dois mundos. Aproveitando uma pausa que se fizera, enquanto os colaboradores encarnados procuravam sintonizar-se com o mundo espiritual, Galeno indagou a Godofredo se todos colaboravam à altura do esperado, ao que o responsável considerou:

– *Caro Galeno, todo grupo tem suas dificuldades, como é normal acontecer no mundo terreno. Veja! Hoje, nesta sala, temos dez participantes encarnados; dois não compareceram e não avisaram, ficando o grupo permanente reduzido a oito pessoas, entretanto acrescido dos convidados, Carlos e Laura. Deste número, três dos encarnados, como pôde perceber, já na leitura do texto estavam sonolentos. Diante disso, precisaremos potencializar a vontade daqueles que estão mais ativos e com desejo de realmente ajudar no socorro aos necessitados de ambos os lados da vida.*

Galeno concordou, enfatizando:

– *Conheço o problema. E a nós, Godofredo, resta aceitar a boa vontade e a dedicação dos poucos que realmente desejam servir. Nossos irmãos encarnados ainda são imaturos em relação à responsabilidade que assumiram diante do trabalho no bem. Para eles, certamente, esta é a primeira experiência a serviço do Consolador Prometido e da mediunidade com Jesus. Aos poucos, irão aprendendo e, em novas oportunidades, estarão mais preparados para as tarefas de intercâmbio mediúnico.*

Postados ali perto, ouvimos o que eles conversavam, e gostaríamos de fazer algumas perguntas, aproveitando o ensejo, porém eles se calaram, pois a ocasião assim o exigia.

A um sinal de Godofredo, um atendente trouxe uma das entidades escaladas para comunicação. Era um rapaz que sofrera um acidente automobilístico, por imprudência de um caminhoneiro, que, pela urgência de prosseguir viagem, fizera uso de substâncias nocivas para manter-se desperto. A certa altura, ele passou mal e causou o acidente, batendo em um veículo em sentido contrário, dirigido pelo rapaz, que teve morte imediata. Recolhido por trabalhadores do nosso plano, que exerciam tarefas naquele trecho da estrada, fora levado a uma instituição socorrista, e agora tinha oportunidade de se comunicar. Era jovem de bons sentimentos, apenas precisando de orientação. Eurico conversou com ele, dizendo que o socorro tinha chegado e que ele seria levado a um hospital. Ele se acalmou diante da notícia e adormeceu.

Em seguida, comunicou-se uma senhora que chorava muito. Sentia-se abandonada por todos e reclamava da família, que a ignorava. Ninguém falava com ela nem lhe atendia aos apelos. O dirigente, com serenidade, explicou que ela precisava se tranquilizar para ficar bem, e a convidou a fazer uma prece, o que ela aceitou. Um dos componentes da mesa avisou Eurico de que havia uma entidade chamada Suzana, a qual participava das ligações da comunicante e viera para ajudá-la. O dirigente repassou a informação, e a destinatária se mostrou contente, esclarecendo que a outra era sua irmã. Suzana aproximou-se, e a comunicante a viu na sua frente. Conversaram, e a entidade foi embora satisfeita, agradecendo ao grupo pela ajuda.

Após essa comunicação, fez-se um intervalo, espaço de tempo utilizado para recompor as energias do médium. E a reunião prosseguiu com os demais sintonizando com o ambiente espiritual para identificar outras entidades ali presentes.

CAPÍTULO 33

Reconciliação

A reunião seguia seu curso. Conforme a programação, em dado momento, a um sinal de Godofredo, dois atendentes trouxeram uma das entidades de manto preto e capuz, que tanto nos impressionara, e encontrava-se à parte das demais. Aproximando-a de Celina, uma das médiuns, esta passou a sentir as vibrações do espírito, que demonstrava profundo mal-estar e muita raiva. A médium sentiu a presença dele, grande e violento, e comunicou o fato ao dirigente encarnado. Eurico pediu ao grupo que mantivesse firmeza de pensamentos, e todos passaram a vibrar com amor e paz em direção à Celina. A infeliz criatura, agora quase fluidicamente ligada à médium, passou a manifestar-se, denotando terrível revolta, inconformismo e ódio. Percebemos que a servidora do bem, revelando controle e educação mediúnica, filtrava os palavrões, emitidos pelo comunicante a esbravejar. No plano espiritual, ouvíamos esses ditos obscenos, porém eles não chegavam aos encarnados. Enquanto isso, o comunicante tentava levantar-se e virar a mesa, no que era contido pela vontade da médium.

— *Soltem-me! Não têm o direito de me manter amarrado! O que pensam que estão fazendo? Vim aqui em busca de justiça e tratam-me deste jeito? Larguem-me, ordeno! Não sabem o que sou capaz de fazer!*

Eurico, que se acercara da médium, dizia em voz serena:

— Seja bem-vindo, meu irmão! Acalme-se! Esta casa é de Jesus e só desejamos o seu bem. Por que tanto ódio?

Diante da voz tranquila, a entidade aquietou-se um pouco, respondendo:

— *Pensam que não sabemos? Vocês defendem aqueles que nos prejudicaram e vão pagar caro por isso. Terão também o que merecem!*

— Meu irmão! Não estamos defendendo ninguém. Ao contrário, sabemos que você deve estar sofrendo muito e tem razões para estar magoado. Por isso, nosso intuito é ajudá-lo. Veja o seu estado! Você precisa de ajuda. Certamente tem sede, fome, não dorme há muito tempo e precisa de cuidados médicos.

Ele balançou a cabeça em resposta negativa.

— *Não preciso de nada. Se vocês querem realmente me ajudar, entreguem-me aquele miserável que desapareceu das nossas vistas. Com mil demônios! Como conseguiram escondê-lo?*

— Meu irmão, acredite. Não sabemos de quem fala! Talvez a pessoa a quem se refira tenha sido levada para outro lugar, mas não por nós, que nada podemos.

— *Pensam que me enganam? Foram vocês, sim! Pelo menos, assumam o que fizeram!*

Eurico pensou um pouco e tornou:

— Desculpe-me, meu irmão. Creio que está havendo um equívoco. Todavia, aqui temos amigos, que poderão lhe dar as respostas procuradas. Aceita conversar com um deles?

– Certamente são os que nos amarraram. Vejam como estou! Vocês não perdem por esperar! Assim que conseguir soltar-me, pagarão por esse atrevimento. Por que vocês se metem em tudo?

O espírito comunicante fez uma pausa, como se refletisse, balançou a cabeça, inconformado, e prosseguiu:

–Tudo ia tão bem! Ele voltou para nós e conseguimos que se chafurdasse novamente no vício, assim como o filho, que também se envolveu nisso, para nossa satisfação. O que deu errado, afinal? De repente, tudo mudou!

Eurico entendeu que ele falava de Afonso. Carlos e Laura também sentiram a mesma coisa e passaram a vibrar com mais amor.

Nesse momento, Ofélia, outra médium, sentiu a presença de uma entidade de grande elevação e, levantando-se, aproximou-se do comunicante. Era Eulália, que começou a proteger a medianeira com sua energia poderosa. E o espírito comunicante passou a sentir as vibrações de uma presença diferente, demonstrando inquietação.

– Quem é? – perguntou.

Eulália, envolvendo-o com amor, respondeu enternecida:

– Sou eu, meu filho, sua mãe! Basta de loucuras, Venâncio! Tudo o que você defende ocorreu há muito tempo e não tem mais qualquer importância, a não ser para você e para seu pai, Ferdinando. Todos estão bem e preocupados com vocês, separados da família e mergulhados em ódio e revolta, abraçando projetos de vingança que só prejudicam a vocês mesmos. Afonso, seu irmão, nosso carrasco naquela época, está muito melhor do que vocês, suas vítimas, porque desejou reparar o mal que havia praticado, enquanto ambos prosseguem com a mente fixada no passado. Desperte, filho meu! Venha comigo!

Desde aquela época, eu os aguardo, sempre com esperança de poder tê-los ao meu lado.

Sob o influxo soberano da generosa mãezinha, ele vacilava. Não obstante, diante as imagens projetadas, recordando o aconchego da família e as alegrias puras ali vivenciadas, mentalmente Venâncio lembrou-se de alguém, a quem dedicava entranhado amor e que há muito tempo não via, abafando um soluço, sem ter coragem de perguntar. Abraçando-o com infinito carinho, Eulália considerou:

– *Venâncio, seu querido filho, Saul, está muito mais perto do que você imagina. Não o reconheceu ainda?*

Ante as palavras da mãezinha e sob sua influência, o pensamento de Venâncio voou para a casa de Afonso, buscando os garotos que ali estavam e que nós também vimos, pelas imagens mentais exteriorizadas. De repente, o comunicante caiu em choro descontrolado, focalizando a imagem do pequeno Bruno, que ria e brincava com os irmãos, entendendo que aquele era seu filho.

– *Saul! Meu filho! Como não o reconheci? Tem o mesmo jeito, os mesmos olhos, o mesmo sorriso! Eu estava cego!*

Para nós, foi igualmente uma surpresa, e trocamos um olhar emocionado. Eulália prosseguiu, comovida:

– *Como pode ver, meu filho, Deus sempre faz o melhor por nós. Seu filho, nosso pequeno Saul, está naquela casa, onde sempre recebeu imenso amor por parte de todos, especialmente do pai e da mãe.*

– *Como eu poderia imaginar? Ele estava tão perto e não o reconheci! Fiz mal à família que o ama e protege. Não é possível! Vou acabar ficando louco!*

Cercando-o com mais amor, a mãezinha considerou:

— Não, meu filho! Raia uma nova era para você. Uma nova vida plena de esperanças e consolações. Basta que queira modificar-se, abandonar seus propósitos de vingança e reconhecer que precisa melhorar, com as bênçãos de Jesus, transformando-se em alguém que só deseja o bem de todos.

A vibração do ambiente levou todos às lágrimas. Laura e Carlos, especialmente, sentiram enorme carinho por aquele espírito tão desventurado, que desejavam ajudar a partir daquele momento, entendendo que era alguém que eles haviam prejudicado no passado.

Em nossa esfera, o outro espírito, companheiro de Venâncio, que desde o início da reunião era mantido amarrado, chorava copiosamente, enquanto acompanhava o diálogo. Terminada a comunicação, diante de Eulália, que se acercara dele abraçada a Venâncio, Ferdinando jogou-se aos seus pés, sem notar que estava livre das amarras, implorando o perdão da esposa por tudo o que fizera. De natureza mais branda que Venâncio, há algum tempo ele acolhia o desejo de parar com aquele ódio, mas o filho não permitia, chamando o pai de fraco e covarde. Arrependido, ele rogava:

— Perdoe-me, minha querida! Sei que errei muito...

Erguendo-o do chão, Eulália o estreitou ao coração, em lágrimas de reconhecimento ao Senhor da Vida pelas dádivas recebidas. Para completar o quadro e coroar a noite de bênçãos, Galeno trouxe Afonso, aproximando-o da família que tanto prejudicara.

Ao vê-lo, Ferdinando e Venâncio tiveram um choque, recuando. Eulália, carinhosa, deu alguns passos e, acercando-se de Afonso, tomou-o pela mão, levando-o para junto do pai e do irmão. Com voz terna e pacificadora, asseverou:

— O Senhor deseja que nossa felicidade seja completa. Nosso querido Afonso está presente e é chegada a hora da reconciliação, para que todo o sofrimento e mágoa deixem de existir entre nós. Façamos a paz!

Humildemente, Afonso ajoelhou-se ante suas vítimas e implorou:

— Perdoem todo o mal que lhes causei. Eu era desequilibrado e envolvido com pessoas que me levaram a cometer muitos erros, prejudicando aqueles que eu amava. Desejo reparar todo o mal que pratiquei e, com esse objetivo, estou me esforçando para melhorar. Laura, também consciente do que fez, está procurando recuperar-se nesta existência, juntamente com seu cúmplice e executor de suas ordens, que agora, como médico, trabalha apenas para espalhar o bem, curando seus pacientes, muitos dos quais prejudicou no passado. Em nome do carinho e da amizade que já existiu entre nós, deem-me uma nova oportunidade!

Tocados por suas palavras e pela sua sinceridade, Ferdinando aproximou-se, enlaçando-o nos braços:

— Venha, meu filho! Também tenho errado, assediando-o espiritualmente e incitando-o novamente ao vício. Reconheço que não tenho o direito de jogar pedras em ninguém. Perdoe-me também os prejuízos que lhe causei.

Venâncio igualmente se acercou de ambos, unindo-se ao pai e ao irmão em um grande abraço, em lágrimas de arrependimento e alegria pela reconciliação.

Depois, os três afastaram-se enlaçados a caminho do local, na própria instituição, onde pai e filho ficariam albergados até serem levados à nossa Colônia. Deixando-os entregues aos cuidados de enfermeiros dedicados, Eulália rapidamente retornou para a reunião.

O ambiente se modificara por completo. A atividade caminhava para o encerramento, e a benfeitora espiritual, aproximando-se de uma médium, passou a falar de maneira enternecedora:

– *Queridos irmãos! Trago o coração repleto de alegria ao falar com vocês nesta noite. Não imaginam todo o bem que fizeram hoje no socorro a desventurados irmãos, que agora iniciarão uma nova vida. Caros companheiros, aceitem nossa gratidão imperecível! Com dedicação e amor se dispuseram a servir, auxiliando poderosamente na solução de um caso que se arrastava há séculos. Neste instante, nós, que tanto recebemos, vamos elevar o pensamento para agradecer à generosidade de encarnados e desencarnados, que tanto nos ajudaram. A Jesus, Mestre de incomensurável Amor, que nunca deixa de atender às nossas súplicas, e a Deus, Pai Criador, do qual emanam todas as bênçãos para nós, seus filhos.*

Eulália fez uma pausa, enquanto as lágrimas desciam-lhe pelo semblante radioso. Por um instante, com alegria incontida, abri os olhos. Da nossa benfeitora, aureolada de intensa claridade azulada, partia em direção ao Alto um foco de luz que desaparecia nas alturas. O teto da acanhada sala desaparecera e, ao mesmo tempo, vertiam do infinito flocos iridescentes como neve translúcida. Ao nos atingir a todos, encarnados e desencarnados, e antes de desaparecer, nos impregnavam de energias sutilíssimas e dulcificantes. Eulália prosseguiu de braços erguidos e mãos espalmadas, olhar dirigido às Alturas:

– *Senhor! Tu sabes das necessidades de nossos espíritos, muitas vezes rebeldes e inconsequentes. Tu conheces os nossos problemas, o quanto erramos em infindáveis romagens reencarnatórias e os sofrimentos que causamos ao próximo no decorrer do tempo. Mas sabes também do desejo que já agasalhamos no íntimo de nos redimirmos perante tua excelsa sabedoria. Hoje, em outra condição moral e espiritual, procuramos auxiliar aqueles que ainda se entregam aos erros e desatinos de toda ordem. É por eles, Senhor, por aqueles que se revolvem na lama e no lixo de toda espécie, que te rogamos neste instante. Permite-nos ajudá-los! Socorre-nos para que sejamos capazes de socorrer aqueles que têm menos do que nós. E dilata, Senhor, o nosso coração, para que saibamos compreender todos os problemas e aceitar todas as dores, sem emitir julgamentos e sem alimentar ideias preconcebidas. Ajuda-nos, Pai, para que possamos apenas amá-los, sem pedir nada em troca e sem impor condições, como Jesus Cristo ensinou e exemplificou magistralmente em sua passagem pela Terra. Recebe o nosso agradecimento e aceita nosso desejo de servir, hoje e sempre.*

Eulália parou de falar e ouvimos maviosa melodia espalhada pelo ambiente, levando-nos às lágrimas. Mais do que pelas palavras, ela nos conquistara pela sua elevada condição moral. Na esfera material, todos os presentes choravam, incapazes de expressar de outra forma as sensações experimentadas.

Laura e Carlos, de maneira especial, sentiram que o caso atendido tinha estreita relação com suas vidas. Ao se despedirem, os componentes da reunião se encontravam em estado de graça.

Eurico caminhou com o casal até a saída. Ao ficar a sós com os amigos, ele aproveitou para saber as impressões do casal sobre tudo o que acontecera na reunião. Carlos olhou para Laura e, virando-se para Eurico, deu sua opinião:

— Eurico, ainda não tive oportunidade de trocar ideias com Laura, mas acredito que ela tenha sentido o mesmo que eu. Confesso que fiquei maravilhado. Tenho procurado estudar a mediunidade, mas participar de uma reunião é completamente diferente. A teoria é uma coisa, a prática é outra, tornando tudo vivo e pulsante, os dramas, os sentimentos, tudo. É uma aula de valor incalculável! Como médico, reconheço que a obsessão representa a causa de uma infinidade de doenças de causa desconhecida, assim como a assistência espiritual, a cura definitiva desses males. Verdadeiramente, só o amor é a solução para nossos problemas.

– Concordo com Carlos. Senti a mesma coisa. Fiquei bastante emocionada, especialmente quando aquela senhora se comunicou. Foi tocante ver como o amor modifica as pessoas. Curioso é que tive a sensação de que a conheço!

Eurico sorria, meneando a cabeça em sinal de aprovação.

– Alegra-me que tenham gostado. Eu ficaria feliz se aceitassem o convite para participarem, ativamente, de nossas reuniões de estudo, como novos membros desta casa.

Carlos e Laura, felizes, aceitaram o convite do dirigente. Eurico aproveitou para indagar como estava Júnior, ao que o médico respondeu:

– É exatamente sobre ele que preciso lhe falar, Eurico.

E, em poucas palavras, relatou o que acontecera na noite anterior e a consequente hospitalização do jovem, terminando por acentuar:

– Creio que nosso Junior estará bem melhor agora, pois percebi que a reunião foi focalizada para ajudá-lo e aos companheiros desencarnados.

– Exatamente, Carlos. Interessante... Eu não sabia do acontecido com o Junior, mas intuitivamente senti que deveria direcionar a reunião para a casa de Laura e também que vocês deveriam comparecer. Por isso os convidei.

— Eurico, Junior ainda está na UTI, e estou preocupada. O que faremos agora? – perguntou Laura.

— Não se inquiete, minha amiga. Pelo que pude perceber, foi o que de melhor poderia ter acontecido ao nosso rapaz. Vejo isso como uma maneira de retirá-lo do meio dessa turma. Deus tem caminhos que desconhecemos!

— Concordo com Eurico, querida. O susto que ele levou com certeza o fará repensar melhor suas ações, e tenho certeza de que, amanhã, Junior estará bem melhor – acrescentou Carlos.

Despediram-se com carinho do generoso amigo e foram para casa. Laura encontrou seus filhos dormindo tranquilos, assim como Lurdinha, que se levantava muito cedo para trabalhar.

Chegando ao seu apartamento, Carlos beijou as crianças, adormecidas havia muito, agradeceu à dona Virgínia e caiu na cama. Tivera dia exaustivo e estava bastante cansado. Nem bem deitara quando o telefone tocou, e ele atendeu, sonolento:

— Alô? Alberto?

— Carlos, desculpe-me o horário, mas chegamos de uma pequena viagem e nos sentíamos inquietos. Telefonamos para a casa de Laura. Ela não estava, e Lurdinha me contou que Junior está no hospital, mas não soube dar explicações. O que houve? Fiquei aflito! Marita está desesperada! Eu não conseguia falar com vocês e precisava de notícias!

Esfregando os olhos, ele respondeu, com a voz mais profissional que pôde:

— Alberto, fique calmo! Está tudo bem agora. Você não conseguia falar conosco porque tínhamos ido a uma reunião na casa espírita.

– A Lurdinha falou. E nosso neto, está bem?

– Junior foi hospitalizado, porém tudo segue sob controle.

– Qual é o número do quarto? Queremos vê-lo logo cedo.

– Ele não está em um quarto, Alberto. Na UTI, por enquanto.

– Meu Deus! Diga logo, o que aconteceu com ele?

– Alberto, é uma longa história, e levaria tempo para...

– Carlos! Estou indo para aí! Não conseguirei dormir sem saber o que está acontecendo.

– Tudo bem. Eu o aguardo.

CAPÍTULO 34

Tudo se encaminha

Diante do imprevisto, conformado, Carlos levantou-se, lavou o rosto para espantar o sono, vestiu um roupão e foi até a cozinha colocar água no fogo. Como precisaria ficar acordado, faria um café bem forte. Olhou o relógio de pulso: vinte minutos passados da meia-noite.

Não demorou muito, o porteiro avisou que alguém chegara, e Carlos mandou subir. Deixou a porta entreaberta para que Alberto não precisasse tocar a campainha. Ao ouvir o ruído do elevador, foi esperá-lo à porta. Ficou surpreso ao ver Marita, que acompanhava o marido.

Cumprimentaram-se, e ele notou que os recém-chegados se mostravam bastante tensos e aflitos, especialmente Marita.

– Desculpem-me o traje. Se não se incomodam, vamos para a cozinha. Acabei de passar um café, e lá conversaremos mais à vontade.

Na cozinha, as visitas sentaram-se em torno da pequena mesa, e ele pegou a garrafa térmica e as xícaras. Sentando-se também, serviu café aos amigos, serviu-se e começaram a conversar. Alberto, ansioso, foi logo perguntando:

— O que aconteceu com meu neto, Carlos? Você disse que ele está na UTI! Pelo amor de Deus, fale logo!

O dono da casa, enquanto mexia o café fumegante, procurou tranquilizá-los:

— Realmente, Junior está na UTI, mas seu estado está normalizado, Alberto. Tentamos avisá-los, porém ninguém atendia o telefone.

Alberto trocou um olhar com Marita e informou:

— É verdade, Carlos. Fomos a uma festa e chegamos de madrugada. Estávamos cansados e dormimos até mais tarde. Depois resolvemos fazer uma pequena viagem. Há dois dias recebemos a notícia de que um tio meu, residente numa cidadezinha a cerca de quarenta quilômetros, estava muito doente e fomos visitá-lo. Jamais poderíamos imaginar que nosso neto... Mas... enfim, o que houve com ele?

Escolhendo as palavras para não chocar demais o casal, o médico explicou rapidamente o acontecido. Os avós ficaram perplexos, e Alberto não se conteve:

— Junior bebendo? Coma alcoólico? Isso é absurdo, inadmissível! Não entendo! Nosso neto sempre foi um menino bom, cumpridor de suas obrigações. Não posso acreditar!

Marita não dizia nada, mas as lágrimas a correr pelo rosto atestavam-lhe o estado emocional. Não obstante, sabia que ela e o marido precisavam ouvir toda a verdade. Então, Carlos informou também sobre a disfunção cardíaca, a qual, em virtude do episódio, fora detectada no rapaz, deixando os avós ainda mais preocupados. Após expor toda a situação, procurou mostrar o outro lado. Falou sobre a reunião mediúnica da qual ele e Laura haviam participado e na qual foram socorridos espíritos envolvidos com o fato e, certamente, com a família toda, o que era bastante positivo e animador.

Alberto baixou a cabeça, pensativo e envergonhado.

Um terrível sentimento de culpa fez que se dobrasse ante a realidade, aceitando o papel que tivera nesse drama todo e reconhecendo sua participação no vício do querido filho, Afonso, e que agora atingia também o neto, Junior.

Carlos deixou que ele falasse sem interrompê-lo. Alberto abriu as comportas da alma, extravasando seus sentimentos, enquanto Marita, ouvindo-o, chorava de cabeça baixa. Depois que ele jogou tudo para fora e calou-se, mais aliviado, o médico ponderou:

— Alberto, meu amigo, compreendo perfeitamente o que sente. Todavia, o problema é bem mais complexo. Nessa reunião a que me referi há pouco, Laura e eu pudemos perceber, pelo relato das entidades presentes, que todo esse problema não se limita a esta existência, mas se arrasta por séculos, com a participação ativa dos prejudicados no passado, que desejavam vingança. Desse modo, começamos a entender melhor como tudo se processa. Não que ignorássemos essa possibilidade. Ocorre que, por essas manifestações, tudo fica mais fácil de entender. Esses espíritos não são seres estranhos, desconhecidos, são pessoas que compartilharam da nossa vida e que nós prejudicamos.

Alberto olhava-o sério e compenetrado.

— "Nós" prejudicamos? Você também está inserido nesse contexto? Por que pensa assim?

Carlos respirou fundo e confessou:

— É verdade, Alberto. Enquanto a entidade esbravejava por uma médium, a mãe dele, uma senhora de grande elevação, começou a falar por intermédio de outra, conversando com o filho e tentando ajudá-lo. Então, confesso que comecei a ver minha participação em todo esse drama. Era como se, ao ouvi-los, eu também voltasse ao passado, entende? Torturei e matei com extrema crueldade muitas pessoas. Eram escravos, e eu deveria ser um feitor ou coisa que o valha. E, coisa curiosa, pude compreender também, perfeitamente, a razão que me levou a ser médico. Hoje, trabalho em um hospital público, atendo pessoas pobres, sem condição, procurando reparar o passado de erros pela dedicação aos meus pacientes, tentando curá-los, amenizar-lhes as dores. Pode entender como me sinto?

Quando Carlos começou a falar, Marita estancou o choro e passou a ouvir com atenção o relato dele. Depois perguntou:

– Carlos, acha que meu marido está realmente envolvido nesse drama?

– Tenho certeza, Marita. Deus nos aproxima sempre com uma finalidade útil, necessária e instrutiva, que é refazer os elos do passado pelas ações do presente. Alberto e todos nós estamos envolvidos. Inclusive você.

– Eu? – indagou, assustada.

– Sem dúvida, Marita. Por que acha que Afonso renasceu justo no lar de vocês? A Doutrina Espírita nos afirma que, se estamos na condição de pais, é porque temos a responsabilidade de cuidar, amparar e proteger os espíritos que vêm para nossos braços, ainda frágeis e sujeitos a todas as impressões, para que possamos educá-los, incutindo-lhes valores éticos e morais, para torná-los criaturas melhores e úteis à sociedade.

Marita quedou-se, pensativa. Alberto concordou com Carlos, considerando:

— Tem razão. Existe uma questão em O Livro dos Espíritos que trata da missão dos pais e sua responsabilidade em relação aos filhos[6]. Lamento não ter sido o pai que Deus esperava que eu fosse. Por minha culpa, meu filho começou a beber, e acabou morrendo.

Carlos meneou a cabeça negativamente:

— Alberto, não pense assim. Nenhum de nós é perfeito, e Deus, como Pai, sabe disso. Temos o direito de errar, somos criaturas falíveis. Na verdade, você também precisava de ajuda, estava aqui para tentar se corrigir. Meu amigo, nossa vida é uma sucessão de erros e de acertos, por meio dos quais aprendemos e nos modificamos, buscando o progresso e nos tornando cada vez mais conscientes do que nos compete fazer em benefício próprio e dos nossos semelhantes. Não lamente o passado, procure esforçar-se para melhorar daqui para frente.

— Afonso foi prejudicado pela minha incapacidade de perceber o quanto eu estava errado, e isso, para um pai, é difícil de aceitar! Mas sempre convivi com a bebida em família e em sociedade! Quando criança, lembro que meus pais tomavam vinho em todas as refeições, depois um licor digestivo. Acostumei! E, dessa forma, sempre fiz o mesmo em nossa casa. Era um hábito, que se transformou em costume e está arraigado nas classes sociais mais elevadas. Ninguém se levantava contra o aperitivo, a bebida!

— Correto, Alberto. Tudo isso começou na Pré-História. Mas foi somente a partir do século 12, quando descobriram o processo da destilação, que as bebidas começaram a ter uma dosagem de álcool bem maior do que as fermentadas. Então, as pessoas ficavam

---

6. Questão 582, Livro 2, Capítulo 10, de O Livro dos Espíritos, de Allan Kardec.

bêbadas, mas não havia entendimento de que isso era nocivo. Embora seja uma droga, ninguém considera a bebida como tal, em razão de sua grande aceitação social, e mesmo religiosa, gerando um problema psicossocial difícil de ser erradicado. A luta contra esse mal apenas se firmou diante do número alarmante de casos de pessoas que fazem uso dos alcoólicos, inclusive jovens. Ainda assim, essa permissividade ao álcool leva à falsa crença da inocência do uso de bebidas. Em virtude disso, seu consumo exagerado tem se tornado um dos principais e grandes problemas das sociedades modernas.

Carlos parou de falar, tomou um gole de café e prosseguiu:
— Todavia, Alberto, voltando ao seu caso, se você não sabia que estava agindo mal, onde está o erro? Aprendemos agora que a responsabilidade vem com o conhecimento. Se você ignorava que estava errado, não há culpa, meu amigo. Além disso, Afonso tinha problemas anteriores, já estava predisposto à bebida. Caso contrário, não teria mergulhado no vício nesta existência. Tenho visto pessoas que, desde criança, tiveram pais alcoólatras e, crescendo, tornaram-se radicalmente contra a bebida. Muitas, ainda, ajudaram os pais a sair do vício. Em contrapartida, há pais que jamais colocaram uma gota de álcool na boca, educaram os filhos afastados de bebidas e, ao crescerem, um deles se entrega ao vício. Julgo, portanto, que vai depender das tendências de cada um. Procure entender assim: cada espírito é responsável por suas quedas e fracassos.

— Tudo bem, Carlos, concordo com você, em parte. Porém, se um espírito renasce em um lar onde se cultua a bebida, certamente fica mais difícil livrar-se do problema!

— Você está certo, Alberto. Mas, se esse espírito renasceu nesse lar, provavelmente é para poder exercitar o seu autocontrole, para não se entregar ao vício. Essa é uma prova difícil, mas não impossível.

Marita bocejou, e Alberto olhou para o relógio:

— Duas e meia da manhã, Carlos! Desculpe termos ficado tanto tempo, mas a conversa estava tão boa que nem percebi o tempo passar. Amanhã, ou melhor, hoje, podemos ver nosso neto?

— Sem dúvida! Procurem-me quando chegarem ao hospital, e eu os levarei até a UTI.

— Ótimo! Então, até mais tarde. Provavelmente, depois do almoço, iremos ver o Junior. Obrigado por tudo. Você hoje nos mostrou outro lado da questão, o que me deixou mais sereno – considerou Alberto.

Despediram-se. Carlos, antes de se deitar, foi ver as crianças. Cobriu-as, pois a madrugada estava fria, e voltou para a cama. Lembrando-se da conversa que tiveram, ele pensava: "Não lhes contei, porém, sobre a participação de Laura nesses episódios, para não gerar nenhum tipo de reação da parte deles contra a nora. Contudo, lembro-me de que ela amava Junior, mas o usava para complicar a situação de Afonso, jogando um contra o outro e aumentando a inimizade para conseguir atingir seus objetivos interesseiros. Quanto a mim, ela me seduzia, dava-me esperanças, sem intenção alguma de ficar comigo, um simples capataz, empregado da fazenda onde ela reinava orgulhosa, egoísta e ambiciosa. Queria apenas usar-me como executor de suas ordens, dos serviços secretos que ninguém deveria saber. E ela continua a despertar o mesmo amor em mim, e sei que hoje ela também me ama.

Agora estamos juntos e ambos mudamos, tentando reparar os prejuízos que causamos em nosso passado. Creio que mudamos para melhor, espero".

Carlos sentia-se cansado, mas satisfeito. Em poucos minutos, dormia profundamente.

~

NA MANHÃ SEGUINTE, levantou-se às sete horas, como de costume. Acordou Miguel e Mariana para irem à escola. Tomou banho, arrumou-se e, quando chegou à cozinha, a empregada estava com a mesa pronta para o café da manhã. Deu-lhe algumas instruções, despediu-se das crianças e foi para o hospital.

A manhã passou rápida, entre as visitas aos internos e as consultas. Após o almoço, engolido às pressas ali mesmo, no restaurante do hospital, recebeu uma ligação de Alberto avisando de em breve chegaria ao hospital para visitar o neto.

Logo, Laura chegou. Estavam ansiosos para trocar ideias sobre a reunião, mas o tempo era escasso. Aguardaram Alberto e Marita e, em seguida, foram à UTI. O cardiologista, que já vira o paciente, comunicou aos familiares:

– O rapaz está bem, saiu do coma, e suas funções orgânicas estão normalizadas. Teve alguns incômodos, em virtude da ingestão de álcool, mas isso é benéfico. Evita que deseje beber novamente.

– Como assim, doutor Severo? – perguntou Laura.

– Problemas normais de uma ressaca, como dor de cabeça, vômitos, mal-estar. Bem, já mandei preparar um quarto, e ele deve ser transferido assim que estiver pronto.

A alegria foi geral. Alberto perguntou:

— Doutor, podemos ver nosso neto?

— Podem. Ele está tomando um banho e logo estará no quarto. Talvez Junior se sinta melhor se o virem mais disposto, com outra aparência. Passar bem. Carlos, até outra hora!

— Obrigado, Severo. Até!

De posse do número do quarto, ali o aguardaram. Poucos minutos depois, Junior chegou de maca. Vendo a família reunida, ele sorriu. Rapidamente, os enfermeiros o acomodaram no leito. E então, todos ficaram mais à vontade.

A mãe aproximou-se, abraçando o garoto, carinhosa:

— Como está, meu filho?

O rapaz respirou fundo e respondeu, constrangido:

— Agora estou bem, mamãe. Sinto ter causado tanta preocupação a todos vocês. Perdoem-me. Eu não queria...

— Não, meu filho, não diga nada. Depois conversaremos.

Os avós se aproximaram sorrindo, felizes de ver o neto bem. Abraçaram-no e ficaram conversando com ele, fazendo planos de levá-lo a passeios e viagens.

Ao ver Carlos, que se mantivera um pouco atrás, o rapaz se emocionou e seus olhos umedeceram:

— Carlos, queria agradecer tudo o que fez por mim. Eu sei que, se não fosse você, eu teria morrido. Obrigado, do fundo do coração. Agora, tenho consciência do perigo que corri.

— Agradeça a Deus e aos amigos do plano espiritual, Junior. Se não fossem eles, eu nada poderia fazer.

Junior, comovido até as lágrimas, concordou:

— Sei disso, Carlos. Passei por uma experiência que me fez mudar radicalmente. Vou contar.

Ele fixou seus olhos em um ponto qualquer à distância, como se procurasse as palavras, e relatou:

— Quando comecei a passar mal, de repente me vi em outro lugar. Uma luz intensa, como se fosse um túnel, me atraía, me chamava. Uma mulher iluminada se aproximou de mim e disse: *"Junior, sou sua bisavó Henriqueta, mãe de seu avô Alberto. Meu filho, você precisa voltar. Ainda não é a sua hora. Tem muito a fazer no mundo terreno. Venha comigo!"*

Quando dei por mim, estava de volta àquele lugar escuro e sujo. Outra senhora, também iluminada, segurava-me no colo, aplicando-me passes, eu acho. Ela se chama Eulália. Vi quando você, Carlos, chamou por socorro. Depois, puseram-me na ambulância que me levou ao hospital.

Junior chorava ao se lembrar dos momentos que passou. A mãe tentou impedir que ele prosseguisse, afirmando que precisava descansar, porém ele insistiu em continuar.

— Carlos, sofri muito vendo a luta de vocês para me salvar. Era como se eu estivesse olhando tudo de cima, como se estivesse mais no alto. Eu sabia que aquele corpo era o meu, mas não conseguia me aproximar dele. Vi vários espíritos ajudando vocês, até que minha bisavó Henriqueta aproximou-se mais, orando a Deus por mim. Então, senti um baque, como se tivesse sido sugado, e não vi mais nada. Acordei no "meu" corpo, sentindo-me mal, mas ouvi o que outro médico disse: "está salvo!". Depois, não me lembro de mais nada. Acho que dormi.

Todos estavam perplexos diante do relato de Junior. Alberto, enxugando as lágrimas, perguntou:

— Junior, você não conheceu sua bisavó Henriqueta! Jamais falamos dela. Meu avô Jorge era bastante severo, e, não sei por que razão, a expulsou de casa. Eu era muito pequeno ainda e não entendia aqueles acontecimentos. Sei que minha mãe voltou para a casa dos pais dela e nunca mais pude vê-la. Cresci sem tê-la perto de mim e sem ter notícias dela, até que alguém me contou que ela havia morrido.

– A senhora que eu vi era nova e muito bonita! Ah! Lembro-me agora! Ela me pediu que lhe dissesse que ela sempre o amou muito, muito, muito, e que agora pode estar com o senhor e ajudá-lo, como sempre quis fazer.

Alberto retirou o lenço do bolso e, caindo sentado numa cadeira, chorou copiosamente, enquanto a esposa o abraçava. Depois, enxugou as lágrimas e, aproximando-se do leito, beijou o neto querido, afirmando:

– Junior, este foi o maior presente que eu recebi em toda a minha vida! Você não sabe o que significa para mim, após tantos anos, ter notícias de minha querida mãe. Obrigado, meu filho! Obrigado!

O ambiente era de paz e alegria. O relato de Junior fizera com que todos tivessem a dimensão real do perigo que ele passara, e do socorro recebido dos benfeitores espirituais.

A emoção tomava conta dos presentes, que choravam de satisfação e alívio. Naquele instante, juntos ali, participamos da oração feita a Deus, gratos por tantas dádivas recebidas do Alto.

Epílogo

O dia amanhecera limpo e sem nuvens. O sol brilhava lá fora, e o ambiente era de tranquilidade e alegria. Um sopro de paz e de esperança envolvia a todos, que sorriam e brincavam felizes. A fase negativa e pesada ficara para trás.

Junior recuperava-se rapidamente, e aguardavam apenas que o médico viesse examiná-lo para dar-lhe alta. Nesse momento, ouviram uma leve batida na porta.

Entreolham-se, imaginando quem seria, uma vez que ali estavam todos da família: Marita e Alberto, Laura, Carlos e, por deferência especial, também Zezé e Bruninho, ansiosos por ver o irmão.

De repente a porta se abriu, e, pelo vão, uma linda garota apareceu: aparentava ter uns quatorze anos; era magra, tinha cabelos castanhos longos e sedosos, olhos escuros, vivos e brilhantes, e a pele clara corada pela timidez.

– Posso entrar? Vim ver o Junior.

Imediatamente, Laura foi ao encontro dela com um sorriso.

– Claro! Por favor, entre. Fique à vontade!

De repente, todos se voltaram para Junior e viram que ele também estava corado, os olhos brilhando de animação. Ao ver a troca de olhares e as risadinhas dos familiares, ele fez as apresentações:

– Esta é Gabriela, minha colega de classe.

Um "ah!" surgiu de todos os lados.

– Ela é sua namorada, Junior? – perguntou Zezé, mais afoito e curioso, interpretando o pensamento dos demais.

Junior fez um sinal para que ele ficasse calado. Ao mesmo tempo, a recém-chegada, ainda mais vermelha, cumprimentou a todos. Aproximou-se do leito e trocou um olhar com o rapaz, dizendo baixinho:

– Fiquei preocupada com você. Depois daquela noite, não sabia o que estava acontecendo, até alguém me informar que você tinha sido trazido a este hospital. Lamento o que fizeram com você, Junior.

– Eu quase morri, Gabriela. Foi por pouco, não foi, mãe? – disse ele, olhando para a mãe, sem largar a mão da garota.

Introduzida na conversa, Laura confirmou:

– É verdade, Gabriela. Junior foi direto para a UTI, em estado muito grave.

A garota sentou-se na beirada do leito e começaram a conversar. Marita aproveitou para perguntar:

– Como ficou sabendo? Você estava lá também?

– Sim, estava.

– E o que aconteceu realmente? Até agora não conversamos com Junior sobre aquela noite.

Então, Gabriela começou a contar como tudo aconteceu, falou sobre a brincadeira e a bebida que deram ao Junior, terminando por dizer:

— Quando Junior começou a passar mal e apagou, caindo da cadeira, houve uma grande agitação. Todos ficaram assustados e resolveram ir embora, deixando Junior ali sozinho! Não aceitando abandoná-lo, gritei, tentando fazê-los mudar de ideia, mas a confusão era tão grande, e, quando percebi, tinha sido arrastada para o carro por alguns colegas. Eu desejava ficar para saber o que acontecera com o Junior, pedir ajuda, porém não me permitiram, pois eram bem mais fortes. Inconformada, não tive outra opção senão seguir com eles no carro, que saiu em disparada. De qualquer forma, a região era estranha, e eu não poderia ficar ali sozinha, segundo eles me disseram.

— Compreendo. A turma ficou com medo das consequências, mesmo se isso colocasse em risco a vida de alguém — considerou Marita, com voz de desprezo.

Gabriela, vermelha até a raiz dos cabelos, sentiu-se no dever de esclarecer:

— Dona Marita, não se deve julgar a turma toda pela culpa de alguns. Apenas dois ou três rapazes, mais velhos e experientes, sabiam o que estavam fazendo. Os demais, ali, eram convidados de uma festinha. Como eu, por exemplo! Na verdade, só aceitei o convite porque me disseram que o Junior iria, e eu confio nele. Sinto-me culpada, sim, por tê-lo deixado passar mal, e sozinho. Mas não pude fazer nada!

Ao relembrar aquela noite, Gabriela voltou ao momento psicológico em que tudo acontecera. Seus olhos estavam úmidos de pranto, e as mãos tremiam.

— Acreditem! Tentei chamar uma ambulância, a polícia, mas, quando me pediram o endereço, eu não sabia! Nem tinha ideia de onde estava! Foi horrível! Tudo muito difícil... muito difícil...

Vendo seu estado, Junior apertou a mãozinha dela, dando-lhe forças, e colocou um ponto-final no assunto, afirmando:

— Eu estou bem, tudo já passou e agradeço a Deus estar vivo e prestes a deixar o hospital. Então, chega de falar nisso. Vamos conversar sobre outras coisas. A propósito, Gabriela, e as aulas? Como estão? Os professores deram muita matéria nova?

Aliviada por poder mudar de assunto, ela informou:

— Tem bastante matéria, sim, mas anotei tudo e empresto meu caderno para você. Ah, Junior! O professor de matemática deu uma prova.

— Foi difícil?

— Para mim, foi. Porém, não para você, que tem facilidade para matemática. Não se preocupe. Certamente, o professor lhe dará outra chance.

Vendo que eles falavam do colégio e de coisas que só aos dois diziam respeito, os demais ficaram conversando entre si. Alberto aproveitou o momento para informar:

— Laura, o advogado comunicou que o inventário terminou. Em breve, você poderá dispor da parte que lhe cabe na partilha.

— Ótimo, Alberto. Tenho pensado em vender a oficina e montar minha loja para a venda dos bombons. Assim, coloco Lurdinha na gerência e contrato mais duas ajudantes, o que acha?

— Boa ideia! Não será difícil. Lembra-se de que cerca de um mês atrás apareceu um comprador para a oficina? Vou procurar saber se a proposta está de pé.

— Agradeço, Alberto. Você entende de negócios. O que resolver, para mim está bom.

Prosseguiram conversando, e Laura, vez por outra, olhava Junior e sentia como ele estava contente. Aliás, nunca tinha visto o filho tão feliz! Chamou a atenção de Carlos, que sorriu, compreensivo e satisfeito.

— Sim, minha querida. Nosso Junior está apaixonado.

Alberto e Marita também trocaram um olhar de entendimento, aliviados pela serenidade daquela hora.

— Temos muito o que agradecer a Deus! Tudo caminha de forma promissora. Creio que, daqui em diante, aproveitaremos de um período de paz e tranquilidade – considerou Alberto.

Naquele instante, Laura ficou pensativa como que se recordasse de algo, e relatou:

— Interessante! Tive um sonho há duas noites, do qual me esquecera por completo, e agora me voltou à memória. Lembro-me de que estava em um lugar, parecia uma sala, onde havia outras pessoas que eu sabia serem amigas, as quais, porém, não conheço nesta existência. Conversávamos, e um cavalheiro muito distinto falou sobre a necessidade de me entender com duas pessoas. Concordei, e dois homens foram trazidos. O nome deles era Valter e Geraldo. Ao vê-los, lembrei de uma grande fazenda onde morei. Eles eram empregados de uma fazenda vizinha, cujo dono era Alberto, e amigos de Afonso. Diante deles, eu não sabia o que fazer. Fiquei sem ação, sentindo-me culpada por uma série de atos que cometera, e eles eram meus cúmplices. Um deles me perguntou:

— *Lembra-se de nós, Laura?*

— Sim. Você é Geraldo, e o outro, Valtinho.

— *Isso mesmo. Estamos aqui para dizer que desejamos ficar em paz com a nossa consciência. Já erramos muito e queremos melhorar* – afirmou Geraldo.

— Com o coração opresso e a mente tumultuada pelas lembranças, sentindo-me culpada, humildemente roguei: acreditem, estou muito arrependida por todos os males que causei, arrastando-os ao erro e prejudicando pessoas que me amavam. Peço perdão por tudo o que fiz. Desejo redimir-me e, nesta existência, tenho tentado fazer o melhor ao meu alcance. Eu chorava, sem conter a emoção do momento. Sabia que aquele instante era fundamental para minha alma sedenta de paz. Também comovidos, eles concordaram comigo. Valtinho, o mais tímido, me disse:

— *Dona Laura, também precisamos pedir perdão. Muito prejudicamos a Afonso, nosso antigo amigo, fazendo-o mergulhar de novo no vício da bebida. Desde aquela época bebíamos juntos, porém ele havia renascido com o firme propósito de não se deixar vencer pelo vício, e nós o desencaminhamos. Afonso já nos perdoou e gostaríamos que a senhora também nos perdoasse, não é, Geraldo?*

— *É verdade, Laura. Agimos a mando de Ferdinando e do seu filho Venâncio, que foram socorridos pelos amigos do Bem, e estão se recuperando. Quando puderem, eles virão entender-se com você. Pode nos perdoar?*

— O que mais eu podia fazer? Sabia que era muito mais culpada do que eles! Então, abracei-os com todo o carinho, deixando que meu coração se abrisse ao amor verdadeiro. Choramos abraçados e... depois... não me lembro de mais nada. Despertei em meu leito com o rosto ainda molhado das lágrimas abençoadas, que me limparam a alma.

Laura, comovida, enxugou o rosto e, lançando um olhar por aqueles que a ouviam, completou:

— O mais interessante é que todo o passado voltou à mente e me recordava com detalhes de tudo que acontecera. Logo ao despertar, ainda trazia a lembrança do sonho. Um segundo depois, desapareceu. Apenas uma parte voltou neste instante. Tudo o mais foi apagado!

Carlos balançou a cabeça, concordando:

– Querida! Em seu benefício, os amigos do plano espiritual só permitiram que se lembrasse do que lhe poderia ser útil. O passado de erros poderia perturbá-la, jogando-a em um sentimento de culpa negativo, gerando outros problemas. Vamos nos alegrar por saber que companheiros do passado foram ajudados e fazem parte do nosso círculo de amizades.

– Carlos tem razão, Laura – concordou Alberto. – A vida se abre a um novo ciclo de experiências enriquecedoras. Tudo caminha bem. Os últimos acontecimentos mostraram que preciso melhorar, aproveitando todo o conhecimento adquirido com a Doutrina Espírita. Assim, pretendo estabelecer vínculo maior com a casa espírita, trabalhando em favor dos necessitados e me doando mais. Sei que tenho muito para dar, potencialidades que venho descobrindo em mim, e vou seguir em frente. Sabem que, às vezes, eu me pego falando mentalmente, como se estivesse fazendo uma palestra?

Marita, surpresa ao ver o marido tão animado, concordou com ele, afirmando a pretensão de colaborar, certamente não nas mesmas áreas, pois sabia não ter grande entendimento, mas se propusera a fazer cursos e aprender. Além disso, poderia ajudar na área social, junto das futuras mãezinhas. Enfim, trabalharia onde pudesse ser útil.

O ambiente saturava-se de fluidos dulcificantes. O diálogo entre os encarnados, repleto de boas propostas no sentido do bem e do amor, fez que notassem a presença dos amigos espirituais.

Emocionados, cada um falava do que sentia e das disposições para o futuro. Junior e Gabriela interessaram-se pela conversa, e até os pequenos se calaram, pondo-se a ouvir. Carlos segurou a mão de Laura e, com profundo amor, declarou:

– Bem. Também tenho meus propósitos, longamente acalentados, e que pretendo colocar em execução em futuro próximo. Todavia, existe um que merece atenção especial, aproveitando o instante de calmaria: nosso casamento. Não é, querida?

– Sem dúvida, amor! – disse ela sorrindo, enquanto ele a beijava, e os demais batiam palmas, alegres com a notícia.

– E para quando será? – quis saber Junior.

– O mais rápido possível! – respondeu Carlos, com a aprovação de Laura.

Naquele momento, o doutor Severo entrou no quarto e estranhou a animação:

– Vejo que estão muito alegres hoje! Será porque Junior vai ter alta?

– Sem dúvida! Mas estamos decidindo também um casamento!

– Maravilha! E quando será o grande evento? – indagou Severo.

– Não se preocupe, meu amigo. Você será avisado – respondeu Carlos.

– Faço questão de comparecer! Muito bem. Junior, eu sei que você gostaria de curtir um pouco mais este leito, que adora o hospital, mas já pode ir para casa!

A alegria foi geral. Na euforia do momento, Junior abraçou-se a Gabriela, que novamente corou de vergonha. O médico despediu-se, fez algumas recomendações ao paciente e marcou uma visita ao seu consultório para a semana seguinte.

Após a saída do médico, em meio à alegria geral, Laura propôs:

— Gostaria de convidá-los a orar neste momento tão importante para nós.

Enquanto todos se colocavam em posição íntima de oração, fechando os olhos, e em pensamento buscando as altas esferas espirituais, nossa benfeitora Eulália aproximou-se de Laura e, colocando a mão em sua cabeça, auxiliou-a:

— Querido Mestre Jesus! Diante de tantas bênçãos que nos inundam as almas, passados os momentos mais difíceis que enfrentamos, e que Tu bem conheces, só podemos elevar-nos a ti em gratidão pelo amparo que nunca nos faltou. Nas horas mais dolorosas, pudemos sentir teus braços amorosos a envolver-nos, consolando-nos, espíritos atribulados, e reconduzindo-nos a mansas águas de tranquilidade e paz.

Laura parou de falar por alguns segundos, contendo os soluços, e prosseguiu, enquanto víamos que, do Alto, jorravam sobre nós luzes e flocos luminosos, como pétalas diáfanas que, lentamente, ao contato com os corpos, desfaziam-se, assimiladas por todos os presentes.

— Assim, Senhor Jesus, Divino Amigo e Celeste Condutor das nossas almas, permite-nos rogar também auxílio às tarefas que pretendemos iniciar, no afã de seguirmos as Tuas pegadas e Teu roteiro de luz, colocando em execução as metas estabelecidas no aprendizado da Tua doutrina de amor. Tu nos conhece bem, pois fazemos parte do Teu rebanho. Sabes que somos criaturas que muito erramos ao longo do tempo e que, agora, com a consciência mais desperta, ansiamos por transformação, tornando-nos realmente aqueles trabalhadores da última hora, dignos do seu salário. Então, Jesus querido, atende nossas súplicas e ajuda-nos para que realmente nos tornemos obreiros do Senhor! Que o Teu amor nos conduza a veredas de paz e luz! Obrigada!

Após essa prece, todos nós estávamos envolvidos pelas bênçãos infinitas que vertiam de esferas mais altas. Enquanto os encarnados se abraçavam, dividindo a emoção de que se sentiam possuídos, também nós, no plano espiritual, fazíamos parte da confraternização, satisfeitos pelo resultado do trabalho.

Deixando os nossos felizes irmãos, despedimo-nos deles, retornando à nossa cidade, Céu Azul.

~

Programou-se para dentro de um mês o casamento de Laura e Carlos. Os noivos desejavam algo bem simples, mas Alberto e Marita não abriram mão de uma festa. Afinal, tinham muitos amigos, parentes, colegas de trabalho, companheiros da casa espírita, que mereciam fazer parte da alegria geral. Que os noivos não se preocupassem com nada, a não ser com a felicidade, pois eles cuidariam de tudo.

Assim, em uma manhã radiosa de sábado, Carlos e Laura se casaram. A cerimônia civil foi realizada na mansão, seguida de uma prece em que se rogaram as bênçãos de Deus e a felicidade para o novo casal. Logo depois, foi servido um excelente almoço aos convidados.

A alegria era geral. Carlos e Laura estavam muito felizes, bem como os filhos de ambos: Miguel, Mariana, Zezé, Bruninho e Junior, agora todo satisfeito e de mãos dadas com sua namorada, Gabriela, que também já fazia parte da família. Gertrudes e Lurdinha auxiliavam Marita na organização, assim como Antônia, empregada de Carlos, e Dona Virgínia, sua vizinha. Marlene e o filho, Mateus, ali também estavam, desta vez acompanhados de Lucas que, apresentado aos amigos da esposa, foi se familiarizando com a turma.

Junior mantinha-se muito bem de saúde. O doutor Severo pedira outros exames, constatando que realmente ele tinha uma pequena disfunção no coração, mas, se mantivesse vida normal, sem excessos, tudo correria bem, não tendo o que temer. Consciente do perigo que correra, Junior não se aproximou mais de Renato e da sua turma, mantendo amizade apenas com aqueles que mereciam sua confiança.

No dia do casamento, logo cedo, Laura teve uma das maiores emoções da sua vida. Alberto chamou-a, dizendo que alguns convidados queriam abraçá-la. Carlos acompanhou Laura até a porta de entrada, e ela estacou, perplexa, com o coração disparado.

– Mãe! Pai! Não posso acreditar!

O casal se aproximou, e ela os abraçou, muito emocionada. Acompanhavam seus pais uma jovem e um rapaz, apresentados como seus irmãos, Sônia e Tiago.

Laura os abraçou e choraram nos braços um do outro. Depois, dirigiu-se aos pais:

– Que alegria! Nunca imaginei que veria vocês de novo, depois de tanto tempo de separação! Como foi que me encontraram?

— Foi o doutor Alberto, seu sogro, minha filha — explicou o pai.

— Alberto? — Laura estava surpresa. — Como fez isso? Nem eu sabia mais onde meus pais estavam! Eles tinham se mudado, e eu perdi contato com eles!

Os donos da casa também estavam emocionados, e Alberto esclareceu:

— Laura, sempre estranhei a ausência de sua família no seu casamento com nosso Afonsinho, mas na época isso não nos incomodou. Quando nossa relação se estreitou, comecei a pensar no assunto. Um dia perguntei, e você me disse que seus pais moravam em um sítio, mas achava que haviam se mudado. Lembra-se?

— Sim, eu me lembro.

— Marita e eu resolvemos contratar um investigador. Seus pais não puderam participar do seu primeiro casamento, mas queríamos que estivessem no segundo. Pelo menos se dependesse de nós. E deu certo!

Laura venceu os passos que a separavam do sogro e deu-lhe um grande e emocionado abraço, agradecendo pela feliz iniciativa. O mesmo fez com Marita, a qual reconheceu, também em lágrimas, que tudo poderia ter sido diferente no passado, se a outra tivesse sido a postura dela e de Alberto.

Assim, foi com o coração repleto de alegria que Laura e Carlos se uniram em matrimônio, iniciando uma nova era de paz e harmonia para toda a família.

Do mundo espiritual, inúmeros amigos e familiares, desta e de outras encarnações, estavam presentes, inclusive Luiz Gustavo, antigo namorado de Gertrudes, que se ligara ao grupo. E nós, de Céu Azul, acompanhávamos a cerimônia simples, mas cheia de significado. Nosso amigo Afonso, também presente, agora com outro entendimento, sorria feliz, com o coração em paz.

Ao ver toda a família reunida, ele virou-se a Galeno e Eulália com os olhos úmidos de emoção:

– Quem sabe, no futuro, poderei retornar para os que tanto amo?!

Eulália e Galeno trocaram um olhar pleno de entendimento.

– Quem sabe! A esperança é luz que nos guia os passos, direcionando-nos para um futuro melhor e mais repleto de bênçãos! – completou Eulália.

Todos nós sorrimos a esse desejo. Com os corações em festa, nos despedimos dos novos amigos e rumamos para Céu Azul, onde novas atividades nos aguardavam.

Eduardo

ROLÂNDIA (PR), 5 DE MAIO DE 2011

Ao terminar a leitura deste livro, talvez você tenha ficado com algumas dúvidas e perguntas a fazer, o que é um bom sinal. Sinal de que está em busca de explicações para a vida. Todas as respostas de que você precisa estão nas Obras Básicas de Allan Kardec.

Se você gostou deste livro, o que acha de fazer que outras pessoas venham a conhecê-lo também? Poderia comentá-lo com aquelas do seu relacionamento, dar de presente a alguém que talvez esteja precisando ou até mesmo emprestar àquele que não tem condições de comprá-lo. O importante é a divulgação da boa leitura, principalmente a da literatura espírita. Entre nessa corrente!

Aproveite para conhecer outro sucesso da médium Célia Xavier de Camargo, ditado pelo Espírito Leon Tolstói:

CAPÍTULO UM

Retorno da primavera

O INVERNO RIGOROSO terminara, e a temperatura já se fazia mais amena. Os dias escuros e carregados, as tempestades de neve, que impedia a todos de sair, obrigando-os a se manter dentro das *isbas*[1], aquecidos pelo fogo da lareira, ficaram para trás. Sob os raios de sol, a neve derretia, caindo em gotículas e formando poças no início, depois, filetes de água, e, em seguida, um riacho, que corria rumorejante entre as pedras, no solo rochoso.

A terra cobria-se de gramíneas verdejantes, e os campos coloriam-se de flores de tonalidades variadas; as árvores, de galhos escuros e ressequidos, voltavam a florescer, repletos de vida. Essa cascata de luzes, num prenúncio de primavera, trazia a esperança de dias melhores e mais felizes. Pequenos animais atreviam-se a sair de suas tocas e esconderijos, aquecendo-se ao sol da manhã.

---

1. Pequena casa de madeira, geralmente de pinho, muito comum na Rússia.

Ao fundo, contrastando com o céu muito azul, os Urais, imponentes e intocáveis, deixavam-se ver à distância, cobertos de neve, numa paisagem belíssima e impressionante. Ao longe, o sol, incidindo nas ravinas, criava brilhos e sombras, permitindo visualizar cascatas iluminadas, como luzes a despencar das alturas, formadas do gelo que derretia.

Ainda fazia muito frio. Naquela manhã, na pequena vila de mujiques[2], os moradores saíam de suas *isbas*, animados e satisfeitos. Deixando as indumentárias mais pesadas e escuras, vestiam-se agora com roupas mais leves e coloridas. Os homens trajavam calças largas, amarradas na cintura e presas nos tornozelos; camisas abertas, sem gola, debaixo de casacos de lã; usavam botinas de couro, e, cobrindo a cabeça, um pequeno barrete. As mulheres vestiam saias rodadas, de cores vibrantes, blusas brancas de mangas compridas, sobre as quais colocavam grande xale franjado, sobre a cabeça e as costas, jogando-se um dos lados sobre o ombro; nos pés, calçados de couro grosseiro e resistente.

Na praça do vilarejo, que consistia apenas de um terreno limpo rodeado pelas *isbas*, semanalmente uma pequena feira agitava os habitantes. Durante o inverno, tudo era mais difícil e raro; mas agora, com dias melhores, voltavam a realizá-la.

As bancas, rústicas, restringiam-se a uma mesa pequena, onde eram expostos os produtos. Estes também podiam simplesmente ser colocados no chão, sobre uma toalha, e cada um oferecia o que tinha de melhor, fosse para vender ou para trocar. Havia frutas secas, castanhas, carnes, cereais, peixes salgados, pães, bolos e guloseimas, que atraíam especialmente as crianças, mas também roupas, calçados, ferramentas e outros produtos.

Como a vida social no vilarejo era bastante restrita, essa era a ocasião em que os moradores, reunindo-se, aproveitavam para conversar, saber das novidades, falar dos negócios, contar anedotas. Riam de tudo e de nada. Sentiam-se felizes, apenas.

---

2. Camponês russo considerado escravo, mas libertado, oficialmente, em 1861.

Paixão de Primavera

Naquela manhã, Macha também saiu de casa para ir à feira. Levava uma cesta de fibra trançada, acompanhada pela filha, Ludmila.

De braços dados caminhavam pela vila, rumo à praça. À passagem delas, todos se voltavam, admirados, para contemplar a graciosa Ludmila.

Jovem de apenas catorze anos, Ludmila, ou Mila, para os mais íntimos, atraía a atenção de todos por sua beleza e graça. Seu rosto era pequeno, delicado, a pele clara e acetinada; os olhos, escuros e amendoados, eram recobertos por longos cílios; o nariz, pequeno e benfeito, e a boca, vermelha como as romãs, era delicada e de contornos voluptuosos. Emoldurando o conjunto, uma massa de sedosos e longos cabelos negros, e, sustentando a cabeça soberba, um pescoço de cisne. Quando andava, seu corpo esguio parecia o de uma rainha, pelo porte e elegância naturais. Tudo isso, porém, que as outras pessoas notavam, passava-lhe completamente despercebido, uma vez que não se dava conta da profunda impressão que causava nelas. Quando alguém perguntava à mãe de Ludmila quem ensinara a ela tais maneiras, pois mais parecia uma princesa, a contrastar com o jeito rude das pessoas da vila, Macha respondia que eram naturais da filha, que sempre fora assim. Macha e o marido, pessoas do campo, sem qualquer instrução, não tiveram condições de orientá-la, e alguém que pudesse fazê-lo jamais se aproximara da menina. No fundo, as atitudes de Ludmila causavam espanto até mesmo na mãe e em Boris, seu esposo. Ninguém sabia explicar.

Ao chegarem à feira, foram envolvidas pelos amigos. Dimitri Alexeievitch, um jovem interessado na bela Ludmila, aproximou-se, gentil:

– Bons-dias! Como têm passado? Boris não veio?

– Bom dia, Dimitri! Boris está aproveitando a ocasião para plantar nabos. O tempo está excelente.

– Sem dúvida, Macha. Irão participar das festividades, à noite?

– Sim, certamente. Não poderíamos faltar. Ludmila só fala nisso!

A moça, tímida, baixou a cabeça, encabulada, e o rapaz corou de satisfação.

Na verdade, a família de Ludmila fazia gosto nesse interesse do rapaz pela filha. Dimitri era bom moço, trabalhador, honesto e filho dedicado; enfim, não havia partido melhor naquela região. Seguramente, se viessem a casar-se, Ludmila seria muito feliz com ele.

A jovem, porém, mantinha-se retraída, sem dar-lhe muitas esperanças. Quando Dimitri afastou-se, atendendo ao chamado do pai, Ludmila acompanhou-o com os olhos. Sim, tinha que admitir, ele era um rapaz bonito, gentil, tinha um lindo sorriso e era seu amigo desde a infância. Mas só isso. Ela não o amava, como não amava homem algum. Porém, resignada, conformava-se, pensando que acabaria por casar-se com ele. Com quem mais? Todos os outros moços do vilarejo, conquanto amigos, eram feios, sem graça, rudes, e ela nunca iria interessar-se por nenhum deles. Assim pensando, começara a olhar para Dimitri como seu futuro noivo. Pelo interesse dele em saber se compareceriam à festa, logo mais à noite, e o olhar com que ele a envolveu, notou que havia algo mais no ar. Talvez fosse até pedi-la em casamento! Quem sabe?

Ludmila suspirou, desalentada. Não era o que sonhara para sua vida, mas que fazer?

Alguém se aproximou de Macha:

– Correm boatos de que foram vistos guerreiros cossacos[3] passando pelas aldeias vizinhas e dizem até que estão acampados

---

3. "População da Rússia (região do Don, Norte do Cáucaso, Urais e Sibéria) e Ucrânia. Comunidades de camponeses livres instalados (século 15) nas estepes da Rússia meridional. Subjugados pelos russos em 1654, perderam a autonomia no século 18. Hostis ao poder soviético, foram dizimados na década de 1930. Foram oficialmente reabilitados em 1992" – (*Dicionário Enciclopédico Ilustrado Larousse*, 2007.)

aqui por perto. Será que Boris viu alguma coisa, algum movimento suspeito?

Surpresa, a boa mulher pensou um pouco e respondeu:
— Ignoro. No entanto, creio que Boris, se tivesse visto algo estranho perto da nossa casa, teria me alertado.
— Pode ser — insistiu o outro. — Sendo assim, não deixe de avisá-lo. Boris deve ficar de sobreaviso. Se realmente existem estranhos nas imediações da vila, precisamos ficar atentos. Não sabemos suas intenções. Será necessário tomar providências.
— Pode deixar. Falarei com meu marido.

Macha e Ludmila fizeram suas compras e logo estavam de volta. Antes de entrar em casa, encontraram Boris, que retornava da pequena plantação, todo sujo, mas contente pelo trabalho realizado.

Macha relatou-lhe o que ficara sabendo na feira e ele a tranquilizou:
— Acalme-se, mulher. Andei por aí e não vi ninguém, muito menos estranhos. Vamos entrar. Estou com fome.
— A refeição não tarda. Deixei tudo adiantado, é só esquentar. Vá se lavar que, enquanto isso, eu termino e coloco a panela na mesa.

Enquanto atiçava o fogo, ela se lembrava da recomendação que ouvira e, sem saber por que, uma sensação de perigo invadiu-a no peito. "Bobagem!", pensou, procurando esquecer o assunto.

Sentaram-se os três para a refeição que, muito simples, constava de um cozido de legumes, pão, leite e queijo de cabra.
— Boris, hoje à noite terá festa na aldeia. Não podemos faltar — disse Macha, lançando um olhar curioso para ver a reação da filha.

Mergulhado no prato de comida, ele apenas rosnou, o que Macha alegremente interpretou como um sim. Animada com o rumo dos acontecimentos, ela considerou, cortando um naco de pão:
— Encontramos Dimitri Alexeievitch. Acho até que ele nos fará uma surpresa esta noite.

– Que surpresa, mulher? – indagou, levantando a cara do prato e mantendo suspenso o braço com a colher.

A esposa deu uma risadinha. Ela era de pele bem clara, e seu rosto gordo e rosado ficou ainda mais corado de satisfação.

– Isso eu não sei. Vamos aguardar – disse, revirando os olhinhos.

– Você sabe de alguma coisa, filha? – questionou o pai.

– Não, meu pai. Não sei de nada – disse Ludmila, baixando a cabeça.

– Então, vamos comer em paz – resmungou, compreendendo que a mulher escondia algo, o que o deixava sempre incomodado.

Na verdade, Macha fazia gosto no casamento entre sua Ludmila e Dimitri Alexeievitch porque ele era o melhor partido da aldeia e filho de Alexei Grotienko, intendente do proprietário daquelas terras, que gozava de muito prestígio. Era Alexei quem resolvia todos os problemas da propriedade, visto que o *barine*[4], Conde Konstantin Kamerovitch, raramente visitava seus domínios, preferindo a agitação da corte. Podia ser encontrado ora em Moscou, ora em São Petersburgo, pois tinha residência nas duas cidades.

Cercada de carvalhos e de plátanos, em meio a um lindo gramado, erguia-se a grande mansão do conde. Não poderia dizer que fosse bonita, com seus tijolos vermelhos e suas paredes retas, mas era uma construção sólida e imponente, quase como uma fortaleza, construída no século 16, por um ancestral preocupado com ataques de bandoleiros, que a cercara com alto muro e um grande portão de ferro. Ladeando o portão, duas grandes tochas faziam a iluminação à noite.

(...)

---

4. Senhor.